## 이은봉

1953년 충남 공주(현, 세종시)에서 출생했다. 숭실대학교 국어국문학과에서 박사학위를 받았다. 1983년 『삶의문학』 제5호에 「시와 상실의식 혹은 근대화」를 발표하며 평론가로, 1984년 『창작과비평』 신작시집 『마침내 시인이여』에 「좋은 세상」 외 6편을 발표하며 시인으로 등단했다. 시집으로 『좋은 세상』, 『봄 여름 가을 겨울』, 『절망은 어깨동무를 하고』, 『무엇이 너를 키우니』, 『내 몸에는 달이 살고 있다』, 『길은 당나귀를 타고』, 『책바위』, 『첫눈 아침』, 『걸레옷을 입은 구름』, 『봄바람, 은여우』 등이 있고, 시조집 『분청사기 파편들에 대한 명상』이 있으며, 평론집으로 『실사구시의 시학』, 『진실의 시학』, 『시와 생태적 상상력』, 『화두 또는 호기심』 등이 있다. (사)한국작가회의 사무총장, 부이사장 등을 역임했으며, 현재 광주대학교 문예창작과 교수로 있다.

풍경과 존재의 변증법

# 풍경과 존재의 변증법

## 시 읽기와 시 쓰기 II

이은봉 시론집

도서출판 b

시를 읽고 시를 쓰는 일을 업으로 삼기 시작한 지도 꽤 많은 시간이 흘렀다. 꽤 많은 시간이 흐르는 동안 이런저런 청탁을 받아 쓴 글들이 제법 많이 쌓여 있다. 제법 많이 쌓여 있는 글들 중에는 시도 아니고 수필도 아닌 것들, '시창작 에세이'라고나 부를 만한 것들도 다소 있다. 미리 계획을 해서 쓴 것은 아니지만 이것들도 정성을 기울여 시에 대해, 시를 위해, 시를 향해 쓴 글들인 것만은 사실이다. 이러한 글들을 묶어 여기 한 권의 책으로 간행한다. 감회가 제법 크다.

이들 글을 쓰는 동안 시에 대해, 시를 위해, 시를 향해 끊임없는 질문들이 솟구쳐 올라와 즐거웠다는 점을 말해 둔다. 지금도 시에 대해서는, 시를 위해서는, 시를 향해서는 이런저런 질문이 그치지를 않아 행복하다. 물론 이들 질문은 그때그때의 역사적 현재와 맞물려 있어 늘 나를 들뜨게 한다.

시간이 좀 더 있어 무잡하게 토해낸 이들 질문들을 일관된 체계로 묶어 한 권의 책으로 간행할 수 있게 되면 얼마나 좋을까. 진심으로 그럴 수 있는 때가 오기를 바란다.

이 책의 제목을 『풍경과 존재의 변증법—시 읽기와 시 쓰기 2』라 정한다. 이 책의 제목에 '시 읽기와 시 쓰기 2'라는 말을 붙이는 것은 앞서 다른 책에서 '시 읽기와 시 쓰기 1'이라는 말을 쓴 적이 있기 때문이다. 이때의 '시 읽기와 시 쓰기 1'이라는 말은 물론 얼마 전에 간행한 책 『화두 또는 호기심—시 읽기와 시 쓰기 1』(작가, 2015)을 가리킨다. 이러한 점에서 생각하면 이 책 『풍경과 존재의 변증법—시 읽기와 시 쓰기 2』는 앞서 간행한 책 『화두 또는 호기심—시 읽기와 시 쓰기 1』의 후속편이라고 해도 괜찮다. 아니, 오히려 이 책은 예의 책의 후속편이라고 해야 옳다. 그렇다고 하더라도 이 책 『풍경과 존재의 변증법—시 읽기와 시 쓰기 2』는 시에 대한, 시를 위한, 시를 향한 훨씬 진전된 내 생각이 담겨 있는 것은 사실이다.

'풍경과 존재의 변증법'이라는 말은 이 책에 수록되어 있는 시창작 에세이 「시, 풍경과 존재의 변증법—시는 어떻게 어디서 오는가」에서 기인한다. 이 책의 정작의 제목에 쓰인 '풍경과 존재'라는 말의 뜻은 '형상과 진리', '현상과 본질'이라는 말로 바꾸어도 다를 것이 없다. 나로서는 때로 이들 언어를 '색과 공'이라는 말로 바꾸고 싶을 때도 있다.

본래 좋은 시는 보이는 것, 곧 가시의 것과 보이지 않는 것, 곧 비가시의 것이 길항하고 갈등하는 가운데 창작되기 마련이다. 보이는 것, 곧 가시의 것은 현상의 물질세계를 뜻하고, 보이지 않는 것, 곧 비가시의 것은 본질의 정신세계를 뜻한다. 풍경과 존재, 형상과 진리, 현상과 본질이 충돌하고 길항하는 가운데 태어나는 것이 시라고 하더라도 나는 늘 시에서 존재보다는 풍경을, 진리보다는 형상을, 본질보다는 현상을 앞세워 오고 있다. 이들과 관련해 선후를 이야기하는 것이 문제가 없지는 않지만 이미지인 물질이 진리인 정신보다 선행하는 시를 선호해온 것이 나이기는 하다. 본래 나는 시라는 것이 안이비설신眼耳鼻舌身을 통해 의意를 노래하고, 색성향미촉色聲香味觸을 통해 법法을 노래한다고 생각하고 있다.

변주와 착종을 십분 받아들이면서도 기본적으로는 이러한 관점으로 시를 읽고 시를 써온 것이 그동안의 나이다. 선후를 말하는 것에 문제가 있다고 하더라도 상상의 경우이든 환상의 경우이든 내가 이처럼 의미보다는 이미지가 선행한다는 관점으로 시를 읽고 써온 것은 사실이다. 선행하든 후행하든 이는 곧 물질적인 것과 정신적인 것이 길항하고 갈등하는 가운데 좋은 시가 태어난다는 것을 가리킨다.

그 밖에도 이 책에는 내가 제기해온 시 읽기와 시 쓰기에 관한 많은 질문이 들어 있다. 그뿐만 아니라 나는 그것들을 지금 이곳의 구체적인 현실, 다시 말해 역사적 현재가 만드는 삶의 다양한 국면들과 연결해서 이해하려 하고 있다. 이러한 노력은 늘 지금 이곳의 '근대'라고 부르는 정체된 삶을 좀 더 부드럽고 따뜻하게 극복하고 내일 저곳의 '근대 이후'라고 부르는 진전된 삶을 바르게 꿈꾸고 실현하려는 내 오랜 의지와도 무관하지 않다.

꼼꼼히 살펴보면 부족한 점이 적잖은 것이 이 책의 내용과 형식이리라. 그렇다고는 하더라도 나로서는 이 책의 언어들이 내일의 시와 내일의 삶을 꿈꾸는 젊은 사람들에게 너그럽고 넉넉한 가운데에도 구체적인 도움을 주는 존재로 자리하기를 바란다.

이 책이 그렇게까지 존재하지는 못하더라도 감히 좋은 시와 좋은 삶을 꿈꾸는 많은 사람들에게 거침없는 질정을 불러일으킬 수 있기를 바란다. 온갖 질정을 받아들이는 즐거운 고통이 없이 어떻게 시와 삶의 진전이 있겠는가.

2017. 6.
청리당에서  이은봉

# ☜ 차 례 ☞

## 제2부 시 쓰기의 흥취와 아취

## 제3부 시 읽기의 기쁨과 재미

제1부

# 시·문학·문화

# 시: 정신, 감정, 의식, 전위

　다른 생명체와는 달리 인간은 정신활동을 하는 존재이다. 정신활동을 하는 존재라는 말의 내포는 매우 복잡하고 다기하다. 그렇다고는 하더라도 정신활동을 한다는 것이 마음작용을 한다는 뜻인 것만은 분명하다. 마음작용과 관련해 거론할 수 있는 언표도 간단치 않다. 감각, 감정(성), 정서, 의식, 의지, 인식, 오성, 이성, 지성 등이 다 마음작용의 하나이기 때문이다. 그렇다. 이들 모두는 공히 마음작용과 관련되어 의미가 현현되는 언표들이다.

　마음작용은 상대적으로 주체에 기초해 있는 것도 있을 수 있고, 상대적으로 객체에 기초해 있는 것도 있을 수 있다. 주체에 기초해 있다는 것은 자아에 기초해 있다는 것을 뜻하고, 객체에 기초해 있다는 것은 세계에 기초해 있다는 것을 뜻한다. 자아에 기초해 있는 마음작용은 그 중심이 감성(정)에 있고, 세계에 기초해 있는 마음작용은 그 중심이 이성에 있다. 따라서 감각, 감정, 정서, 의식 등은 좀 더 자아에 기초해 있는 정신활동이 되고, 인식, 오성, 이성, 지성 등은 좀 더 세계에 기초해 있는 정신활동이 된다. 이처럼 인간의 마음작용은 두 개의 부류로 나뉘어 논의될 수 있다.

　이들 마음작용은 다시 세 개의 부류로 나누어질 수 있어 더욱 관심을 끈다. 상대적으로 주관적인 감각, 감정, 정서 등이 그 첫 번째 부류이고, 상대적으로 중도적인 의식, 의지, 인식 등이 그 두 번째 부류이며, 상대적으로 객관적인 오성, 이성, 지성 등이 그 세 번째 부류이다.

상대적으로 중도적인 의식, 의지, 인식 중에서는 의식이 좀 더 주관의 편에 서 있는 것으로 생각되고, 인식이 좀 더 객관의 편에 서 있는 것으로 생각된다. 인식이 좀 더 객관의 편에 서 있다고 생각되는 것은 그것이 기본적으로 보편적 진리를 획득하는 사유의 한 방식으로 존재하기 때문이다. 이러한 주장은 보편적인 진리가 불변의 가치와 관계되어 있는 점을 염두에 두면 자못 분명해진다.

의식이 좀 더 주관의 편에 서 있다고 하는 것은 그것이 끊임없이 움직이고 변화하는 마음작용이기 때문이다. 이처럼 의식은 끊임없이 움직이고 변화하는 속성, 곧 휘발성을 지니고 있다. 의식이 휘발성을 지니고 있다는 것은 그것이 이理보다는 기氣에 가깝다는 것을 뜻한다. 의식이 기氣에 가깝다는 것은 그것이 상대적으로 이성의 속성보다는 정서의 속성을 지니고 있다는 것을 가리킨다.

보통 정서는 절제되고 정화된 감정이라고 설명된다. 작품 속에 들어오면서 창작주체에 의해 감정이 정서로 승화되기 때문이다. 작품 속에 자리를 잡게 되면서 끊임없이 절차탁마될 수밖에 없는 것이, 절제되고 정화될 수밖에 없는 것이 감정이라는 점을 기억할 필요가 있다.

이로 미루어 보면 의식은 기본적으로 정서와 맞물려 존재할 수밖에 없다. 이러한 지적은 의식이 나날의 구체적인 삶과 관련되어 생성되고 소멸될 수밖에 없다는 것을 가리킨다. 나날의 구체적인 삶은 당연히 오늘의 시대현실을 의미한다. 따라서 의식은 오늘의 시대현실에 반응하는 감정과 깊이 관련될 수밖에 없다. 감정의 현존에 따라 의식의 현존도 결정되기 때문이다.

감정이나 의식의 실제가 자본주의 근대에 이르러 훨씬 복잡해지고 다기해졌다는 것은 잘 알려져 있는 사실이다. 개인이 자아를 발견하고 실현하는 과정과 상호 뒤얽혀 있는 것이 자본주의 근대라는 것을 알 필요가 있다. 자본주의 근대가 심화되고 확장될수록 개인의 자아 또한 더욱 개별화되고, 다극화되고, 파편화되는 것은 당연하다. 그러니만큼 개인의 감정이나 의식도 갈수록 개별화되고, 다극화되고, 파편화될 수밖에 없다.

이처럼 갈수록 개별화되고, 다극화되고, 파편화된 감정이나 의식을 바탕으로 하고 있는 것이 오늘의 시이다. 여기서 개별화되고, 다극화되고, 파편화된 감정이나 의식은 분열되고, 해체되고, 파괴된 감정이나 의식을 가리킨다. 시는 본래 분열되고, 해체되고, 파괴된 감정이나 의식을 토대로 온전하고 완전한 감정이나 의식을 꿈꾸는 정신활동의 하나다. 물론 이때의 온전하고 완전한 감정이나 의식은 시를 시답게 하는 형상성 일체를 대표한다. 따라서 일그러지고 찌그러진 심리적인 형상으로, 완벽하고 구족한 심리적인 형상을 추구하는 것이 시라고 해야 마땅하다.

하지만 근년에 들어 발표되고 있는 몇몇 젊은 시인의 시는 온전하고 완전한 감정이나 의식을 꿈꾸기보다는 개별화되고, 다극화되고, 파편화된 감정이나 의식을 직접적으로 드러내는 데 급급한 것으로 보인다. 심화되고 확장되는 자본주의 근대를 극복하기 위해 완벽하고 구족한 형상을 추구하기보다는 분열되고, 해체되고, 파괴된 감정이나 의식을 있는 그대로 폭로하고 있는 것이 최근에 들어 생산되고 있는 젊은 시인들의 시라는 것이다. 따라서 개별화되고, 다극화되고, 파편화된 감정이나 의식, 즉 분열되고, 해체되고, 파괴된 감정이나 의식을 있는 그대로 드러내고 있는 것이 근년의 시라고 해도 지나치지 않다. 그러한 점에서 이들 시는 상대적으로 자연주의적이다.

지금 이 시대의 시의 입장에서는 시인이 처한 현실과 관련해 산개되고 해체되고 망가진 감정이나 의식을 무질서하게 늘어놓는 것이 전위인 것처럼 보이기도 한다. 그러나 실험이라는 이름으로 마구 배설되고 있는 일그러진 감정이나 파괴된 의식의 언어뭉치를 지금 이 시대의 대한민국 시의 전위라고 하기에는 아무래도 문제가 없지 않아 보인다. 진정한 전위는 역사적 현재와 끊임없이 교섭하는 가운데 어제와 오늘과 내일을 동시적으로 수렴하며 한 발자국이라도 미래를 향해 나아갈 수 있는 것이어야 하기 때문이다. 진정한 전위를 실현하기 위해서라도 대한민국의 현대의 시는 각자가 처한 시대와 현실을 바탕으로 좀 더 과감하게 앞으로 달려 나갈 필요가 있다. (2007)

# 자본의 힘과 시의 우위

아직은 귀뺨이 얼어붙는 겨울이다. 예측 못한 한파가 여전히 계속되고 있다. 얼음장 밑으로도 봄은 온다고 했던가. 거듭되는 추위 속에서도 지지골대며 봄이 오는 소리는 들린다. 차가운 바람에 둘러싸여 있기는 하지만 햇살은 이미 제 안에 봄을 품고 있다.

겨울을 이야기하고 봄을 이야기하는 것은 모두 잘 살기 위해서이다. 삶, 곧 생生에는 노병사老病死가 들어 있다. 그렇다. 봄에는 여름 가을 겨울이 들어 있다. 그래서일까. 올해 봄에는 나라 안팎에 유난히 변화가 많을 듯싶다. 한나라당 이명박 정부의 출범도 그 하나이다. 나라 안팎에 적잖은 변화가 기대되는 까닭도 실제로는 이에 있다. 선거운동 기간 동안 해온 공약을 지키기 위해서라도 변화는 있으리라.

물론 변화의 방향에 대해서는 우려되는 바가 없지 않다. 이명박 후보의 한나라당이 내세운 공약이 너무도 비현실적이기 때문이다. 우선은 한반도 대운하 계획을 예로 들 수 있다. 이 좁은 땅에 운하를 판다는 것은 아무래도 설득력이 없어 보인다. 도롱뇽이 살고 있다는 천성산에 고속전철이 다니도록 터널 하나를 뚫는 데도 엄청난 저항에 부딪쳤던 것이 현실이다. 우선은 환경론자들이 앞장을 선 가운데 죽음을 불사하는 한반도 대운하 반대투쟁이 전개되리라.

하지만 이명박 정부의 출범과 관련해 정작 우려되는 것은 한반도 대운하 계획이 아니다. 대통령 선거운동 중 실제로 국민들을 사로잡은 구호가 문제이기 때문이다. 그렇다. 이때의 구호에는 너무도 엄청난 내용이 들어 있다. 물론 여기서 '국민 여러분! 잘 받들어 모시겠습니다'라고 하는 구호를 지칭하는 것은 아니다. 추상적인 차원에서 제안하고 있는 이러한 구호야 별 문제가 될 까닭이 없다. 이미 사람 섬기기를 하늘같이 하라는 천도교의 사인여천事人如天 사상이 보편화된 지 오래이지 않은가.

이와 관련해 좀 더 고민을 해야 할 것은 '국민 여러분! 경제 꼭 살리겠습니다'라는 구호이다. 대통령 선거운동 기간 내내 이 구호처럼 국민들을 사로잡은 것은 없다. 대통합민주신당의 정동영 후보가 제대로 기를 펴보지 못하고 손을 든 것도 이 구호가 지니고 있는 파괴력과 무관하지 않다. 집집마다 한두 명쯤은 실업자가 있는 만큼 한나라당의 이 구호가 유권자들의 마음을 한순간에 사로잡았으리라는 것은 당연하다. 경제가 살아나 식구들 모두가 제대로 된 일자리를 얻는 것만큼 절실한 것은 없다. 노동시장의 유동성을 높이기 위해서라도 일정한 정도는 실업률을 유지하는 것이 고용정책의 기초인 만큼 그렇게 될 리가 만무하겠지만 말이다.

따라서 '경제 꼭 살리겠습니다'라는 구호는 말 그대로 구호에 그칠 공산이 크다. 거짓말을 밥 먹듯 하는 것이 정치인들인 만큼 분명한 약속이 아니라 단지 구호였을 뿐이라고 둘러댈 가능성이 많다. 물론 이명박 후보의 한나라당에서는 아예 7%라는 연간 경제성장률을 제시하며 '경제 꼭 살리겠습니다'라는 구호를 강조해온 바 있다. 하지만 세계경제의 현실은 이 나라에게 결코 그러한 행운을 가져다주지 않을 것이 뻔하다.

새삼스럽게 근심하고 걱정하지 않을 수 없는 것은 이 구호에 함유되어 있는 세계관이다. '경제 꼭 살리겠습니다'라는 구호에 국민들이 이처럼 열광하는 것은 무엇보다 국민들의 정신내면을 이루는 핵심가치가 경제이기 때문이다. 국민들의 정신내면을 이루는 핵심가치인 경제를 살리는 일은 물론 중요하다. 나날의 삶에서 경제처럼 중요한 것은 없다고 해도 과언이 아니다. 사람이라면 누구나 구체적으로 일구어갈 수밖에 없는 삶의 토대가 경제라는 것을 잊어서는 안 된다.

경제가 삶의 토대라는 것은 그것이 정신이 아니라 물질이라는 것을 뜻한다. 이때의 물질은 곧바로 자본을 가리킨다. 물질로서의 경제, 물질로서의 자본……. 현대인은 물질로서의 자본이 모든 것의 중심을 차지하는 시대를 살고 있다. 오늘의 인간은 자본주의의 후기, 곧 완숙한 자본주의 시대에 처해 있는 것이다.

자본주의란 무엇인가. 쉽게 풀어 말하면 '돈주의'라고 할 수 있다. 그렇다. 오늘의 인간은 돈주의 시대, 그것도 후기 돈주의 시대를 살고 있다. 생각해 보면 한심하면서도 안타까운 일이다. 오죽하면 오늘의 이 시대를 후기 돈주의 시대, 곧 후기 자본주의 시대라고 하겠는가.

오늘의 인간은 이처럼 돈이 최고의 가치인 사회, 다시 말해 완숙한 자본주의 사회를 살고 있다. 물론 돈은, 자본은, 경제는 다른 어떤 무엇과도 비길 수 없이 소중한 것이다. 낱낱의 삶의 국면에서는 그것이 각각의 인간들이 구체적으로 먹고사는 일을 가리키기 때문이다. 하지만 구체적으로 먹고사는 일을 오늘의 이 시대와 사회의 특징으로 내세우는 것은 아무래도 좀 민망하다. 먹고사는 일, 즉 돈의 일, 경제의 일, 자본의 일은 얼마간 가리고 삼가는 것이 인간의 품위에 합당하지 않은가.

그러나 인류의 역사에서 돈의 일, 경제의 일, 자본의 일은 언제나 치사하고 더럽고 아니꼽게 전개되어온 것이 사실이다. 걸핏하면 천박하고 부박한 형태의 권력으로 사람들을 핍박해왔기 때문이다. 새삼스러운 이야기이지만 아주 오랫동안 돈, 자본, 경제는 정치와 함께 권력의 양대 축으로 자리해온 것이 사실이다.

정치권력과 함께 경제권력을 장악하고 있는 자들이 부려온 횡포에 대해서는 새삼스럽게 강조할 필요가 없다. 동서고금의 수많은 문학작품에서 끊임없이 고발해온 것이 그것이라는 것을 기억할 필요가 있다. 『흥부전』에서 흥부가 형수의 밥주걱에 뺨을 맞고 뺨에 붙은 밥을 떼어 먹는 장면도 밥을 무기로 한 경제권력의 횡포를 짐작할 수 있게 해주는 좋은 예이다.

의식주라는 물질과 관련해 경제권력이 형성되는 것은 그것이 원래 인간의 원초적인 본능과 관련되어 있기 때문이다. 물론 이때의 본능은 식욕과 성욕을 가리킨다. 식욕과 성욕은 공히 원초적인 본능임에도 불구하고 각기 다르다. 식욕은 생명보존과 관련되어 있고, 성욕은 종족보존과 관련되어 있다.

이러한 논의에서도 알 수 있듯이 이들 본능은 더없이 소중하고 귀중하다. 그런데 이들 본능 가운데 좀 더 근원적인 것은 식욕이다. 성욕은 끊거나 중지할 수 있어도 식욕은 끊거나 중지할 수 없다. 먹지 않으면 누구라도 죽기 마련이다. 식욕이 더욱 직접적으로 돈, 자본, 경제라는 물질과 관련되어 있는 것도 바로 이 때문이다. 식욕을 채우는 일은 동물이든 식물이든 다 물질을 채우는 일이다.

이처럼 인간의 원초적인 본능과 깊이 관련되어 있는 것이 돈, 자본,

경제라는 물질이다. 인류의 역사에서 경제라는 물질은 다름 아닌 이러한 이유에서 줄곧 엄청난 권력으로 존재하고 있다. 하지만 이들 권력에 쫓기며 원초적 본능에 따라 살아가는 것은 인간의 삶이 아니라 짐승의 삶이다. 짐승, 즉 다른 생명체와는 달리 인간은 이들 본능을 이성으로 통제할 수 있는 '특별한 능력'을 지니고 있는 존재이다. 물론 이때의 이성은 도덕이나 윤리로 자리하기도 하지만 순수한 이성으로 자리하기도 하며 원초적 본능을 제어한다.

인간을 가리켜 '특별한 능력'을 지니고 있다고 하는 것은 인간이 '좀 더 높은 차원'에 이르려는 의지를 지니고 있기 때문이다. '좀 더 높은 차원'이라는 말에는 인간이 이미 경제라는 물질만으로는 포획될 수 없는 존재라는 뜻이 들어 있다. 인간은 건강한 육체라는 형식에 건강한 정신이라는 내용을 담아내는 매우 독특한 구조를 갖고 있는 생명체이다. 경제라는 물질적 조건이 향상되면 향상될수록 문화라는 정신적 향취를 가꾸어온 것이 인간이라는 점을 간과해서는 안 된다. 인간이 저 자신의 삶을 위해 그동안 좀 더 쾌적한 환경을 만들기 위해 애를 써온 것도 이와 무관하지 않다.

따라서 경제라는 물질, 자본이라는 물질, 돈이라는 물질과 관련해서는 매우 섬세한 배려가 필요하다. 그럼에도 불구하고 대부분의 사람들은 돈주의, 자본주의, 경제주의라는 오늘의 사회현실을 아무런 반성 없이 무비판적으로 받아들이고 있다. 그뿐만 아니라 '경제 꼭 살리겠습니다'라는 구호를 통해 태어난 한나라당의 이명박 정부는 계속해 국민들에게 돈 제일주의, 자본 제일주의, 경제 제일주의를 부추기고 있다. 그러니 참으로 걱정스럽지 않을 수 없다. 설령 돈이, 자본이, 경제가 최고의 가치라고 하더라도 국민들의 정신건강을 위해 조금은 이를 감추고 삼가며 살아야 하지 않겠는가.

강조하거니와, 국민들 모두가 돈에 미쳐 돌아가고 있는 것이 오늘의 사회현실이다. 생각할수록 이러한 오늘의 사회현실이 만들어낼 앞으로의 일이 두렵다. 지난 2월에 있었던 숭례문(남대문) 방화사건만 해도 그렇다. 방화범 채 모 씨의 방화동기도 결국은 돈의, 자본의, 경제의 소외에 있다. 그가 겉으로 들고 있는 방화동기는 택지개발에 따른 적은 토지보상금의 문제이지만 말이다. 이 문제로 인해 자기가 살고 있는 나라에 원수를 갚겠다고 저지른 보복이 이처럼 엄청난 일을 불러왔다는 점을 기억해야 한다. 돈 제일주의, 자본 제일주의, 경제 제일주의는 시간이 흐를수록 채 모 씨와 같은 사람을 양산해낼 공산이 크다.

돈이라는, 경제라는 물질은 곧바로 자본의 권력으로 왜곡되기 쉽다. 그동안에도 왜곡된 자본의 권력은 나날의 삶에 수많은 횡포를 자행해온 바 있다. 물론 자본의 권력이 자행해온 횡포가 지금 다 끝난 것은 아니다. 자본의 권력이 부려온 횡포는 여전히 계속되고 있어 주의를 요한다. 서해안에서 기름유출 사고를 내 수많은 국민들에게 엄청난 피해를 준 삼성그룹이 그 대표적인 예이다. 이 사건으로 인해 너무도 많은 사람들에게 피눈물을 흘리게 한 것이 삼성그룹이다. 하지만 변변한 사과조차 제대로 하지 않았거니와, 물론 그것은 삼성그룹이 말할 것도 없이 거대한 경제권력이기 때문이다.

노무현 정권이라는 정치권력에게는 하루에도 수십 톤씩 핵폭탄을 쏟아 붓는 언론도 삼성그룹이라는 경제권력에게는 입조차 뻥긋하지 못하는 것이 오늘의 현실이다. 이는 무엇보다 삼성그룹이라는 경제권력이 노무현 정권이라는 정치권력보다 훨씬 더 막강하다는 증거가 된다. 언제나 정의와 진리를 앞세우는 '조중동'조차 삼성이라는 경제권력 앞에서는 저 스스로 무릎을 꿇고 바짝 기고 있지 않은가. 감히 바른 말을 해대며 깝죽대던 <한겨레신문>이 삼성그룹으로부터 광고수입 등의 면에서 자주 불이익을 당하고 있는 현실을 기억해야 한다.

형편이 이러한 데도 정치권력의 정점에 서 있는 한나라당의 이명박 정권은 모든 가치를 경제에, 자본에, 돈에 걸고 있으니 참으로 안타까운 일이라고 하지 않을 수 없다. '경제 꼭 살리겠습니다'는 구호로 국민들의 그릇된 욕구를 자극해 대통령 선거에 당선이 되었으니 어쩔 수 없는 일인가. 생각해 보면 너무도 큰일이라고 하지 않을 수 없다. 한번 고조된 국민들의 물질적 욕구를 가라앉히는 일이 결코 쉽지 않으리라는 것은 불문가지이다.

시를 쓰는 사람인 나로서는 생각할수록 이 모든 일이 근심스럽고 걱정스럽다. 모든 근대시는 반근대시, 곧 반자본시라고 하거니와, 내가 갖는 근심과 걱정은 여기서 말미암는지도 모른다. 시가 돈, 자본, 경제와 맞서 싸워 이기기는 낙타가 바늘구멍에 들어가기보다 어렵다. 이로 미루어 보면 돈과 자본과 경제와 맞붙어 싸우는 것이 시의 능사만은 아닐 듯도 싶다. 시의 입장에서는 돈, 자본, 경제의 방향에 지침을 주는 일, 바른 길을 가도록 선도하는 일 정도나 가능할는지도 모른다. 물론 이는 돈, 자본, 경제에 대한 정당하고도 바른 비판을 통해 가능해지겠지만 말이다. 언제나 삶의 위의威儀를 목표로 하는 것이 시이니만큼 이 글에서는 대통령에 당선되기 위해 이명박 대통령의 한나라당이 제출한 '경제 꼭 살리겠습니다'라는 구호를 문제 삼아 보는 것이다.

근대에 이르러 비로소 문학의 중심 장르로 부상된 서정시는 본래 반근대, 곧 반자본을 기치로 내걸고 저 자신의 동일성을 건설해온 바 있다. 따라서 언제나 권력에 급급해온 돈, 자본, 경제에 대해 비판적 입장을 취해온 서정시가 끝까지 저 자신의 위의를 잃지 않으려 하는 것은 당연한 일이라고 하지 않을 수 없다. (2008)

# 젊은 시인이여 네 머리를 돌로 쳐라

많은 사람들이 한국 현대시를 세 경향으로 나누어 설명하고 있다. 전통 서정시, 모더니즘 시, 리얼리즘 시가 바로 그것이다. 리얼리즘 시는 참여를, 모더니즘 시는 실험을, 전통 서정시는 서정을 주조로 삼는다는 것이 그들의 주장이다. 따져 보면 오늘의 젊은 시인들도 대부분은 이들 세 경향 속에서 자신의 정체성을 찾고 있는 듯싶다. 그러나 이들 젊은 시인들이 전통 서정이 무엇인지, 모더니즘이 무엇인지, 리얼리즘이 무엇인지 진지하게 되묻고 있는지는, 정밀하게 따져 묻고 있는지는 알지 못한다. 그에 대한 자기 나름의 어떤 깨달음을, 어떤 논리를 갖고 있는지도 의심스럽다.

1980년대도 지나고, 1990년대도 지나고, 이른바 2000년대라는 새로운 세기를 살고 있는 것이 오늘의 젊은 시인들이다. 모두들 새로운 세기라고 부르는 데 주저하지 않는 2000년대도 벌써 5년이 지나고 있다. 2005년이라는 오늘의 이 시대의 현실을 젊은 시인들은 어떤 무엇과 관련해 자기 정체성을 파악하고 있는가. 지금 그들은 무엇을 말하기 위해 시를 쓰고 있는가. 무엇을 꿈꾸기 위해 시를 쓰고 있는가. 나로서는 그것을 제대로 알지 못한다. 혹시라도 나이만 젊고 가슴은 이미 늙어버린 것이 오늘의 젊은 시인들은 아닌가.

지난 2004년 11월 민족문학작가회의는 창립 30주년 기념행사를 치른 바 있다. 자유실천문인협의회를 모태로 하는 것이 민족문학작가회의라는 것을 모르는 사람은 없다.* 따라서 30대부터 자유실천문인협의회 운동에 참여해온 시인이라면 이미 60대에 이르러 있다고 할 수 있다. 60대 시인들이라면 자연인으로서는 이미 할아버지가 되어 있는 것이 사실이다. 얼마간은 섭섭하더라도 자연스럽게 세대교체를 하지 않을 수 없다. 민족문학작가회의의 중심이 초창기의 회원들로부터 점차 벗어나고 있는 것도 이와 무관하지 않으리라.

　　이제는 젊은 시인들도 민족문학작가회의 전면에 나서지 않을 수 없다. 물론 이들 시인 또한 시에 대한 자기 정체성을 명확히 갖고 있지 못하기는 마찬가지이다. 언뜻 리얼리즘을 자신의 정체성으로 내화하고 있는 듯 보이기도 하지만 실제로는 새로운 자각을 별로 하고 있지 못한 것으로 이해된다. 리얼리즘의 세계관 및 창작방법의 면에서 어떤 진전도, 어떤 새로움도 보여주지 못하고 있는 것이 오늘의 젊은 시인들이라는 뜻이다.

　　지난 몇 년 동안 가장 각광을 받은 젊은 시인은 나희덕, 이정록, 문태준 등이다. 내가 보기에 특히 문태준의 시는 일제강점기에 백석이 이룩한 시풍으로부터 크게 벗어나 있지 못한 것으로 생각된다. 물론 백석의 시풍으로부터 자유롭지 못한 것이 우리 시단에 문태준 시인 한 사람만인 것은 아니다. 백석의 시풍을 이어받은 안도현, 이동순 등 일련의 시인들과 충분히 연결되어 있는 것이 문태준의 시라는

• • • • •

* 이 글이 처음 집필된 것은 2005년의 일이다. '민족문학작가회의'는 2007년 중의를 모아 이름을 '한국작가회의'로 바꾼다.

28

이야기이다. 문태준의 시로부터 받는 느낌은 김수영의 시풍을 그대로 이어받은 황지우, 이성복, 박남철, 김혜순 등 일련의 모더니스트들로부터 받는 느낌과 크게 다르지 않다. 조금은 상투적으로, 조금은 짜증스럽게 다가오는 것이 그의 시이기 때문이다. 물론 문태준의 경우 전통에 깊이 뿌리내리고 있다는 점에서 여타 많은 모더니스트나 속류 리얼리스트와 변별되는 점이 없지는 않지만 말이다.

　나로서는 속류 모더니스트보다는 속류 리얼리스트에게서 받는 절망이 훨씬 더 크다. 속류 모더니스트의 상투성과 조잡성은 어제오늘의 일이 아니어서 크게 절망할 것도 없다. 하지만 속류든 속류가 아니든 리얼리스트라면 움직이는 현실에 좀 더 능동적으로, 좀 더 감각적으로 대처해야 할 것이 아닌가. 끊임없이 변화하고 운동하는 현실 속에서 진실을 찾고자 하는 정신, 곧 실사구시의 정신이 리얼리스트들의 기본 정신이라는 것은 불문가지이다. 이러한 리얼리즘의 기본정신이 베트남이나 캄보디아, 태국이나 네팔 등지를 싸돌아다닌다고 해서 저절로 획득되는 것은 아니다. 물론 이는 요즈음 들어 부쩍 횡행하고 있는 해외여행시를 겨냥해서 하는 말이다.

　오늘의 젊은 시인들에게는 리얼리즘이라는 말 자체가 이미 낡고 진부하게 받아들여지고 있는지도 모른다. 충분히 그럴 수 있으리라. 동일한 언어의 반복만큼 시인들을 질리게 하고, 짜증나게 하는 것이 어디 있겠는가. 그럴수록 시인으로서의 자기 정체성에 대한 탐구는 더욱 필요하다. 그럴 때 리얼리즘을 끌어안고 넘어서는 새로운 세계관 및 창작방법이 계발될 수 있기 때문이다.

　리얼리즘과 모더니즘의 회통을 말하더라도 그것은 마찬가지이다. 아무런 반문 없이, 아무런 질문 없이 기계적으로, 관습적으로 접근하게 되면 리얼리즘과 모더니즘은 결코 회통하지 않는다. 리얼리즘의 첨단과 모더니즘의 첨단이, 끊임없이 움직이는 이들 각각의 정신이 어떻게 같고 다른가에 대한 피나는 성찰이 계속될 때 이들 각각은 서로 회통되는 가운데 시인의 영혼 안에 자리 잡을 수 있으리라.

간단하게라도 자기 자신에게 물어보자. 리얼리즘이란 무엇이고, 모더니즘이란 무엇인가. 쉽게 정리하면 리얼리즘은 리얼리티를 추구하고, 모더니즘은 모더니티를 추구하는 예술경향이라고 할 수 있다. 이러한 대답을 바탕으로 좀 더 나아가 물어보자. 리얼리티는 무엇이고, 모더니티는 무엇인가. 리얼리티와 모더니티는 어떻게 같고 다른가. 서로 다르다면 리얼리티와 모더니티는 늘, 언제나, 항상 적대적으로 다른가. 그래서 이들 각각은 늘, 언제나, 항상 갈등하고, 길항하고, 투쟁하는가. 한쪽에 의해 다른 한쪽이 초토화되어야 하는 것인가.

쉽게 말하면 리얼리티는 진실성이라고 요약될 수 있고, 모더니티는 현대성이라고 요약될 수 있다. 진실성과 현대성은 각기 다른 것인가. 다르다면 왜, 어째서 각기 다른 것인가. 진실성과 현대성은 각기 같은 것인가. 같다면 왜 각기 같은 것인가. 실제로는 다르면서도 같은 것이 리얼리티와 모더니티가 아닌가. 따라서 이들의 관계는 기연불연其然不然이 된다. 리얼리즘은 리얼리티와 더불어 모더니티를 추구하는 것이고, 모더니즘은 모더니티와 더불어 리얼리티를 추구하는 것인 셈이다.

흔히 형식에 좀 더 골몰하는 것이 모더니티이고, 내용에 좀 더 골몰하는 것이 리얼리티라고 한다. 물론 형식과 내용은 동일한 존재가 지니고 있는 양면적 가치이다. 따라서 모더니티와 리얼리티는 제대로 된 시가 지니고 있는 보편적인 가치라고 해야 마땅하다. 그렇다면 리얼리티와 모더니티는 하나의 걸작이 포괄하고 있는 양가적 특징이 된다.

끊임없이 새로움(모더니티)을 추구하지 않고 어떻게 끊임없이 진실(리얼리티)을 포착할 수 있겠는가. 끊임없이 진실(리얼리티)에 대해 되묻지 않고 어떻게 끊임없이 새로움(모더니티)을 포착할 수 있겠는가.

이러한 질문들에 대해 여기서 일일이 다 대답을 할 필요는 없다. 질문 속에 이미 대답이 들어 있기 때문이다. 그렇기는 하지만 리얼리티가 내포하고 있는 '진실성'에 대해서는 좀 더 탐구가 요구된다.

진실성이란 무엇인가. 진실성은 진실을 향해 끊임없이 지향해 가는 운기運氣를 가리킨다. 모든 성性은 기氣를 통해 드러나기 마련이라는 점을 기억할 필요가 있다. 구체적인 생활과, 나아가 구체적인 생활에서 비롯되는 의식이나 무의식의 실제와 함께하는 것이 낱낱의 시이다. 이러한 시에서 진실은 언제나 방황하는 언어에 의해 순간적으로 포착되는 지극히 주관적인, 그렇기 때문에 오히려 객관적인 삶의 지혜를 가리킬 수밖에 없다.

이때의 삶의 지혜는 발견의 형식으로, 다시 말해 깨달음의 형식으로 현현되는 것이 보통이다. 삶의 지혜가 깨달음의 형식으로 현현되는 것은 시인의 정신이 성찰과 반성의 심리와 함께할 때 가능해진다. 시인의 정신이 성찰과 반성의 심리와 함께한다는 것은, 나아가 그러한 의식으로 나날의 삶과 마주한다는 것은 한순간도 수행의 자세, 수련의 자세를 잃지 않고 있다는 것을 뜻한다. 진실을 매개로 끊임없이 자기 자신의 몸과 마음을 고쳐 나가는 것이, 닦아나가는 것이 보편적인 인생이 아닌가. 진실이라는 것이 본래 변화하는 삶의 과정에 존재하는 것이라고 하더라도 이는 마찬가지이다. 본래 진실은 누구에게나 허虛나 무無로 귀결되기 쉽다. 그렇다고는 하더라도 진실의 실체를 잡기 위한 지속적인 자기 반문과 자기 실천이 없이는 구체적인 시에 설득력 있는 한 소식, 곧 한 지혜를 담기가 쉽지 않다.

언제나 새로운, 늘 깨어 있는, 그리하여 모더니티와 함께하는 지혜를 추구하려 하지 않는다면 누구라도 제대로 된 시인이라고 할 수 없다. 이러한 시인, 언제나 새로운, 늘 깨어 있는, 그리하여 모더니티와 함께하는 지혜를 추구하는 시인이 무자각하게, 기계적으로, 습관적으로 오늘의 모순을 받아들이지 않으리라는 것은 이론異論의 여지가 없다. 책을 통해, 강의를 통해, 아무런 비판도 없이 우리 사회의 모순을 계급모순, 민족모순, 생태모순이라고 상투적으로 요약하는 시인이 자신의 시를 통해 우리 시대의 핵심모순을 제대로 형상화해낼 수 있겠는가. 자신의 구체적인 삶과 함께하지 않는, 생생한 경험과 함께하지 않는, 진지한 실천과 함께하지 않는, 급기야 아무런 성찰도 반성도 없는, 예의 교의를 무자각하게 신봉하는 시인들에게서 좋은 시를, 정서의 변화를 실감하는 시를 기대하기는 불가능하다.

1990년대 이후 이른바 생태시가 한국 시단의 주류로 부상한 바 있다. 그러한 이후 너도나도 생태시를 쓰겠다며 함부로 자연을 시의 소재로 삼거나 찬미해 오고 있다. 나날의 구체적인 생활과 무관한 채 관념적으로 생산되고 있는 이들 생태시에서 오늘의 자본주의 현실에 대한 치열한 반성과 성찰을 찾아보기는 불가능하다. 자기 시대의 모순에 대한 기계적이고 평면적인 인식을 교과서식으로 주입하고 있는 이들의 생태시는 일종의 패션일 따름이다. 왜 시를 써야 하는지에 대한 아무런 고뇌도 없이, 아무런 절실성도 없이 관습적으로 주목을 받기 위해 우르르 한곳으로 몰려다니는 시인들에게는 생태시만이 아니라 시 자체가 일종의 호사취미에 불과하다.

당연히 이들의 시는 시 이전의 언어뭉치에 불과한 경우가 많다.

최소한의 시의 경지에조차 이르지도 못하는 저급한 시가 생태의식이라는 상투적인 내용만으로 한몫을 하려 드는 것이 이들 시인의 시이다. 미처 시가 되지 못하는 이들 시인의 언어뭉치를 여기서 문제로 삼는 것은 단지 절실성이 없기 때문만이 아니다. 무엇보다도 이들 시인의 시는 방법적 성찰이 결여되어 있다는 점에서 읽는 이를 짜증스럽게 한다.

시에 대한 방법적 성찰은 우선 대상인식과 한국어 운용능력을 전제로 한다. 아무런 내적 질문도 없이 평범한 인물을 평범한 시각으로 묘사하고 있는 시, 즉 너무도 뻔한 '인물형상의 시'만큼 독자들을 짜증스럽게 하는 것은 없다. 민중적 인물을 형상화한다는 미명하에 하급 계급의 인물형상을 상투적으로 그려내고 있는 이들 시는 기본적으로 시인 자신에 대한 탐구가 결여되어 있어 독자들을 쉽게 식상하게 한다. 묘사의 주체로서 시인 자신에 대한 탐구가 없이 대상 인물을 있는 그대로 평범한 시각으로 드러낼 때 무슨 새로움(모더니티)이 있고, 무슨 진실(리얼리티)이 있겠는가. 인물형상을 대상으로 삼더라도 대상 자체를 새롭게 드러내기 위해 이미지나 상징 등 수사적 장치를, 모더니즘적 기법을 십분 활용할 수 있어야 한다는 이야기이다.

시의 대상은 외적 현실이나 사물이 아니라 내적 의식이나 무의식일 수도 있다. 시의 주체도 작품 밖의 관찰적 자아가 아니라 작품 안의 고백적 자아일 수도 있다. 어떠한 시점을 선택하더라도 제대로 된 시인이라면 대상과 주체를 자유롭게 부리고 운용할 수 있는 미적 자유를 획득하고 있어야 한다.

방법적 자각은 한국어 운용하는 능력의 면에서도 매우 필요하다. 거칠고 조악하게 한국어를 드러내서는 좋은 시를 쓰기가 쉽지 않다.

정밀하고 섬세하게 시의 문장을 다듬어내지 못하고서는 훌륭한 시인이라고 할 수 없다. 시를 시답게 하는 첫 번째 지점에 리듬이 있다면 한글 24자모가 만드는 음상音相에 대해서도 철저한 자각이 필요하다. 각각의 자음과 모음이 이루는 소리의 결과 이미지에 대해서도 시인 나름의 치밀한 깨달음이 있어야 마땅하다.

한국어 시는 각운이든 두운이든 압운을 사용할 수 없도록 되어 있다. 그뿐만 아니라 각 행의 음절이 고정되어 있지 않은 것이 한국어 시의 중요한 특징이다. 시인이 시의 행을 운용하는 데도 개성적 자각을 발휘할 수밖에 없는 것은 바로 이 때문이다. 한국어 시에서는 리듬이 태어나는 원초적인 지점이 시의 행이라는 점을 잊어서는 안 된다. 운보다는 율에 의지하는 것이 한국어 시의 리듬이라는 것도 항상 기억해야 한다. 리듬감이 풍성한 시를 쓰기 위해 율격 체계에 대한 자득이 필요하다는 것은 더 말할 나위가 없다.

모국어와 관련한 방법적 자각은 이 밖에도 여러 면에서 필요하다. 제대로 된 시인이라면 어휘를 선택하고 배열하는 면에서, 소리와 뜻을 부리는 면에서, 입말과 글말을 운용하는 면에서 각각 자기 논리를 갖추고 있어야 한다. 하지만 이 글에서 그것을 일일이 다 거론할 필요는 없다. 좋은 시를 쓰는 것은, 좀 더 구체적으로 말해 리얼리티와 모더니티가 회통하는 좋은 시를 쓰는 것은 결국 젊은 시인들 각각의 몫일 수밖에 없다.

좋은 시를 쓰려면 무엇보다 이런저런 한국어의 시적 특징이 시인 자신의 몸에 배어 있어야 한다. 방법적 자각은 오히려 그것이 몸에 배어 있지 않을 때 더 강하게 요구되기 마련이다. 의지와는 달리 방법적 자각이 가능하지 않으면 자신의 머리를 돌로 쳐서라도 가능하게 할 수밖에 없다. 이른바 두타석이 필요하다는 것이다.

　자신의 머리를 돌로, 두타석으로 쳐서라도 방법적 자각을 하게 되면, 그리하여 편편이 좋은 시를 쓰게 되면 전통 서정시, 모더니즘 시, 리얼리즘 시 따위로 분류하는 일은 우스꽝스러운 것이 된다. 그렇게 되면 오늘의 젊은 시인들이 더 이상 이들 세 경향 속에서 자신의 정체성을 찾지 않으리라는 것도 자명하다. 그들의 시에는 이미 전통 서정, 모더니티, 리얼리티 따위가 깊이 뒤섞여 있을 것이기 때문이다. 하지만 지금 오늘의 젊은 시인들이 전통 서정이 무엇인지, 모더니즘이 무엇인지, 리얼리즘이 무엇인지 진지하게 되묻고 있는지는, 정밀하게 따져 묻고 있는지는 잘 알기 어렵다. 그들이 이에 대한 자기 나름의 확실한 깨달음을, 명확한 논리를 갖고 있는지가 의심스럽다는 뜻이다.
(2005)

# 생각, 앎, 언어, 아름다운 삶

가끔은 아무런 생각을 하지 않을 때가 있다. 더러는 멍 때릴 때가 있다. 멍 때릴 때가 있다니? 멍 때린다는 말도 있나? 불행하게도 멍 때린다는 말도 있다. 사람들이 실제로 사용하는 말이니까. 사람들의 구체적인 경험을 담고 있는 말이니까.

이때 멍 때리는 일은 당연히 의지 밖에 있다. 그렇다고 하더라도 이때의 멍 때림을 두고 무념무상이라고 하기는 어렵다. 그것이 오래 지속되지는 않으니까.

멍 때림은 늘 잠깐이다. 대부분은 생각이 꼬리를 물기 마련이다. 생각이 꼬리를 물면 실수를 하기 쉽다. 생각에 깊이 빠져 있다가 보면 흔히 하는 실수 말이다.

27번 버스를 타야 하는데 72번 버스를 타는 것이 그 대표적인 실수이다. 돈암역에서 내려야 하는데 길음역까지 가는 것도 그러한 실수 중의 하나이다. 더러는 저녁밥을 하다가 생각에 빠져 된장찌개를 까맣게 졸아 붙일 때도 있다.

생각은 즐겁게도 하지만 아프게도 한다. 생각은 깨달음의 환희를 주기도 하지만 좌절의 고통을 주기도 한다. 생각은 앎의 기쁨을 주기도 하지만 모름의 아픔을 주기도 한다.

한자말로 생각은 '사思'이다. 사색思索, 사유思惟, 사고思考라고 할 때의 '사思' 말이다. 그래서 이 '사思'를 흔히 '생각 사思'라고 한다.

사思를 파자破字하면 전田+심心이다. 마음의 밭이라는 뜻이다. 마음의 밭이 경작되면서, 마음의 밭을 움직이고 바꾸면서 생각은 발생한다. 경작되기 이전의 마음, 본래의 마음은 의지적이지 않다.

의지대로 움직이고 변화할 수 있는 마음은 지극히 적다. 대부분의 마음은 의지와 관계없이 제멋대로 가동된다. 마음이라는 것은, 심心이라는 것은 본래 심장心臟에서, 곧 좌우의 심방心房에서, 다시 말해 가슴에서 태어난다. 그래서 심心이 아닌가. 마음의 영역에서 이성보다 감정이 좀 더 앞자리에 자리해 있는 것도 바로 이 때문이다.

감정이 상대적으로 장기臟器에 토대를 두고 있다면 이성은 두뇌頭腦에 토대를 두고 있다. 물론 마음 중에는 좀 더 성기性器에 토대를 두고 있는 것도 있다. 하단전下丹田의 욕망에서 비롯되는 마음, 원성原性 말이다. 충동적 면을 갖고 있기는 하지만 원성(이를 두고 본성이라고 해도 좋다)도 마음의 중요한 일부분이다. 하단전에서 생성된 정신에너지가 중단전中丹田, 상단전上丹田으로 끌어올려지면서 태어나는 영성靈性도 의미 있는 마음의 하나이다.

마음을 세분하는 방식은 많다. 칸트는 감성과 이성과 영성으로 나누고, 주자朱子는 성性과 이理와 기氣로 나눈다. 전기前期 프로이트는 의식, 무의식, 선의식으로 나누고, 후기 프로이트는 이드id와 에고ego와 수퍼에고super ego로 나눈다. 라캉은 상상계, 상징계, 실재계로 나눈다.

어떻게 나누든 마음, 곧 정신은 몸, 곧 물질보다 선행한다. 일찍이 부처님도 일체유심조一切唯心造라고 하지 않았던가. 일체가 다 마음이 짓는 바에 의해 달라진다는 것이다.

정말 언제나 몸(물질)보다 마음(정신)이 선행하는가.

물론 마음(정신)이 몸(물질)보다 후행할 때도 있다. 마음(정신)이 몸(물질)보다 선행하기도 하고 후행하기도 하는 것은 별로 중요하지 않다. 정작 중요한 것은 마음(정신)이 끊임없이 몸(물질)과 상호 소통한다는 점이다.

그렇다고는 하더라도 마음의 밭을 가는 것이, 곧 사思를 행하는 것이 지知를 얻기 위한 노동인 것은 사실이다. 따라서 사思, 곧 사색思索, 사유思惟, 사고思考는 지知에 이르는 방법이라고 하지 않을 수 없다. 실제로는 이것이 지知에, 앎에 이르는 첫 번째 길이다.

다시 물어 보자. 사람은 어떻게 앎知에 이르는가. 우선은 생각해, 사유思惟해, 사고思考해 앎에 이른다. 사思를 통한 앎 말이다. 하지만 사思를 통한 앎은 위험하다. 위험하기는 하더라도 이때의 앎은 새롭고, 신선하고, 낯설고, 창조적이기 마련이다.

사고思考에는 언어를 매개로 하는 것이 있고, 이미지를 매개로 하는 것이 있다. 언어를 매개로 하는 사유는 상대적으로 논리적이고, 이미지를 매개로 하는 사유는 상대적으로 직접적이다.

이때의 앎은 지識가 되기보다 지知가 되기 쉽다. 지識는 지知에 비해 상대적으로 훈습薰習이 된 앎이다. 훈습薰習이 된 앎이라는 것은 관습慣習이 된 앎이라는 것이다.

따라서 좀 더 안전하고, 편안하고, 정확한 앎이 필요하지 않을 수 없다. 충분히 믿을 수 있는 앎, 근거가 있는 앎 말이다. 그렇다. 이러한 앎은 다른 길을 통해 도움을 받아야 한다. 이때의 앎의 다른 길은 '학學'이다. 이 '학學'을 흔히 '배울 학學'이라고 말한다.

'학學'이라는 글자는 아이가 책상 앞에서 손을 들어 책을 잡고 있는 형상을 하고 있다. 아이가 책상 앞에서 손을 들어 책冊을 잡고 있는 것은, 곧 '학學'을 하고 있는 것은 물론 앎에 이르기 위해서이다.

하지만 이때의 앎은 이미 알려져 있는 앎, 책에 언어로 기록되어 있는 앎이다. 남의 앎을 기록해 놓은 앎, 기존의 언어를 매개로 해서 이르는 앎이 이때의 앎이다. 따라서 이때의 앎은 기존의 앎, 이미 공인되어 있는 앎일 수밖에 없다. '학學'을 매개로 하는 앎이 지知보다는 지識에 가까울 수밖에 없는 까닭이 바로 여기에 있다.

그렇기는 하더라도 '학學'은 앎에 이르기 위한 더없이 중요한 길이다. '학學'이 없이 앎은 시동을 걸 수 없다. '학學'이 없이 앎은 앞으로 나아갈 수 없고, 체계를 이룰 수 없다.

공자는 『논어』에서 학學과 사思에 대해 "學而不思則罔 思而不學則殆(학이불사즉망 사이불학즉태)"라고 말한 바 있다. 배우기만 하고 생각하지 않으면 어둡고, 생각하기만 하고 배우지 않으면 위험하다는 뜻이다. 이로 미루어 보면 공자가 학學과 사思를 대등한 앎의 방법으로 받아들였다는 것을 알 수 있다. 학지學識와 사지思知를 동등한 앎의 형태로 받아들이는 것이 공자라는 것이다.

하지만 정작의 공자는 『논어』의 다른 곳에서 사지思知보다는 학지學識를 강조한다. "吾嘗終日不食, 終夜不寢, 以思, 無益, 不如學也(오상종일불식, 종야불침, 이사, 무익, 불여학야)"가 바로 그것이다. 내가 일찍이 날이 다 가도록 먹지도 않고, 밤이 다 가도록 자지도 않고 사思해 보았지만 이익이 없더라, 학學하는 것만 같지 않더라는 뜻이다.

이처럼 공자는 앎의 원천을 사思보다는 학學에 두고 있다. 따라서 공자는 앎의 질에서도 지知보다는 지識에 좀 더 중심을 두고 있는 셈이다. 지知가 좀 더 새롭고 감각적이고 정서적이라면 지識는 좀 더 실질적이고 실용적이고 도구적이다. 시적 앎은 좀 더 지知에 가까워 보이고 과학적 앎은 좀 더 지識에 가까워 보인다. 상대적으로 사思에서 비롯되는 앎이 지知에 가깝고, 학學에서 비롯되는 앎이 지識에 가깝지 않느냐는 것이다.

엄우嚴羽는 『창랑시화滄浪詩話』의 모두冒頭에서 "夫學詩者, 以識爲主(부학시자 이지위주)"라고 말한다. 무릇 시를 배우고자 하는 사람은 지識를 중심으로 삼아야 한다는 뜻이다. 그렇다면 엄우는 시를 배우는 일과 관련해 지知보다는 지識를 강조하고 있는 것이 된다.

물론 이때의 지識는 시 쓰기와 관련된 모든 전통과 습속, 역사를 가리킨다. 실제로도 시에 관한 전통과 습속, 역사를 모르고서는 좋은 시를 쓰기가 어렵다. 과거에 선배 시인들이 무슨 시를 어떻게 써왔는가를 바르게 알지 못하고 어떻게 새롭고 좋은 시를 쓸 수 있겠는가.

따라서 시를 배우고자 하는 사람은 기존의 시를, 기존의 시에 대한 앎을 중심으로 삼을 수밖에 없다. 기존의 시, 기존의 시에 대한 앎이야말로 새로운 시로 나아가는 첩경이다. 언제나 좋은 시는 좋은 시를 부르기 마련이다. 언제나 좋은 시인은 좋은 시인을 부르기 마련이다. 더불어 溫故知新(온고지신), 法古創新(법고창신)이라는 말을 떠올려 볼 필요도 있다.

이로 미루어 보더라도 좋은 시를 아는 것은, 나아가 좋은 시인을 아는 것은 더없이 중요하다. 아는 것이라! 그렇다면 아는 것은 무엇인가. 이와 관련해 『논어』에서 공자는 "知之爲知之, 不知爲不知, 是知也(지지위지지 부지위부지 시지야)"라고 한 적이 있다. 아는 것을 안다고 하고, 모르는 것을 모른다고 하는 것이, 그것이 아는 것이라는 뜻이다.

아는 것을 안다고 하고, 모르는 것을 모른다고 하는 것은 결코 쉬운 일이 아니다. 아는 것을 안다고 하고, 모르는 것을 모른다고 하려면 무엇보다 정직하고, 순수하고, 무구한 마음을 갖고 있어야 한다. 이러한 마음을 갖고 있어야 아는 것이 정밀해지고 정확해진다.

정직하고, 순수하고, 무구한 마음은 지공무사至公無私한 마음이다. 지공무사至公無私한 마음은 남의 아픔을 내 아픔으로 받아들이는 마음이다. 남의 아픔을 내 아픔으로 받아들이는 마음은 마음에 사특함이 없을 때, 곧 사무사思無邪일 때 가능해진다. 공자가 시삼백 일언이폐지왈 사무사詩三百 一言而蔽之 曰 思無邪라고 했을 때의 사무사思無邪 말이다.

사무사思無邪의 마음이야말로 일체유심조一切唯心造의 심心이다. 이때의 심心은 일체의 물질을 짓는 심心이기 때문이다. 하늘이 있으라, 말하면 하늘이 있고, 땅이 있으라, 말하면 땅이 있는 것이 이때의 마음이다. 따라서 이때의 마음은 있는 그대로 말, 언어가 된다. 당연히 이때의 마음과 말, 언어 사이에는 어떤 괴리도 없다. 어떤 괴리도 없는 말, 언어! 마음과 하나가 되는 말, 언어!

이때의 말, 언어가 곧 시이다. 마음, 나아가 사물과 하나인 말, 언어! 적어도 시는 여기서의 말, 언어를 꿈꾼다. 이러한 말, 언어는 시원의 주술과 다르지 않다. 내 시의 언어도 이처럼 시원의 주술이 되었으면 좋겠다. 시원의 주술로 기능하는 언어와 함께하는 시는 구체적이고 사실적인 풍경을 좋아한다. 구체적이고 사실적인 풍경을 통해 일반적이고 보편적인 진실이나 진리를 담아내려고 하는 것이 이러한 시이다. 생생한 현실에, 사실에, 현상에 기초하지 않고 감동적인 진실이나 진리를 담아내기는 어렵다.

감동적인 진실이나 진리를 담아내려고 하는 시는 활달豁達한 리듬을 통해 능동적으로 세상에 불거져야 한다. 활달한 리듬은 본래 활기活氣 있는 운기運氣와 함께하기 마련이다. 이때의 운기運氣는 마땅히 호연지기

浩然之氣와 무관하지 않다. 호연지기의 활기는 어떻게든 기의를 얻기 위해 몸부림치는 기표들의 틀과 체계로부터 태어난다. 이렇게 몸부림 치는 과정에 겨우 깨닫는, 겨우 생성되는 기의가 장엄하고, 웅혼하고, 숭고한 운기를 낳는다. 이때의 기표와 기의는 하나이면서 둘일 수밖에 없다. 이때의 시의 언어는 언어 안에 있으면서 언어 밖에 있을 수밖에 없다. 언어 안에 있으면서 언어 밖에 있는 언어, 시의 언어를 꿈꾸는 것처럼 아름다운 삶은 없다. (2010)

# 박영근 시인을 추억하며

　박영근 시인이 이승을 떠난 지 벌써 5주년을 맞는다. 2007년 5월 11일에 간행된 박영근 유고시집 『별자리에 누워 흘러가다』(창비)에는 몇 장의 사진도 실려 있다. 서점에서 이 시집을 펼쳐 든 채 책장을 넘기던 나는 잠시 멈칫거리지 않을 수 없었다. 이들 사진 중에는 어설픈 내 얼굴도 들어 있었기 때문이다.

　추억을 공유하는 것처럼 아름답고도 슬픈 일은, 행복하고도 아픈 일은 없다. 물론 이때의 추억은 박영근 시인과 함께 나누어온 이런저런 에피소드를 가리킨다. 아름답고도 슬픈, 행복하고도 아픈 추억들이라니!

　1984년 5월 초 결혼을 하고 아내를 따라 서울로 이사를 온 나는 정릉의 고려연립 반지하 방에 신접살림을 차렸다. 4월 29일 결혼식을 올린 뒤 신혼여행을 다녀온 우리는 곧바로 이곳에서 새 살림을 시작했다. 서울에서 신접살림을 시작하기 전 나는 주로 공주의 고향집과 대전의 자취집을 오가며 살았다. 그때 이들 두 집을 오가며 내가 한 일은 진보적 가치를 지향하는 『삶의문학』을 만드는 등 지역문예를 일구는 일이었다.

　서울로 이사를 와 살면서 내가 첫 번째로 한 것은 '자유실천문인협의회'를 재구성하는 준비모임에 참여한 일이었다. 1984년 1월 초에야 겨우 등단의 형식을 거친 나를 이 준비모임에 불러낸 것은 김정환 시인이었다. 박영근 시인도 그 무렵 이 준비모임에서 만났다.

박영근 시인은 1981년 동인지인 『반시』를 통해 처음 작품을 발표하면서 문단에 등단했다. 따라서 등단년도만으로 보면 그는 나보다 선배이다. 이러한 그가 내 마음속에 확실히 자리를 잡은 것은 1984년 가을쯤이었다. 그즈음의 어느 일요일 그가 문득 정릉의 내 반지하 살림집으로 쳐들어왔기 때문이다. 그러한 일이 있고 난 후 그는 더러는 혼자, 더러는 성효숙과 함께 정릉의 내 집을 찾아와 한동안씩 놀다가고는 했다. 그가 이렇게 내 집을 찾아오기 시작한 것은 아마도 내가 쓴 시 「부활-전태일」을 읽고 난 뒤부터였던 듯싶다.

물론 그때는 내 첫 시집 『좋은 세상』(1986)이 간행되기 훨씬 전이었다. 불과 스무 편 남짓 시를 발표했었는데, 그는 내가 발표한 이들 시를 다 찾아 읽은 듯했다. 아랫방의 책장에 꽂혀 있는 동인지나 문예지를 직접 꺼내온 그는 그곳에 실려 있는 내 시를 조근조근 읽어가며 비판과 칭찬을 반복해대고는 했다. 치열성과 현장성이 부족하다는 것이 주된 비판이었는데, 앞에서 이야기한 「부활-전태일」에 대해서는 거듭 칭찬을 아끼지 않았다.

이러한 일이 있은 이후 박영근 시인은 실제의 나이와는 관계없이 (그는 1958년생이고, 나는 1953년생이다) 나를 제 친구라고 생각하는 듯했다. 술에 취하면 마구 내 이름을 불러대며 욕설을 퍼붓는 등 함부로 굴었는데, 그럴 때마다 나는 대부분 허허허 웃어대고는 했다. 그의 이러한 짓이 별로 싫지 않았기 때문이다.

1985년 12월 9일에는 전두환 군사독재의 하수인인 서울시장이 창작과비평사의 출판등록을 취소하는 온갖 무지를 범하기까지 했다. 계간 종합문예지 『창작과비평』에 이어 창작과비평사라는 출판사까지 등록을 취소시킨 것이다. 서울시장은 출판과 언론법에 따라 부정기간행물 제1호라는 표시를 달고 간행된 『창작과비평』(통권 57호)이라는 무크지가 그 자체로 위법이라고 주장했다. 당연히 '자유실천문인협의회'에서는 이 문제와 관련해 아주 긴 시간을 두고 농성을 했다. 원래 품성이 야무지지 못한 나는 이러한 자리에서는 늘 엉덩이를 뒤로 뺀 채 물러나 앉아 있기 일쑤였다. 제대로 된 투사도 아니면서 여기저기에 사진이 나오는 것이 쑥스러워 카메라맨이 등장하기라도 하면 아예 자리를 옮겨 앉기까지 했다.

이러한 엉거주춤한 태도가 미웠던지 술에 취한 박영근 시인은 자주 내게 시비를 걸었다. 급기야는 농성장 밖 골목에서 박선욱 등 몇몇 시인이 지켜보는 가운데 한바탕 소리를 지르며 맞붙기까지 했다. 박영근 시인과 한바탕 소리를 지르며 맞붙은 경험은 '자유실천문인협의회'에서 '민족문학작가회의'로 이름이 바뀐 뒤에도 수차례 더 있었다. 그때마다 그는 내 수성獸性을 시험하는 듯했다. 그가 내게 수성獸性을 원하는데, 지랑풀처럼 땅으로 기고만 있는 것은 수치였다.

30년이 넘도록 지금의 한국작가회의와 함께 해왔지만 나는 이곳에서 주인 행세를 한 적이 별로 없다. 아마도 내 몸에 변두리 의식이 붙어 있기 때문인 듯싶다. 이러한 내 태도와 자세가 한심해서인지 1990년대 초 한국작가회의(민족문학작가회의)의 이사회가 있던 날 그는 내게 또 싸움을 걸어왔다. 이사회가 시작되기 전부터 거나하게 취해 있었던 그가 이사회가 끝나기도 전에 내게 한바탕 시비를 거는 것이었다. 너무 격해진 나는 이날 의자를 집어던지기까지 하며 그와 으르렁거리며 싸웠다.

하지만 그것으로 끝이었다. 그렇게 으르렁거리다가 헤어져 집으로 돌아오면 그도 나도 더는 그날 일을 기억하지 못했다. 다음날 만나면 언제 그런 일이 있었느냐 싶을 정도로 아무렇지도 않게 잘 지냈다. 물론 그러한 일들은 모두 1995년 이전에나 가능했다. 1995년 3월 이후에는 내가 서울을 떠나 광주에서 새 삶을 시작했기 때문이다. 자연스럽게 나는 그를 자주 만나지 못했다. 따라서 예의 해프닝도 더 이상 계속되지 않았다.

그렇게 세월은 지루하게, 아니 바쁘게 흘러갔다. 2006년 5월 11일이었다. 결핵성 뇌수막염 및 패혈증으로 그가 세상을 하직했다는 소식이 들려왔다. 강남성모병원 영안실 6호실이 장례식장이었다. 아무렇지도 않게, 그냥 그렇게 시인 박영근을 저승으로 보낼 수는 없었다. 무언가 의례가 필요했다.

울고 싶은데 뺨을 때리는 격이라고나 할까. 마침 술에 취한 양문규 시인이 함부로 내 이름을 부르며 장례식장 안팎을 소란스럽게 했다. 한참 후배인 그와 나는 자연스럽게 한바탕 맞붙어 으르렁댔다. 문상을 온 시인들 모두 그와 나의 이러한 몰예의를, 해프닝을 한껏 즐기는 듯했다. 여기저기서 킥킥거리는 소리가 들렸다.

이처럼 한바탕 소란을 피우는 가운데 나는 시인 박영근을 저승으로 보냈다. 이렇게라도 하지 않고 어떻게 그를 잊을 수 있겠는가. 이런저런 해프닝 속에서 그를 저승으로 보낸 지도 벌써 5년이나 되었다. 생각하면 할수록 가슴이 아프고 아리다.

그의 시집 『대열』(1987)에 실려 있는 내가 좋아하는 시 한 편을 소리 내어 읽으며 여기서 서둘러 글을 맺는다. 이 시 「노동자」에서 그는 여성 노동자의 목소리를 빌려 노동 혹은 노동자에 대한 당당한

자각을 담아내려 하고 있다. (2011)

나이 열다섯부터 공장엘 나갔지
나는 언제나 부끄러움에 젖어
노동이라는 내 이름
숨겼다네

언제부터였나
스무 살 방직공장 시절이었지
다정한 언니들 따라
지친 마음 녹여줄
사랑을 찾아 다녔네
아하 억압도 눈물도 없는 곳

친구야, 가난한 노동자들의 집에서 나는 배웠다네
노동자가 가장 소중한 사람이라는 것을

이제는 노동자라는 내 이름
감출 이유가 없어졌다네
싸움이 어려우면 어려울수록
모진 비바람 몰려올수록
노동자라는 내 이름
세상에서 가장 당당하게 빛난다네

—「노동자」 전문

# 책, 불빛, 외로움, 습관

초등학교에 막 입학했을 때 나는 한글을 잘 읽지 못했다. 취학 전에 따로 선행학습을 하지 않았기 때문이다. 당시 나는 다른 친구들보다 한 달 반 정도 늦은 4월 중순이 다 되어 초등학교에 입학했다. 물론 아직 취학연령이 되지 않은 나이였다. 어린 나이 때문인지 할아버지는 내가 초등학교에 입학하는 것을 극구 말렸다. 하지만 할아버지의 말을 귀담아 들을 아버지가 아니었다. 아버지는 4월 중순 무렵 갑자기 내 목덜미를 끌고 가 엄고개 너머의 당암초등학교에 강제로 밀어 넣었다.

내가 보기에도 그때 나는 초등학교에 입학하기에 여러모로 부족했다. 아무튼 나이도 어리고 등치도 작은데다 남들보다 한 달 이상 늦게 초등학교에 입학을 하고 보니 모든 것이 낯설고 어색했다. 적응하기가 아주 힘들었는데, 동급생 중 어떤 놈은 벌써부터 텃세를 부리고는 했다.

정상적으로 입학한 친구들은 이미 국어책의 긴 문장을 줄줄 읽어댔다. 하지만 나는 방과 후에 따로 남아 "바둑아 영이야 놀자" 따위를 더듬거리며 익혀야 했다.

사범학교 출신인 아버지는 이 초등학교에서 교사로 재직하고 있는 중이었다. 아버지는 왜 느닷없이 별안간 아직 어린 나를 초등학교에 집어넣었을까. 어린 시절 나는 늘 아버지의 이러한 행동이 불가사의했다.

이해되지 않는 일이 너무도 많은 것이 세상의 일이기는 했다. 오랜 뒤에야 나는 아버지가 선행학습에 반대하는 이론을 갖고 있다는 것을 알았다. 사범학교를 다닐 때 어느 교수한테 선행학습이 좋지 않다는 강의를 들었을까. 중학교에 입학해서도 나는 ABCD를 모르는 채 영어공부를 했다.

초등학교 1학년 때의 여름방학이었다. 방학 내내 나는 한글을 읽고 쓰는 일로 바빴다. 누구의 도움도 없이 나는 나 혼자 그 일을 해야 했다. 그래서일까. 2학기가 시작되었을 때는 충분히 한글을 읽고 쓸 수 있게 되었다.

그런데 막상 제대로 한글을 읽을 수 있게 되었을 때는 어디에도 읽을거리가 없었다. 읽을 수 있게 된 것이 신기해 나는 닥치는 대로 아무것이나 마구 읽어댔다. 아버지가 초등학교 교사인데도 집에는 변변한 책 한 권이 없었다. 있는 책이라고는 『교육자료』라는 이름의 학습지 도서들뿐이었다. 따라서 포장지로 쓰고 버린 신문지에 인쇄되어 있는 활자조차 귀중하고 소중했다. 하는 수 없이 국어책에 실려 있는 동화나 동시를 읽어대고 또 읽어댈 뿐이었다.

국어책에 실려 있는 동화나 동시는 이야기를 담고 있었다. 이들 이야기는 겨울밤 호롱불빛이 사위어가는 사랑방에서 할아버지와 할머니한테 듣던 이야기와 많이 비슷했다. 김치에 고구마를 싸먹으며 할아버지와 할머니한테 듣던 옛날이야기 말이다. 하도 많이 읽다 보니 국어책에 나오는 동화나 동시는 아예 다 외울 지경이었다.

내가 여덟 살이 되었을 때, 그러니까 초등학교 2학년이 되었을 때

아버지는 아산군 인주면의 금성초등학교로 근무지를 옮겼다. 친정에 다니러 온 고모들은 4대 독자 외아들을 그처럼 먼 곳에 혼자 보내서는 안 된다고 목청을 높였다. 4대 독자 외아들은 물론 아버지를 뜻했다. 누군가 감시할 사람이 필요하다는 뜻이었다. 할아버지의 생각도 다르지 않은 듯했다. 그렇다고 하더라도 산더미 같은 농사일을 버려두고 어머니가 아버지를 감시하러 따라나설 수는 없었다. 그때 할아버지는 관절염이 심해 자주 누워 지내고는 했다.

아버지는 결국 나를 데리고 임지로 가게 되었다. 하숙집도 구하고 전학수속도 해야 한다며 아버지는 나를 고향집에 남겨 두고 먼저 임지로 떠났다. 내게는 금방 돌아올 테니 학교에 가지 말고 그냥 집에서 기다리고 있으라고 했다. 그러나 아버지는 금방 돌아오지 않았다. 느닷없이 집에서 시간을 보내야 하니 또다시 모든 것이 낯설고 어색했다. 아버지는 한 달 보름쯤 지난 뒤에야 겨우 집으로 돌아왔고, 나는 그 긴 시간 내내 집 안팎의 이 책 저 책을 뒤적이며 지내야 했다.

공주군 장기면 막은골의 집에서 아버지의 임지인 아산군 인주면의 금성초등학교까지 가는 길은 멀고도 복잡했다. 집에서 종촌까지는 걸어, 종촌에서 조치원까지는 버스를 타고, 조치원에서 천안까지는 기차를 타고, 천안에서 온양까지도 기차를 타고, 온양에서 금성리까지는 다시 버스를 타고 가야 했다.

온양에서인 듯싶다. 긴 여행에 지쳐 있는 내게 아버지는 역 근처의 가게에서 만화책 두 권을 사주었다. 김경언과 산호가 그림을 그린 만화책이었다. 그러한 이후 만화책은 내게 아주 중요한 읽을거리가 되었다. 내가 가장 좋아한 만화가는 땡이 시리즈로 유명한 임창이었다. 꺼벙이 시리즈로 유명한 길창덕도 싫어하지 않았다. 그 밖의 만화가로는 박기정, 이상무, 김종래, 유세종, 추동성 등이 마음에 끌렸다.

하지만 정작 이들의 만화책을 실컷 읽게 된 것은 금성초등학교에서 다시 당암초등학교로 되돌아온 뒤였다. 동네에 돈을 받고 만화책을 빌려주는 선배가 생겼기 때문이다. 이름은 임재마, 그는 나보다 여섯 살쯤 많았는데, 나 같은 꼬마들과도 잘 놀았다. 사마바위 근처로 꿩알을 주우러 갈 때는 나도 따라가고는 했다.

금성초등학교에 다니면서 나는 처음 외로움이라는 것을 알았다. 김경언과 산호의 만화책을 표지가 다 닳도록 읽고, 국어책을 다 외울 때까지 읽어도 아버지는 돌아오지 않았다.

하숙집에서는 걸핏하면 등잔불의 석유가 떨어지고는 했다. 석유가 떨어지면 당연히 등잔불이 꺼졌다. 등잔불이 꺼지면 당연히 어두웠다, 무서웠다, 외로웠다, 떨렸다.

등잔불이 꺼지지 않아도 밤에는 어둡고, 무섭고, 외롭고, 떨렸다. 이미 자정이 넘었는데……, 아버지는 어디서 무엇을 하고 있을까. 너무도 어둡고, 무섭고, 외롭고, 떨려 나는 사회책도 소리 내어 읽었고, 도덕책도 소리 내어 읽었다. 아무 책이나 닥치는 대로 소리 내어 읽는 것으로 나는 그때의 힘든 마음을 달랬다. 그렇게 어두운 것도 달래고, 무서운 것도 달래고, 외로운 것도 달래고, 떨리는 것도 달랬다.

만화책을 읽는 습관이 청소년소설을 읽는 습관으로 바뀐 것은 당암 초등학교를 졸업하고 공주중학교에 입학하고 나서였다. 공주중학교에 입학하기 전 긴 겨울 동안은 할아버지의 강권에 따라 옆 마을 도리미의 한문 선생을 찾아가 『천자문』이며 『동몽선습』을 읽기도 했다. 물론 한문의 뜻을 제대로 새기지는 못했다.

읍내의 공주중학교는 새로운 것들로 가득했다. 공주중학교 앞의

'형설서점'에서는 5원씩을 받고 이런저런 책을 빌려주고는 했다. 도서
관에도 웬만한 책들은 거의 다 구비되어 있었다. 그때는 주로 『암굴왕』,
『장발장』, 『괴도 루팡』 등의 번안소설, 조흔파의 『에너지 선생』, 『얄개
전』 등의 명랑소설을 읽었다.

하지만 정작 내게 문학의 길을 가게 해준 것은 김소월 시선집 『못잊
어』, 조병화 자작시 해설집 『밤이 가면 아침이 온다』, 안병욱 에세이집
『행복의 미학』, 김형석의 에세이 『운명도 허무도 아니라는 이야기』,
신구문화사판 현대한국문학전집 및 세계전후문학전집 등이었다. 물
론 이들 책에 좀 더 본격적으로 빠져들기 시작한 것은 고등학교에
입학한 이후였다.

신구문화사판 현대한국문학전집 중에서 내가 가장 좋아한 것은
손창섭 편이었다. 손창섭의 소설 「낙서족」, 「잉여인간」, 「혈서」, 「비오
는 날」, 「유실몽」 등은 나를 사로잡기에 충분했다. 세계전후문학전집
중에서는 제9권 『세계전후문제시집』이 나를 좀 더 들뜨게 했다. 박종화
의 장편소설 『임진왜란』, 『자고 가는 저 구름아』 등도 고등학교 때
나를 흥분시킨 책들 중의 하나였다. 을유문화사판 세계문학전집, 정음
사판 세계문학전집 중에도 열독한 것들이 적잖았다.

재수를 하게 되어 학원에 다니던 1972년 여름이었다. 공주사대
독어교육과에 입학한 고등학교 동창 김구범이 나를 위로하기 위해
학원으로 찾아왔다. 다방으로 끌려가 커피를 한 잔 마셨던가. 구범이의
왼손에는 새로 창간된 화려한 표지의 월간문예지 『문학사상』이 들려
있었다. 이어령 선생이 주간으로 있는 바로 그 문예지였다. 억지로
책을 빼앗아 몇 편의 산문을 급하게 읽었다. 너무도 재미있었다. 처음부
터 끝까지 다 읽고 싶어 금방 송신증錬身症, 곧 몸이 솟구치는 증세가

일었다. 이 책은 나를 주고 서점에 가서 한 권을 더 사라고 김구범한테 말했다. 김구범이는 끝내 못들은 체했다.

그해 12월 예비고사가 끝나자마자 나는 서점으로 달려가 『문학사상』부터 샀다. 곧바로 이어령 선생의 『저항의 문학』, 『흙 속에 저 바람 속에』 등도 찾아 읽었다. 그렇게 읽기 시작한 문예지는 이내 범위를 넓혀갔다. 대학에 입학을 했을 때 『창작과비평』과 『문학과지성』은 이미 필독서가 되어 있었다. 그 밖에도 나는 『한국문학』, 『시문학』, 『현대시학』, 『심상』, 『세계의문학』, 『외국문학』, 『실천문학』 등 수많은 문예지를 찾아 읽었다.

대학 3학년 때였다. 학보사에서 주관하는 문학상을 받게 되었다. 이름해 '다형문학상!' 김현승 선생께서 당신의 이름으로 직접 주는 상이었다. 상금이 꽤 많았다. 종로서적에 가서 여러 권의 책을 샀는데, 그중에는 김병익, 김주연, 김치수 등의 『한국문학의 이론』, 김현의 『상상력과 인간』, 『사회와 윤리』도 들어 있었다. 나는 이 책들을 밑줄을 쳐가며 읽고 또 읽었다. 특히 김현의 『상상력과 인간』은 송욱의 『시학평전』만큼이나 내게 큰 도움을 주었다.

김현의 『상상력과 인간』을 읽지 않고서도 평론을 쓸 생각을 할 수 있었을까. 내가 평론의 문장을 처음 배운 것은 김현의 『상상력과 인간』에서였다. 나중에 정작 좀 더 경도되었던 것은 유종호의 문장과 염무웅의 문장이었지만 말이다.

이렇게 읽기 시작한 책은 늘 또 다른 책을 불러왔다. 책이 책을 읽게 했다는 것인데, 가장 오래도록 그 뜻을 곱씹게 한 것은 『노자』와 『논어』였다. 이들 고전을 읽기 위해 가장 애를 썼던 때는 1970년대 말과 1980년대 초였다. 석정 송각헌 선생님을 모시고 『고문진보』,

『소학』, 『논어』, 『맹자』, 『대학』, 『중용』, 『시경』, 『서경』 등을 읽기 위해 쩔쩔매던 그때가 지금은 그립다.

그 무렵에는 에리히 프롬, 하버마스, 아도르노, 호르크하이머 등의 책, 프란츠 파농, 프레이리, 이반 일리치, 에버트 라이머 등의 책도 열심히 읽었다. 그런가 하면 1980년대 중반에는 모택동, 주덕, 레닌, 트로츠키, 마르크스 등의 책까지 읽으려 덤벼들기도 했다. 아마도 그 시대가 만든 열정 탓이리라. 1990년 이후에 읽은 문예이론서로는 옥타비아 파스의 『활과 리라』가 가장 기억에 남는다.

읽은 책 이야기를 하기로 하고서는 어쩌다 보니 그동안 읽은 시집에 대한 이야기는 입도 떼지 못하고 말았다. 그렇기는 하지만 그동안 읽어온 시집 이야기를 어떻게 다 여기서 펼칠 수 있겠는가.

언제쯤에나 책 읽기를 다 마칠 수 있을까. 아마도 이승을 떠나기 위해 눈을 감을 때나 그것은 가능할는지 모르겠다. 책을 통해 깨칠 수 있는 것이 별로 없다고 하더라도 눈을 감을 때까지는 쉬지 않고 읽고 또 읽을 수밖에 없다. 이미 그것이 아주 오랜 습관이 되어 있으므로.

(2010)

# 다형 김현승, 잊을 수 없는 시인

이 글의 제목을 '다형 김현승, 잊을 수 없는 시인'이라고 쓴다. 처음에는 '다형 김현승, 잊혀질 수 없는 시인'이라고 썼다가 다시 '다형 김현승, 잊을 수 없는 시인'이라고 고쳐 쓴다. 잊을 수 없는 시인? 그렇다. 내게는 대학 때의 은사가 되는 분이기도 하니 어떻게 잊을 수 있겠는가.

호불호好不好가 분명하던 분, 평소에는 얼음처럼 차갑다가도 계기가 되면 불처럼 타오르던 분, 언제나 땅을 쳐다보고 걷던 분, 혼자 있기를 두려워하지 않던 분, 식사도 늘 혼자 하던 분, 낙엽이 지는 가을의 교정을 터벅터벅 혼자 걷던 분, 허름한 바바리코트가 잘도 어울리던 분…… . 이것이 내 머릿속에 남아 있는 그분의 이미지이다.

차를 좋아해 자신의 호號를 차형, 한자로 다형茶兄이라고 지은 분, 자신의 호 「다형茶兄」을 시로 쓰기도 한 분. 그렇지. 이 시에서 그분은 자기 자신을 다음과 같이 노래했지. 자기 자신의 정체성에 대해 끊임없이 성찰하고 반성하던 분…… .

빈들의
맑은 머리와
단식의 깨끗한 속으로

가을이 외롭지 않게
차를 마신다.

마른 잎과 같은
兄에게서
우러나는

아무도 모를
높은 향기를
두고 두고
나만이 호올로 마신다.

이 시 「다형茶兄」에서 김현승 시인은 마시는 '차'를 두고 형兄이라고
부른다. 물론 이때의 형兄은 차만이 아니라 "높은 향기"를 지니고 있는
사람을 뜻하기도 한다. 정작 주목할 것은 차를 마시는 것이 그만이
아니라 가을이기도 하다는 것이다. 이 시에서는 그가 "가을이 외롭지
않게 / 차를 마신다"고 하지 않는가.

1974년 내가 대학 2학년 때의 일이다. 다형 김현승 시인이 근무하고
내가 다니던 숭전대학교 학보사에서는 그의 호를 딴 '다형문학상'을
운영하기 시작했다. 물론 문학적 분위기를 돋우기 위해 재학생들을
대상으로 하는 상이었다.

제1회 다형문학상은 박만춘 선배가 받았고, 제2회 다형문학상은
내가 받았다. 당시로서는 상금이 꽤 많았다. 등록금이 7만 5천이었던

시절인데, 상금이 5만원이었다. 신춘문예 상금과 거의 맞먹었다. 상을 받을 때 나는 얼떨떨하면서도 대견스러워했다.

이성부 시인이 그때의 다형문학상의 심사를 맡았는데, 그 상을 받지 않았으면 나는 시인의 길로 들어서지 못했을지도 모른다. 다형문학상의 수상이야말로 내게 시를 잘 쓸 수 있으리라는 확신을 주었기 때문이다.

이내 나는 제1회 다형문학상을 받은 박만춘 선배와 친해졌다. 박만춘 선배는 걸핏하면 내게 매형이라고 부르라고 했다. 김현승 시인의 호號인 '다형'의 '형' 자字를 돌림자로 매형梅兄이라는 호를 지어 내게 그렇게 부르라는 것이었다.

매형? 누나가 있어야 매형이라고 부르지? 그래도 매형이라고 불러! 그럼 나는 호를 이형梨兄이라고 할까. 매형, 이제부터 나를 이형이라고 불러! 이처럼 짓궂게 농담을 하던 박만춘 선배는 이제 저승의 사람이 된 지 오래이다.

좋아하는 사람도 많았지만 싫어하는 사람도 많았던 분이 김현승 시인이다. 정직하지 않다고 서정주 시인을 싫어하던 분, 감상적 모더니스트라고 박인환 시인을 비웃던 분, 시대정신에 투철하다고 김수영 시인을 높게 평가하던 분, 민족의 시원에 닿아 있다고 신동엽 시인을 좋아하던 분……

1960년대 말과 1970년대 초 김현승 시인은 늘 김수영, 신동엽 시인과 함께 평가되었다. 한때는 김수영, 신동엽과 함께 트로이카를 이루고 있던 분이 다형 김현승 시인이었다.

하지만 지금은 어떻게 되었나. 많은 사람들이 지금은 다형 김현승 시인을 잘 기억하지 못한다. 젊은 세대들일수록 이는 더욱 심하다.

그의 시가 교과서에서 빠졌기 때문일까. 나로서는 안타까울 수밖에 없다.

무엇보다 그는 명편의 시들을 갖고 있는 시인이다. 「창」, 「플라타너스」, 「가을의 기도」, 「참나무가 탈 때」, 「눈물」, 「고독의 끝」, 「무등다」, 「절대신앙」, 「아버지의 마음」 등 이들 명편의 시를 읽고 감동하지 않는 사람은 없다. 그럼에도 불구하고 이제는 그의 시에 대해 언급하는 사람이 많지 않다. 박목월, 조지훈, 박두진, 백석, 김수영, 신동엽과는 달리 최근 한국 시단은 왜 그에 대해 주목하지 않는 걸까.

젊어서는 아침과 새벽의 이미지를 노래했던 시인, 나이가 들어서는 창과 하늘의 이미지를 노래했던 시인, 말년에는 고독을 매개로 인간의 실존적 깊이를 노래했던 시인…….

평생을 두고 그는 자신의 고향인 광주의 예술을 뒷받침하기 위해, 그곳의 후배 문인을 키우기 위해 최선을 다했다. 그가 지칠 줄 모르는 열정을 불사르며 대한민국 시단에 끼친 공로는 말할 수 없이 크다. 살아 있을 때는 그의 열정과 정의감에 감복하지 않는 시인이 별로 없었다. 한국 현대시사에서 그는 매우 드물게 형이상학적 깊이를 보여 주었던 시인이다. 그뿐만 아니라 고독의 상상력을 통해 드높은 정신경지를 드러냈던 시인이기도 하다.

그럼에도 불구하고 다형 김현승 시인이 잊히고 있는 까닭은 무엇인가. 그가 추구했던 인간의 드높은 정신경지, 곧 형이상학적 정신경지를 사람들이 이해하지 못해서인가. 그가 추구했던 청교도적 휴머니즘의 높고 그윽했던 세계가 오늘의 삶과 맞지 않아서인가.

아니, 그 이전에 그와 그의 시가 잊히고 있는 것은 사실인가. 흔해빠진 문학관 하나 없으니 잊히고 있는 것이 사실일 수도 있다. 흔해빠진

문학상 하나 없으니 그와 그의 시가 잊히고 있는 것은 진실일 수도 있다.

지금 그와 그의 시를 기억하는 젊은 사람들은 많지 않다. 적잖은 석박사 논문이 나왔지만 오늘의 문단에서 그의 시가 활기 있게 논의되고 있지 않은 것은 분명하다.

그와 그의 시가 활기 있게 논의되고 있지 않은 까닭은 무엇인가. 그와 그의 시가 이미 시의성時宜性을 잃었기 때문일 수도 있다. 다시 말해 오늘의 현실, 즉 자본주의적 근대의 문제의식으로부터 멀리 떨어져 있기 때문일 수도 있다. 정말 그런가. 정말 그럴 수도 있으리라.

하지만 반드시 꼭 그러한 것은 아니기도 하다. 사람들이 그와 그의 시를 선양하는 일에 소홀했기 때문일 수도 있다. 사람들? 사람들이라! 대개의 큰 시인, 큰 문학인의 선양사업은 큰 시인, 큰 문학인의 고향에서 하기 마련이다. 고향의 지자체나, 제자들이나, 가족들이 나서는 것이 보통이다. 어떤 형식으로든 쓸모가 있을 때 앞 세대의 문인들, 예술가들은 후대의 사람들에게 선양되는 법이다.

그렇다면 김현승 시인과 그의 시는 후대의 고향 사람들이 보기에 쓸모가 없는가. 그렇지 않다. 후대의 고향 사람들이라니? 다형 김현승 시인의 고향은 어디인가. 광주인가, 평양인가, 제주인가. 흔히 고향은 한 사람이 자라고 성장한 곳 일반을 가리킨다. 고향이 오직 한 사람의 탄생지만을 가리키지는 않는다는 뜻이다. 유년의 삶이 묻혀 있는 곳, 어린 시절의 추억과 꿈이 묻혀 있는 곳이 고향이기 때문이다.

이로 미루어 보면 다형 김현승 시인의 고향은 광주일 수밖에 없다. 그럼에도 불구하고 김현승 시인을 두고 광주 사람이 아니라고 생각하는 사람들이 없지 않다. 물론 다형 김현승 시인이 이 세상에 태어난 곳은

평양이다. 그는 전라북도 익산 출신인 아버지 김창국이 목사수업을
받던, 다시 말해 신학공부를 하던 평양에서 1913년에 태어났다. 그러한
이후 그는 곧바로 아버지의 첫 목회지인 제주도로 이주해 여섯 살까지
살았다.

그가 일곱 살이 되던 해인 1919년 아버지 김창국 목사는 전남 광주의
양림교회로 전근을 오게 된다. 그러는 가운데 다형 김현승의 삶은
광주의 양림동에 뿌리를 내린다. 따라서 그의 고향은 광주의 양림동일
수밖에 없다. 자신의 고향과 관련해 일찍이 그는 다음과 같이 노래한
바 있다.

> 산줄기에 올라 바라보면
> 언제나 꽃처럼 피어 있던, 광주는 나의 고향
> 길들은 가로수 사이사이 유월의 넥타이를 풀고
> 낯익은 다방과 서점과 이발소와
> 잔잔한 시냇물과 포플러의 푸른 그늘들은
> 충장로와 금남로에서 낯선 이웃들을 서로이 손잡게 하여 주던……
>
> —「추억」 부분

이 시에 따르면 그가 자신의 고향을 광주로 받아들이고 있는 것을
곧바로 알 수 있다. 이 시에서 그는 아예 "광주는 나의 고향"이라고
못을 박고 있다. 그럼에도 불구하고 광주 사람들 중에는 그의 고향이
광주가 아니라고, 평양이라고 생각하는 사람들이 없지 않다. 그의
탄생지가 평양이기 때문에 이들은 그렇게 생각하는 것이리라. 그렇게
생각하는 광주 사람들이 없지 않으니 광주 사람들이 그와 그의 시를

선양하려 하겠는가.

평양에서 태어나기는 했지만 그는 단 한 번도 자신의 고향을 평양이라고 생각한 적이, 말한 적이 없다. 그뿐만 아니라 그는 단 한 번도 아버지가 태어난 익산이나 자신이 여섯 살까지 살았던 제주를 고향이라고 받아들인 적이 없다. 마음속에는 언제나 광주가, 무등산이 고향으로 자리해 있었던 것이 그이다. 그가 다음과 같이 노래하고 있는 것도 다름 아닌 이러한 이유에서이다.

눈을 들어
저 무등을 바라보라
동지를 지나 춘분을 지상에 그리며
빛을 여는
1년의 새 아침

　　　　　　　　　　　　　—「저 빛을 가슴에 안고」 부분

김현승 시인의 시 중에는 이 밖에도 무등산을 노래한 시가 많다. 무등산을 빼놓고는 자신의 고향을 떠올리지 못한 것이 그이다. 가슴속 깊이 무등산이 고향으로 자리해 있지 않다면 그가 어찌 이렇게 자주 무등산을 노래했겠는가. 이러한 점을 보더라도 그는 무등산과 광주를 자신의 고향으로 받아들이고 있는 것이 확실하다. 그의 시비가 무등산에 서 있는 것도 그가 무등산을 가슴 깊이 받아들이고 있다는 중요한 근거이다. 그럼에도 불구하고 그의 고향이 광주가 아니라고 생각하는 사람이 있다니! 김현승 시인 자신은 늘 이처럼 자신의 고향이 광주라고 생각하고 있는 데도 말이다.

이제는 다행히 그의 고향 광주에서도 제자들을 중심으로 그와 그의 문학을 선양하려는 움직임이 싹트고 있다. 4년 전쯤부터 손광은, 문병란, 진헌성, 박형철 등 광주의 원로 시인들이 중심이 되어 '다형김현승시인기념사업회의'를 결성해 활동을 시작했기 때문이다. 우선 '다형김현승시인기념사업회의'는 김현승 시를 연구한 박사논문집, 김현승 전집 등을 간행하는 성과를 보이고 있다. 그와 더불어 다형김현승시인기념사업회의는 벌써 4년째 시낭송회를 겸한 학술발표회를 개최하고 있다. 나로서는 다형김현승시인기념사업회의가 이에 그치지 않고 하루빨리 문학상도 만들고, 문학관도 만들어 그와 그의 시가 보여주고 있는 높고 깊은 예술정신을 널리 선양할 수 있기 바란다. 다형 김현승이야말로 광주의 시인, 무등산의 시인이 아닌가.

광주, 그리고 무등산······. 특히 무등산과 관련해 기억할 만한 그의 시로는 「무등다無等茶」를 꼽지 않을 수 없다.

가을은
술보다
차 끓이기 좋은 시절······

갈까마귀 울음에
산들 여의어 가고

씀바귀 마른 잎에
바람이 지나는,

남쪽 십일월의 긴긴 밤을,

차 끓이며
끓이며
외로움도 향기인 양 마음에 젖는다.

―「무등다<sup>無等茶</sup>」 전문

삶에는 넓이와 폭은 물론 높이와 깊이도 있기 마련이다. 그렇다. 술을 마시며 흥청거리는 것도 중요한 삶이고, 차를 마시며 "외로움도 향기인 양" 젖는 것도 중요한 삶이다. 이들 가운데 무엇이 높고도 깊은 삶인가. 다형 김현승이 이들 두 가지의 삶 가운데 택한 삶은 자명하다. 그에게 나날의 "가을은 / 술보다 / 차 끓이기 좋은 시절"이기 때문이다.

이처럼 그는 외롭지만 그윽한 삶, 다시 말해 기품 있고 품위 있는 삶을 살려 했다. 겉으로 보이는 것과는 달리 그의 삶에도 나날의 일상이 만드는 고독은 매우 버거웠겠지만 말이다. 더구나 자신이 고향이라고 생각하는 곳에서 긍정적으로 받아들여지지 않을 때의 고독은 매우 크고 깊었을 것이 분명하다. 당연히 이때의 고독은 고통이거니와, 그것이 아무리 스스로 자초한 것이라고 하더라도 그로서는 견디기 쉽지 않았으리라.

김현승 시인은 당대의 정치적 현실에 대해서도 둔감하지 않았던 사람이다. 필요할 때는 언제이든 사회참여의 자세를 잃지 않은 것이 그이다. 4·19 혁명 때는 물론 박정희 군사독재 때도 그는 시를 통해 은근히 현실비판의 화살을 쏘아댄 바 있다. 이러한 점에서도 다형 김현승 시인의 삶과 시는 주목을 받아 마땅하다. 1959년의 3·15 부정선거, 그리고 1961년 4·19 혁명 이래 때가 되면 과감하게 사회참여의 자세를 보여주었던 것이 그이이다.

이와 관련해 정작 주목해야 할 것은 1960년대 이후의 대부분의 참여 시인, 나아가 민족·민중의 시인이 그와 깊이 관계되어 있다는 점이다. 우선은 광주지역의 제자군이라고 할 수 있는 시인들만 하더라도 아주 엄청나다는 것을 알 수 있다. 문병란, 손광은, 박홍원, 윤삼하, 박봉우, 주명영, 정현웅, 강태열, 이성부, 문순태, 조태일, 양성우, 김준태 등이 그들로, 이들 시인이야말로 당대의 현실문제에 적극적으로 참여해왔던 사람들이라고 할 수 있다. 이로 미루어 보면 다형 김현승 시인은 1960년대 말과 1970년대 초를 풍미했던 진보적 참여 시인들의 아버지라고 해도 과언이 아니다. 이들의 시를 밑거름으로 해서 1970년대 말과 1980년대의 민족·민중시 운동, 곧 리얼리즘 시운동이 싹텄다는 것을 기억해야 한다.

이처럼 엄청난 역할을 한 시인이 우리 시단에서 잊힌다는 것은 아주 슬픈 일이다. 그의 삶과 시에 대한 연구는 물론 선양사업도 좀 더 활발하게 이루어지기를 바란다. (2012)

# 고은 시인을 찾아서
## ― 민족정서를 확립해야 한다


이 글을 쓰기 위해 내가 고은 시인을 찾아뵌 것은 신사동의 '민음사' 사무실에서이다. 민족문학작가회의 안종관 상임이사가 그토록 강조해 마지않는 재미있기도 하고 유익한 '인터뷰'라는 것을 해야 하는데, 그래서 어쩔 줄 몰라 쩔쩔매고 있는데, 고은 선생님이 먼저 말문을 텄다.

"적당히 창작을 하라구. 적당히 만들어버리란 말여."

"그래도 어디 그럴 수 있나요. 여러 사람들이 하도 '재미'를 강조하니 좀 실없는 질문부터 드리겠는데요. 사모님하고 결혼을 하게 된 얘기, 차령이 크는 얘기 등 가족 얘기부터 말씀을 해주세요."

"그 얘기는 필요 없을 것 같아. 십 년이나 된 일이고. 그 얘기는 하기 싫은데……. 차령이, 일 학년이지. 동네에서 학교에 다녀. 음, 내 생애의 많은 부분이 비가족적이기는 했지. 그것 자체를 끊임없이 추구하기도 했고. 승려생활을 할 때는 가족이라는 것에 어떤 의미를 두지 않았어. 나 자신의 존재에 대해서도 마찬가지이고. 그러다가 1970년대에 들어와서는 가족이나 가족적 분위기가 오히려 역사의 참여에 굴레가 된다는 매우 낭만적인 생각을 했지. 독신의 자유라야 이곳과 저곳, 이 능선과 저 골짜기를 얼마든지 출몰할 수 있으리라고 생각을 한 거지. 독신주의자는 아니었지만 독신이라는 것이 내 삶을 유지하는 데 중요한 역할을 한 것은 틀림없어. 사회구성의 가장 기본적인 단위가 가족이고, 따라서 가족에서부터 모든 일을 출발을 해야 옳은데……, 1983년 결혼을 하면서 그러한 사실을 깨달은 셈이지."

"그런데 차령이에 대한 시는 보이지만, 사모님에 대한 시는 전혀 보이지 않거든요?"

"차령이에 대해서는 동시도 쓰고 있어. 모 잡지에 '차령이 노래'라고 연재를 하고 있지. 아내에 대한 시는 전혀 없는데, 이에는 의도가 있어. 아내하고 사는 일이, 아내를 사랑하는 일이 보편적인 것이라고 판단될 때는 무언가 쓸 수 있겠지. 함께 살다보니 부부는 동지가 되데. 부부가 함께 사는 것은 연애하는 것하고는 달라. 애틋한 사랑의 감정만으로는 안 돼. 부부가 함께 사는 데는 정情과 법法이 어우러져 있는 어떤 규범 같은 것이 있지."

"이제는 민족문학작가회의 회장 시절에 어려웠던 얘기를 좀 해주세요."

"민족문학작가회의는 우리가, 나와 몇몇 회원들이 처음부터 창립을 했거든. 나는 두 번이나 회장을 역임했는데, 자유실천문인협의회 시절부터 치면 너무 오랫동안 이 회나 문학운동의 대명사로 역할을 해온 셈이지. 이제는 이 대명사를 벗어나야 되겠다는, 그래야 옳겠다는 생각을 해. 물론 작가회의의 환경이고 배경인 시대라고 하는 것을 뚫고 나가는 데는 상당한 고심이 필요했지. 그러나 그것은 나 혼자 감당한 것이 아니라 전 회원이 함께 겪은, 함께 나눈 고통이었지. 작가회의가 기존의 어떤 정리된 위계질서를 갖고 있지는 않잖아. 끊임없이 생명이 솟구치는, 무언가 불길이 활화산처럼 타오르는, 그러한 회원들의 단체이지. 따라서 이런 물길들이 서로 갈등 현상을 보이는 것은 자연스러운 일이야. 갈등이 없다는 것은 죽어 있다는 거지. 선배들이라고 해서 모두 선각자인 것은 아니야. 그러니 선각자적인 부분과 선각자적이지 않은 부분 사이에 차별성이 있을 수밖에 없어. 따라서 항상 토론을 거쳤어야 하는데, 토론할 만한 시간도 없고, 또 토론의 체험이 있는 세대도 아니어서 서로 마음이 통하기만 바라다보니 난처한 지경에 처한 적도 있었지. 내부의 갈등은 선배와 후배 사이의 갈등이 중요해. 1980년대에 들어오면서 좀 더 진보적인 단계를 지향하려는 것이 젊은이들의 욕구였고, 이 욕구는 끊임없이 분출했지. 이러한 욕구를 적당히 조절해내고, 그리고 그와 함께 이 욕구가 주관적으로 치우치지 않도록 도와주고, 또 그것이 대중의 정서에 바로 들어맞도록 애를 썼어야 했는데, 그렇게 하지를 못했어. 그것이 내게는 크나큰 회한으로 남아 있어."

"이런 질문을 드릴 때는 선생님의 동년배나 위의 선배들 사이에 갈등이 없었는가를 묻고 싶었던 것인데요. 가령 앞서 회장을 하셨던 김정한 선생님과의 갈등이라든지……."

"김정한 선생과는 이른바 무갈등이론이 적용되는 전형적인 예야. 김정한 선생은 상징적인 존재지. 그러니 갈등이 있었을 리 없지. 음, 우리에게는 섬길 만한 어른이 별로 없었거든. 내 경우는 처음부터 어른이었고, 지금까지도 어른인데, 애초부터 아버지가 없는 아이의 마음을 생각해 보라고."

"전 회장으로서, 그리고 고문으로서 작가회의에 바라는 일도 좀 얘기해주세요."

"나는 지금 작가회의에 고문이라기보다 일반회원의 한 사람으로 있어. 고문이라는 것이 내게는 참 싫은데, 그러한 내색하는 것 자체가 너무 작위적인 것 같아 그냥 가만히 있는 거야."

"아, 예……."

"나는 이 단체가 독자적으로, 자율적으로 운영되어야 한다고 생각했어. 그것을 기본원칙으로 삼았는데, 다른 단체와 연대를 하는 것은 당연하지만 그에 복속되는 것은 결단코 반대를 한 거지. 전민련이 결성될 때도 그랬어. 뜻이 맞을 때 공동보조를 취한다고 하는 정도만 규정했을 뿐이야."

"아, 예. 맞아요. 그렇게 해야지요."

"작가는 그 하나하나가 다 독립적인 정부가 되어야 해. 어느 문학단체의 회원이라든가 어느 정부의 피지배적 구성원에 불과할 수는 없다는 거지. 그럴 때 문학이 삶의 총체성이나 역사의 전체성을 담아낼 수 있잖아. 그러한 점에서 나는 심지어 당의 하위개념으로 있는 북한의 문학단체조차 바람직하게 생각하지를 않아."

"그 말씀에는 저도 십분 동의해요."

"자유실천문인협의회가 결성된 이후 민족·민중문학이 조금이라도 엉터리였다면 우리 민족문학작가회의 회원들은 진작 정치깡패로 단정되어 맥을 못 썼을 거야. 자부할 수 있는 것은 우리 민족문학작가회의 문학운동이 싸우면서도 끊임없이 뛰어난 문학작품을 생산해왔다는 거지. 지난 20년 동안 남한의 현대 민족문학사는 우리 민족문학작가회의 구성원들의 작품을 제외하고서는 성립이 되지를 않아. 두보처럼 철저히 퇴고를 하며 쓰는 경우도 있지만, 이백처럼 마구 쓰는 경우도 있는 거지. 능선의 문학이 반드시 밀실의 문학보다 못하다고, 거칠다고 얘기할 수는 없어."

"그렇지요. 시는 특히 일필휘지의 속성을 갖고 있지요."

"자기의 정당성을 늘 위기에다 두는 역사관을 나는 좋아해. 민족문학 위기론도 그러한 맥락에서 이해되어야 하고. 동구라파가 무너졌다든지, 소연방이 몰락했다든지 하는 것에 연연해서는 안 되어. 우리가 그동안 어디 마르크시즘에만 의존해 살아왔나. 당파성, 당파성 하는데 당파성의 실제를, 작품을 만나본 적이 있나? 메타비평만 셔틀버스처럼 왔다 갔다 하다가 말은 거지."

"『한길문학』(창간호)지의 월평에서 저는 고은 선생님을 이백에, 신경림 선생님을 두보에 견주어 말한 적이 있거든요. 문학적인 스승이 있다면 좀 말씀해주시지요."

"그러한 글이 있었나? 나는 본래 나의 시적 질감이 이백과 일치한다고 생각해. 하지만 무사승無師承이야. 바로 위 선배로 김수영이 나를 천재라고도 하며 격려를 했지만 그에게서 배운 것은 없어. 직관능력이 시와 무관하지 않다면 그것은 아마도 효봉 스님한테 얻었을 수도 있겠지. 서정주도 추천을 해준 것뿐이지. 이용악 선생님 어쩌고 하는 시를 쓴 적이 있는데, 이용악도 마찬가지야. 이 시대가 이미 나한테 스승을 남겨 놓아 주지를 않았어."

"선생님의 시를 읽다 보면 선禪적 깨달음이라고 할까, 어떤 자각된 진실(진리)의 힘을 느끼는데, 직접 창작을 하는 과정에도 그랬는지요. 선적 직관이 기본적으로 도道를 찾고 깨닫는 능력이라면, 그리고 그 도가 진리(진실)라면, 이때의 진리(진실)가 '시의 리얼리즘'에서 말하는 리얼리티와 결코 무관하지 않으리라고 저는 생각하거든요. 선생님이나 신경림 선생님의 최근의 시를 읽다 보면 총체적 현실반영으로서의 리얼리티라고 하기에는 곤란하지만 삶의 진리(진실)라고 할까, 그러한 것이 하나의 깨달음으로서 담겨 있는 것을 느낄 수 있고, 제 경우 그것이야말로 시에서 리얼리티의 핵심이 아닐까 하는 생각을 하는데요."

"그렇지, 그래. 질문 자체가 오히려 더 완벽한 대답이구만. 누구는 선적인 것을 관념이라고 규정을 해버리기도 하거든. 나는 모든 진리는 기본적으로 현실을 토대로 하지 않을 수 없다고 생각해. 따라서 이분법적으로 이것은 관념이다, 저것은 현실이다 하고 단정을 하는 것은 이 두 가지의 만남을 깬다는 점에서 일종의 파산행위가 된다고 생각하지. 그러한 의미에서 나는 리얼리즘이 좀 더 넓은 자기 전망을 가졌으면 좋겠어."

"그것이 최근에 많이 논의되고 있는 생명사상 및 생태운동과 민족문학 혹은 리얼리즘문학 운동과는 어떠한 관계에 있다고 생각하는지요?"

"생명사상이니 혹은 생태운동이니 하는 것도 실은 상고시대부터 있어 온 거야. 희랍의 대지의 여신인 가이아를 관념화한 가이아사상이 바로 그것이지. 고대의 범아일여 사상도 생명사상이야. 다만 그것이 내 존재와 직결되어 있다는 생각을 못하는 거지. 그러나 이 시점에서 생명이나 생태계를 얘기하는 것은 중요하지. 그리고 그것이 우리 민족문학 혹은 리얼리즘문학의 내용으로 되는 것은 당연하고. 어떤 특정한 문제를 다룬 문학만이 옳다, 그것만이 민족문학이고 리얼리즘문학이다라고 주장하는 것은 올바른 태도가 아니야."

"그래요. 맞는 말씀이에요. 이제 마지막으로 민족문학 전체에 대한 질정의 말씀을 좀 해주세요."

"민족의 어떤 환경에서도 우리는 작가이고, 작가로서 민족에 기여해야 해. 다만 남의 문학과 북의 문학이 어떻게든 하나가 되어야 하는데,

이에 대한 꿈을 버리면 안 되지. 이제는 남북이 좀 더 적극적으로 교류해 각각의 간접체험을 직접체험으로 바꿔야 해. 그들의 오늘의 작품도 쉽게 볼 수 있어야 해. 작가의 교류 이전에 작품의 교류가 먼저 실현되어야 한다는 거지. 그쪽도 일부의 신임을 받는 몇몇 사람들만 이쪽의 작품을 볼 수 있잖아."

"그렇지요. 작품의 교류가 먼저이지요."

"조만간 평양을 열 번 갔다 와도 감옥에 안 가는 시대가 오겠지. 물론 그것은 저절로 오는 것이 아니라, 그동안의 노력이 축적되어 올 테고."

"물론 그것이 쉽지는 않겠지요."

"민족문학이 전 국민의 보편적 정서를 아직 획득하지 못하고 있어. 이 점을 앞으로 유의해야 해. 내 문학을 국민들이 무조건 따라야 한다는 식으로 해서는 안 돼. 그들이 오지 못하면 내가 그들에게로 가야지. 압구정동에 사는 사람들에게도 민족문학이 해줘야 할 말은 풍부하게 있어. 압구정동 포스트모더니즘을 하자는 것은 아니고."

"아, 포스트모더니즘!"

"포스트모더니즘은 일시적인 현상일 뿐이야. 실존주의보다도 훨씬 더 못한 거지. 그리고 해체론도 그래. 권력이 해체되지 않는데, 무얼 해체하겠다는 거야. 소연방을 두고 말하면 모르겠어. 거기에는 권력이고 뭐고 다 해체되어 있으니까. 그러나 우리는 권력의 소재가 분명하고, 권력을 움직이는 자본의 힘이 엄존하고, 그것이 더욱 교활하게 발전하고 있잖아. 요새 유행하는 말로 '백치 애인'이나 그러한 얘기를 하는 거지."

"선생님! 말씀 고마워요. 준비된 질문은 다 드렸어요. 특별히 하고 싶은 말씀 있으면 해주세요."

"특별히 하고 싶은 말씀? 없어. 나 또 어디 바쁘게 가봐야 해. 그냥 여기서 끝내."

이렇게 해서 고은 시인과의 인터뷰는 얼떨결에 끝났다. 인터뷰가 끝나자마자 정말 고은 선생님은 총총히 제 갈 길을 가셨다. 어쩌다 보니 사진을 찍으려 함께 출몰했던 민족문학작가회의 강태영 사무국장과 나만 민음사 사무실에 덩그렇게 남아 있었다. 이별은 언제나 쉽게 하는 법! (1992)

# 신경림 시인을 찾아서
## —바른 현실주의 문학을 해야 한다

신경림 시인은 특정한 직업을 가지고 있지 않다. 그는 전업시인이다. 그렇다고 해서 그가 늘 한가한 것은 아니다. 항상 여러 가지 일로 바쁘게 지내는 것이 그이다. 지난해까지는 '한국민족예술인총연합'의 공동의장으로 일했고, 현재는 '민족문학작가회의'의 회장으로 일하고 있다. 그러니 그를 따로 만나 근황에 관한 이야기를 듣기는 쉽지 않다.

하지만 나는 이웃에 산다는 핑계로 가끔씩 그에게 전화를 드린다. 어쩌다 기회가 되면 함께 술을 마시며 삶의 지혜나 시의 깊이를 배우기도 한다. 입김을 통해 시적 자양분을 전수받는 것이다. 따라서 나에게 그는 엄연한 '선생님'이다. 하지만 나는 이 글을 쓰기 위해 조금쯤 건방져지기로 한다. 버릇없이 굴기로 작정을 한다.

이 글을 쓰기 위해 신경림 시인의 댁을 방문한 날은 1992년 12월 29일, 아직 작년 연말의 대통령선거 열기가 남아 있을 때다.

신경림 시인이 민주당의 김대중 후보를 지지했다는 것은 천하가 다 아는 일이다. 몇몇 신문에는 그러한 사실이 구체적으로 보도된 바도 있다. 따라서 나는 대선 이야기로부터 말문을 열기로 한다.

"이번 대선 끝나고 허탈해하지 않으셨어요. 후유증은 없으셨고요."

"뭐, 후유증이라고까지 할 것 있나. 좀 더 확실한 문민정부가 설

수 있게 되기를 바랐을 뿐이지. 마음에 꼭 드는 것은 아니지만 이제 군부정치는 끝난 것으로 봐야잖아. 많이 안타깝지만…….”

이렇게 말하면서 그는 몇 가지 생각을 덧붙인다. 그중의 하나는 ‘색깔론’이 일어나지 않도록 재야단체인 ‘전국연합’이 무조건적으로 민주당 후보를 지지했어야 한다는 것이다. ‘전국연합’이 과도하게 백기완 후보 측의 눈치를 본 것에 대해 비판을 하는 것이다.

이러한 점에서 보면 그는 현실주의자임에 분명하다. 이때의 현실주의가 현실추수주의를 뜻하지 않는 것은 당연하다.

그는 언제나 지나치게 과격한 논리와 사람에 대해 비판적이다. 물론 그 반대에 대해서도 마찬가지이다. 지나치게 보수적인 논리나 사람에 대해서도 비판적이라는 것이다. 끊임없이 운동하고 변화하되, 항상 현실의 중심에 뿌리를 내리려 하는 것이 그이다. 바른 의미에서의 중도中道를 추구하는 것이 그라고 해도 좋다.

내친김에 나는 새 정부가 문화정책을 어떻게 꾸려나갈 것으로 예상하느냐고 묻는다.

“글쎄……. 대통령이야 나름대로 잘하려 하지 않겠어. 무엇보다 군사문화는 점차 청산될 것이고, 문민 대통령이 태어났으니, 아무래도 조금은 나아지리라고 생각해. 아직 부족한 점이 많지만, 선거풍토도 많이 개선되었잖아. 문제는 변화를 두려워하는 중간 관리층이지. 신문사로 치면 국장이나 부장급들에 해당할 거야. 어쩌다 보니 그 사람들, 생리적으로 민족문화운동을 싫어하게 되었어. 그 사람들이 앞장서 우리를 소외시키려 하지 않을까 싶어. 노골적으로 박해를 가해오지는 않겠지만 말이야. 그러나 가능하다면 민예총 등도 이제는 새 정부의 문화정책에 어느 정도는 개입을 할 수 있게 되기를 바라지.”

이 문제에 대해 그는 더 이상 말을 잇지 않는다. 다만 조금은 유치한 것이 현실정치라는 말을 덧붙일 따름이다. 나도 그의 말에 맞장구를 친다. 그러면서 그는 대통령 선거가 이 땅의 모든 사람들이 똑같이 단 한 표만을 행사하게 되어 있다는 점을 잊지 말아야 한다고 강조한다. 이렇게 말하는 그의 속마음을 나는 충분히 이해할 것도 같다.

그러니 화재를 돌릴 수밖에 없다. 나는 지난해에 이어 새해에도 그가 회장직을 맡게 된 민족문학작가회의의 운동방향 혹은 운영방향에 대해 묻는다. 민족문학운동에 대한 그의 구상을 듣고 싶기 때문이다.

"작년 혹은 그 이전 상황과는 많이 달라져 민족문학작가회의의 운신의 폭이 다소 좁아지지 않았나 하고 생각이 되는데요. 민족문학의 운동방향이라고 해도 좋겠구요, 무슨 특별한 구상 같은 것이 있으면 얘기를 좀 해주시지요."

우선 그는 나의 이러한 질문 자체를 문제로 삼는다. 결코 민족문학운동의 폭이 좁아지지 않았다는 것이다. 미진한 대로 문민정부가 선 것이 사실이고, 그렇다면 지금까지의 민족문학운동이 성취하고자 해왔던 주요대상이 상당 부분 소멸되지 않았느냐는 의미가 내 질문 속에는 포함되어 있다. 하지만 그는 오히려 그렇기 때문에 민족문학작가회의가 해야 할 일이 더욱 많아질 수도 있다고 지적한다. 민족문학운동의 폭이 앞으로 훨씬 넓어지고 깊어질 수도 있다는 것이다.

"좀 더 적극적으로 나서기만 한다면 통일문학운동과 민중문학운동, 즉 민족문학운동의 경우 더 크게 활약할 수 있는 길이 열릴 수도 있다고 나는 생각해. 과거 군사문화 아래에서는 정보정치가 횡행해 우리 문화 전반이 많이 위축되었지만 이제는 적어도 그것만은 극복될 것 같잖아. 따라서 너무 절망적으로, 부정적으로 미래를 전망할 필요는 없어. 물론 그러려면 민족문학운동의 범주가 좀 더 넓어져야지. 이제 반독재운동의 차원은 벗어나야 하지 않을까 싶어. 뭐라고 할까. 좀 더 폭넓은 범민족문학운동과 같은 형태가 필요하지 않을까 하고 생각하는 거지. 그렇다고 하더라도 민족문학작가회의가 새 정부와 우호적인 관계를 갖기는 힘들 거야. 비판적인 거리를 가질 수밖에 없다는 거지."

새로운 정부가 서더라도 그들의 의지와는 달리 상당 부분 군사문화의 잔재가 존재할 수밖에 없을 것이라고 그는 파악한다. 군사문화가 완전히 불식되지 않는다면, 그 부분과는 앞으로도 여전히 싸워나갈 수밖에 없다는 것이 그의 생각이다. 그가 새 정부의 문화정책에 대해 일정한 비판적인 거리를 가져야 한다고 믿는 것도 다름 아닌 이 때문이다. 그럼에도 불구하고 그는 이제 민족문학작가회의도 문화부의 예산과 관련해 어떤 형태로든 일정 부분의 지분을 요구해야 한다고 생각한다. 그의 이러한 생각에 대해 나는 전혀 이의가 없다. 새 정부가 개방사회, 열린사회를 표방한다면 비록 나중에 달라질지라도 달라질 때까지는 일단 민족문학작가회의도 개방적인 자세를 가질 필요가 있다고 생각하는 것이다.

이제는 시에 대한 이야기로 돌아와야 할 것 같다. 주지하다시피 그는 민족문학진영의 대표적인 시인이다. 항간에는 이른바 '민족문학의 위기론'이라고 하는 것이 떠돌고 있다. 따라서 리얼리즘문학의 바른 범주와 관련시켜, 특히 시의 리얼리즘 문제와 연관시켜 오늘의 '민족문학'에 대한 그의 견해를 듣고 싶지 않을 수 없다. 그리하여 내가 묻는다.

"저로서는 시의 리얼리즘이 민족모순과 계급모순의 영역 안에만 존재해야 하나 하는 생각이 들거든요. 생명모순(이 말이 가능한지는 모르지만)도 우리에게는 매우 중요한 현실문제이잖아요. 민족문학의 위기론을 포함해 이 문제에 대한 선생님의 견해는 어떠신지요."

"민족문학이 위기라고들 하는데, 나는 그렇게 생각하지 않아. 현실사회주의의 몰락과 관련시켜 그렇게 말하는 모양이지만 큰 착각을 하고 있는 것이 분명해. 민족문학은 그 출발 이래 결코 사회주의적 지향을 추구한 적이 없어. 민족의 바른 길을 모색하기 위해 시작한 것이 민족문학운동일 뿐이지. 현실사회주의의 몰락과 민족문학하고 무슨 상관이 있나. 오히려 상업주의 문학이 휩쓸고 있는 요즈음의 문단현실에서 더욱 필요한 것이 민족문학이지. 앞으로는 오히려 민족문학이 훨씬 탄탄히 서게 될 거야. 그동안 저질러온 잘못이 있다면 반성도 해야겠지만 말이야. 물론 지금까지의 민족문학이 참다운 민족문학인가 하는 것도 계속해 되물어 보아야 해. 민족정서와는 동떨어진 채 지나치게 목소리만 높인 경향도 없지는 않았잖아."

"그건 그렇고, 시와 리얼리즘의 논의에 대해서는 어떻게 생각하세요?"

"시와 리얼리즘에 대해서는 이렇게 생각해. 여러 얘기를 할 수 있지만 기본적으로는 인식의 문제가 아니겠어. 사람과 자연을, 이 세계 전체를 어떻게 인식하느냐에 따라 리얼리즘이냐, 반리얼리즘이냐가 결정된다는 거야. 소재를 무엇으로 선택했느냐 하는 것은 그다지 중요하지 않아. 리얼리즘 시의 소재가 어떻게 민족모순과 계급모순으로 한정될 수 있겠어. 그러다 보면 리얼리즘 시, 나아가 민족시의 범위가 좁아질 뿐이지. 소재주의를 벗어나 폭넓게 생각을 해야지. 무엇을 쓰면 어떻겠어. 그것을 인식하는 시각이 중요하지. 당연히 생명이니 환경이니 하는 문제에 대해서도 써야지. 시의 리얼리즘에 대해 소박하게 나는 이런 정도로 생각해. 비판적 리얼리즘이니 사회주의 리얼리즘이니 하는 것도 무의미한 구분이고…….”

나는 그의 이러한 말에 아무런 반론도 제기하지 못한다. 그가 규정하는 민족문학과 리얼리즘의 개념에 별다른 이의가 없기 때문이다. 그래서 나는 또 화제를 바꾼다.

우리가 정작으로 알고 싶어 하는 것은 시인으로서의 신경림 개인일는지도 모른다. 그를 찾아뵙게 된 일차적인 이유도 바로 이 때문일 것이고. 이제 좀 더 구체적으로 그의 시세계에 대해 생각해 보기로 한다.

대학시절 한때, 그리고 문단생활 초창기에 그는 소설을 쓴 적이 있다. 물론 이들 소설 중에는 필명으로 지면에 발표된 작품도 없지 않다. 하지만 아주 오래전에 그는 소설쓰기를 포기한다. 그가 소설쓰기를 포기한 데는 어떤 특별한 이유가 있는 것이 아니다. 단지 자신의 타고난 체질에 좀 더 잘 어울리는 장르가 시라고 생각했을 따름이다. 시집 『농무』에 실려 있는 「廢鑛」과 같은 시는 본래 소설로 썼던 작품이다.

이 시 「廢鑛」은 6·25 전쟁 및 그와 관련된 사람들의 이야기를 담고 있다. 그렇다. 그는 무엇보다 사람들을 좋아한다. 그는 특히 가난하지만 꾸밈이 없는 서민들, 이른바 민중들을 만나기 좋아한다. 사람들과의 만남 이외에 좋아하는 것이 그에게는 따로 없다. 그는 새로운 사람과의 만남도 소중히 여기지만 옛 친구와의 지속적인 만남도 소중히 여긴다. 고등학교 때의 은사인 정춘용 변호사와의 만남이 계속되는 것이며, 고등학교 때의 선배인 유종호 교수와의 만남이 계속되는 것 등도 그 예이다.

그는 자신의 시의 원천이 바로 여기에 있다고 생각한다. 만나고 헤어지는 수많은 사람들 속에서 시를 발견하고 시를 깨닫는 것이 그이다. 따라서 그의 시의 원천은 한마디로 말해 '사람 좋아함'이라고 할 수 있다.

하지만 그가 사람 그 자체에 구속되고 속박되어 있는 것은 아니다. 그러는 가운데도 그는 사람과 자연, 사람과 정신 등의 바른 관계에 대해 끊임없이 고민하고 사색하기 때문이다. 우리는 이러한 고민과 사색의 결과를 이미 그의 시집 『길』을 통해 읽은 바 있다.

1973년에 간행된 그의 첫 시집 『농무』는 민중의 설움, 한 등의 정서가 주조를 이루고 있다. 그러나 1990년에 상재된 제5시집 『길』에는 민중의 지혜 혹은 삶의 바른 자세라고 할 만한 것들이 담담한 어조로 노래되어 있다. 물론 이 시집에는 '착함'·'인정'·'사랑' 등 오랜 전통적 덕목들이 그려져 있기도 하다. 그런가 하면 동일한 시집에 수록되어 있는 「여름날」과 같은 작품에는 민중의 활기찬 삶의 모습과, 그에 따른 밝고 건강한 정서가 드러나 있는 것도 볼 수 있다. 또한 얼마 전에 발표된 「무인도」와 같은 시에는 깨어 있는 영혼, 살아 있는 영혼으로서 인간이 느끼는 외로움 혹은 쓸쓸함 같은 정서가 감지되기도 한다.

얼핏 보기에 그의 시에는 유년시절의 체험이 거의 배제되어 있는 것처럼 보인다. 그러나 조금쯤 자세히 살펴보면 꼭 그렇지만도 않다. 특히 시집 『농무』 중에는 유년시절의 체험이 고스란히 재현되어 있는 작품도 적지 않다. 앞에서 예로 든 「廢鑛」 같은 작품이 그렇고, 「시골 큰집」, 「장마 뒤」 같은 작품도 그렇다. 하지만 그는 유년시절 그 자체를 주관적으로 추억하는 시는 쓰지 않고 있다. 물론 그는 자신의 분열된 자의식을 추구하는, 이른바 '근대성'에 몰두하는 시도 발표하지 않는다. 그에게 주관적 내면 탐구의 시는 삶 일반에 대해 정직하지 못한 정신적 사치이거나 허영일 따름이다.

이러한 생각을 하며 나는 요즈음의 그의 시적 의도라고 할까, 최근의 작업이 갖는 의미 등에 대해 묻는다. 그러자 그는 싱겁게 미리 특별히 의도하는 주제 같은 것은 없다고 대답한다. 그때마다 느끼는 감정의 소회를 정직하게 시를 통해 드러낼 뿐이라는 것이다. 그의 이러한 시작 태도는 나의 그것과도 비슷하다. 나 역시 시를 통해 미리 특별한 것을 의도하지 않기 때문이다. 나 역시 그때의 생각을 그때의 감정에 실어 드러내기 때문이다.

그럼에도 불구하고 나는 최근의 그의 시에서 집중적으로 느끼는 것이 있다. 그중의 하나는 그가 이제 삶 일반의 지혜를 노래하기 시작했다는 점이다. 이때의 지혜는 중년의 연치로서 그가 지금까지의 삶의 과정에 획득한 하나의 깨달음을 뜻한다. 나로서는 그의 시에 드러나기 시작한 새로운 경향으로서의 이러한 특징이 궁금하지 않을 수 없다. 그래서 나는 그에게 묻는다. 나의 이러한 견해를 어떻게 생각하느냐고.

"전에는 어떤 깨달음이 있어도 그것을 시로 쓰지 않았는데, 요즈음에는 그렇지 않은 것이 사실이지. 그렇다고 해 무슨 아포리즘 같은 것을 쓰는 것은 아니고. 사람살이의 구체적인 형상을 빌어 그러한 작업을 해보고 있지. 내 나름으로 깨달은 사람살이의 길을 제시해보는 것이지."

이들 지혜의 시를 통해 그가 주로 의도하는 것은 일종의 자기비판이다. 물론 이 자기비판의 범주 속에 그 자신에 대한 비판만이 들어 있는 것은 아니다. 사실 이들 시에서 비판의 대상으로 가장 중요하게 부각되어 있는 것은 그 자신을 포함한 이른바 '운동권'이다. 그러니까 그는 그 자신의 시를 통해 운동권의 잘못된 경향에 일종의 가르침을 주고 싶은 것이다. 『실천문학』 1990년 여름호, 『사상문예운동』 1990년 겨울호, 『창작과비평』 1991년 가을호, 『노둣돌』 1992년 겨울호 등에 실려 있는 시에서 그 구체적인 예를 찾아볼 수 있다.

나는 그의 시의 이러한 경향이 동양의 전통을 담고 있는 고전의 독서에서 오는 것은 아닌가 하고 생각한다. 그러나 그는 내가 이러한 뜻의 말을 하자 다소 쑥스러운 듯이 말머리를 돌린다. 최근에 들어 그는 중국 및 우리 선조들의 한시를 많이 읽고 있다. 엉뚱하게 오독하고 굉장히 좋은 시라고 생각하다가 본뜻을 알고 허탈해했던 적도 있다며 너털웃음을 웃기도 하는 것이 그이다.

그가 요즈음 특히 관심을 기울이는 한시는 송강 정철의 작품이다. 우연한 인연으로 『송강문학연구논총』의 편집에 공동으로 참여하게 되었고, 또 현대 시인의 입장에서 송강의 시에 대한 소략한 평문도 쓰게 되었기 때문이다. 그는 겨우 뜻만을 알 뿐이라며 겸사를 붙이는 것을 잊지 않는다.

이렇게 해서 나는 신경림 시인과의 인터뷰를 마친다. 내가 오늘 그로부터 배운 것은 과過하지도, 불급不及하지도 않는 중용의 정신이다. 이름하여 나는 그것을 '사랑의 정신'이라고 부른다. 그의 시집 『길』에 대한 서평에서 나는 이를 다른 말로 '화이부동和而不同의 정신'이라고 부른 적이 있다. (1993)

# 꿈 혹은 추억
## —내가 만난 오세영 시인

고등학교 때 나는 고전시가를 전공하는 제대로 된 학자가 되고 싶었다. 하지만 재수 끝에 지방의 후기대학에 입학한 이후에는 운명의 명령에 따라 큰 학자가 되겠다는 꿈을 접었다. 그러면서 점차 나는 소설 읽기와 시 읽기에 취미를 붙였다. 생각해 보니 학자가 되겠다는 것은 내 꿈이 아니라 할아버지의 꿈인지도 모르겠다. 아주 어렸을 때부터 할아버지는 내게 늘 판사나 검사, 장관이나 국회의원보다 학자가 훨씬 더 훌륭한 사람이라고 강조하고는 했다.

학자의 꿈을 접고 나니 미래가 아주 막막해졌다. 중학교 때도, 고등학교 때도 더러 교지에 시 나부랭이를 발표하고는 했는데, 크게 욕을 먹지는 않았다. 대학 1학년 때였는데, 우연히 조교 선생(김기출)의 권유로 '여명문학회'라는 서클에 들게 되었다. 합평회에 시를 제출할 때마다 온갖 쟁론이 만발하는 등 그런대로 평가가 괜찮았다.

한동안 망설이다가 나는 시인의 길을 가기로 작정했다. 그때는 시인의 길이 오히려 가능성이 있다고 생각했을까. 궁여지책 끝에 한 선택이었지만 기왕에 시인이 되기로 했으니 대한민국에서 맨 먼저 노벨문학상을 받아야지 하고 통 크게 마음을 먹기도 했다. 한때는 정말 그러한 꿈에 취해 살기도 했다.

이렇게 생각을 바꾸고 나니 하루하루의 삶이 몸과 마음을 한꺼번에 무너뜨릴 정도로 절망스럽지는 않았다. 아마도 시론, 시창작 실기, 문예사조론 등을 강의하던 시인 김현승 교수의 영향이 컸던 듯싶다. 시인으로서 그분의 포즈, 곧 바바리코트를 휘날리며 휘적휘적 낙엽이 흩날리는 교정을 걸어가는 모습이 내게는 너무도 멋져 보였다. 그리하여 조금은 유치한 마음으로, 조금은 감상적인 마음으로 김현승 시인의 뒤를 따르기로 했다.

그러나 김현승 시인의 사랑을 받기는 쉽지 않았다. 워낙 까다로운 분이라 좀처럼 곁을 주지 않았다. 슬리퍼로 뒤통수를 맞기도 하는 등 우여곡절 끝에 2학년 말, 3학년 초가 되어서야 겨우 김현승 선생님의 눈길을 끌 수 있었다. 습작시를 들고 찾아뵌 지 이미 10여 차례가 넘은 뒤였다.

3학년이 되던 1975년 4월 초였다. 선생님은 당신의 이름으로 학보사에서 주관하는 '다형시문학상'의 당선자로 나를 뽑아주었다. 온갖 구박을 받은 끝에 겨우 얻은 작은 영광이었다. 학보에 '다형시문학상' 당선시와 심사평이 실릴 무렵 이미 나는 시인이 다 된 것처럼 들떠 지냈다. 드러내놓고 떠들지는 않았지만 어쩌면 대학을 졸업하기 전에 이른바 등단이라는 것을 할 수 있을지도 몰랐다. 그즈음 선생님께서는 『현대문학』의 추천위원으로 계셨는데, 손수 커피를 끓여 주시며 엇비슷한 언질을 한 적도 있었다.

이러한 선생님께서 1975년 봄 4·19 혁명 즈음한 특별 예배에서 설교를 하던 중 갑자기 심장마비로 쓰러져 돌아가시고 만 것이었다. 장례를 치르는 동안 이런저런 잔심부름을 하면서도 무엇을 어떻게 해야 할지를 몰라 눈앞이 캄캄하기만 했다. 인생의 등불이었던 선생님께서 돌아가셨으니 이제 나는 끈 떨어진 조롱박 신세가 된 셈이었다. 앞으로는 스승이 없이 나 혼자 시 공부를 해야 했다.

혼자서 무엇을 어떻게 공부한다는 말인가. 이런저런 문예지를 읽어 가며 계속해 시를 써 보았지만 무엇 하나 손에 잡히지를 않았다. 1975년 초여름 이후 나는 대전시 소재의 제3관구 헌병대로 출퇴근을 하는 방위병이 되어 있었다. 군역을 치르기 위해서였다. 그러는 동안에는 무시로 밀려오는 좌절감으로 일쑤 시 쓰기를 포기하기도 했다. 이렇게 꿈을 포기해서는 안 되지, 하면서도 시 공부에는 아무런 진전이 없었다. 그러던 어느 날이었다. 느닷없이 가까운 충남대학교 국문과에 계시는 오세영 교수님을 찾아뵙고 도움을 얻어야지 하는 엉뚱한 생각이 들었다. 각종 문예지에 발표되는 시와 평론 등을 읽어 성함은 익히 알고 있었지만 따로 면식은 없는 분이었다.

당시 충남대학교 국문과 학생들 사이에는 오세영 교수님이 자존심이 높은 도도한 지성인으로 알려져 있었다. 그래서일까. 대부분 학생들은 선생님께 가까이 다가가기를 두려워했다. 그렇거나 말거나 나는 전화 한 통화도 없이 불쑥 충남대학교 국문과 오세영 교수님의 연구실 문을 두드렸다. 그때는 내가 시 공부에 너무도 목이 말라 있었다.

나의 엉뚱한 방문에 선생님은 처음 다소 어이없는 표정을 지었다. 하지만 자초지종을 말하자 이내 이런저런 친절을 베풀어주었다.

"그러니까, 시 공부를 하고 싶다는 거지요?"

"김현승 선생님께서 돌아가시어 저희 대학에는 시를 강의하는 교수님이 안 계십니다. 시 공부를 하는 데 좋은 책을 좀 소개해 주십시오."

내 손에는 몇 편의 시를 청서한 노트 한 권과 『1960년대 시인들』이라는 사화집 한 권이 들려 있었다. 주로 모더니즘의 영향권 안에 있던 시인들의 시를 모아놓은 이 사화집에는 물론 선생님의 초기 시 몇 편도 수록되어 있었다. 눈길을 이 사화집 쪽으로 돌리더니 선생님께서 천천히 말을 이었다.

"이 책은 어디서 구했어요?"

"서점에서 샀습니다."

"서점에서 판매를 하는 모양이네요. …… 읽을 만해요?"

"조금 어렵지만 이해하려 노력하고 있습니다."

"학생들이 읽기에는 조금 힘들 텐데…….."

"아, 예…….."

잠시 침묵이 흐른 뒤 선생님이 말을 이었다.

"송욱이라고……, 시도 쓰고 평론도 하는 서울대 불문과 교수님이 계시지요."

"아, 예, 『하여지향』이라는 시집을 내신 분…….."

"송욱 선생이 쓰신 『문학평전』과 『시학평전』은 읽어 봤나요?"

"아니요. 아직 못 읽었는데요."

"현대시를 이해하는 데는 더없이 좋은 책이에요. 우선 그것부터 읽어 보세요."

오세영 선생님과 헤어진 뒤 곧바로 나는 시내의 서점부터 뒤지기 시작했다. 웬만한 큰 서점을 다 헤매고 다녀도 송욱 선생의 이 책 두 권은 보이지를 않았다. 달리 방법이 없어 단골로 다니던 동남서림에 이 책들을 구해 달라는 부탁을 하고 집으로 돌아왔다. 일주일쯤 지나서일까. 어렵지 않게 나는 송욱 선생의 이 두 권의 책을 손에 넣을 수 있었다.

그러한 다음 연필로 밑줄을 치거나 메모를 해가며 나는 부지런히 이 책들을 읽어나갔다. 물론 당시의 내 공부 수준으로는 혼자서 이 책들의 내용을 읽어 나가기에 다소 벅찼다. 반복해 읽으면서도 쉽게 이해하지 못한 것은 처음으로 접하는 전문용어들의 영향이 컸다. 딜레탕트니, 트리비얼리즘이니 하는 용어들을 나는 이 책들을 통해 비로소 알았다.

이들 책의 내용은 기본적으로 불문학의 교양과 이념에 기초해 있었다. 이들 책을 통해 나는 보들레르나 랭보의 시, 그리고 바슐라르 등의 이론에 대한 기초 개념을 익힐 수 있었고, 만해 한용운에 대해서도 심화된 이해를 할 수 있었다. 결국은 오세영 선생님의 소개로 이들 책을 만나 그만큼 인식의 깊이를 얻은 셈이었다.

그러한 뒤에는 오세영 시인을 쉽게 찾아뵙지 못했다. 방위병 근무를 마치고 복학을 하기는 했지만 우선은 이런저런 일로 내가 많이 위축되어 있어 쉽게 용기를 내지 못했다. 군복무를 위해 휴학을 한 기간은 세 학기에 불과했는데, 그동안 친구들이 도달해 있는 경지는 말 그대로 괄목상대해 당장 눈앞의 공부를 따라잡기에도 바빴다. 문학을 전공하는 여러 교수님들도 새로 부임을 해와 그분들의 시각에 적응하는 것도 쉽지 않았다.

내가 다시 오세영 시인을 가까이에서 뵌 것은 10년도 훨씬 더 지난 뒤의 일이었다. 1980년대 들어 이른바 등단이라는 절차를 거친 다음 나는 자유실천문인협의회 주변의 문학운동권에서 놀며 일했다. 당시에는 전두환 군사독재의 문화탄압과 싸우는 일이 무엇보다 급했다. 이른바 6월 항쟁이 개막되던 1987년 나는 이런저런 고민 끝에 좀 더 공부를 할 생각으로 대학원 박사과정에 입학을 했다.

1992년 봄에는 드디어 박사학위 논문을 제출할 수 있게 되었다.

지도교수님과 상의해 나는 오세영 선생님을 심사위원 중의 한 분으로 모셨다. 내가 대학원에 제출한 학위논문은 「1930년대 후기시의 현실인식 연구—백석·이용악·오장환의 시를 중심으로」였다. 이 논문에서 나는 1935년을 전후해 우리 시단의 중심인물로 부상한 백석·이용악·오장환의 시가 지니고 있는 세 가지 층위, 곧 모더니즘, 낭만주의, 리얼리즘의 층위가 보여주는 의미를 탐구하려 했다. 오세영 교수님이 집중적으로 심사를 맡은 영역은 이들 세 시인의 시에 구현되어 있는 리얼리즘과 관련된 부분이었다.

시에 구현되어 있는 리얼리즘을 학문적으로 구명하는 일은 그때에도 여전히 난해했다. 내가 학위논문을 작성하던 무렵은 이른바 리얼리즘 시 논쟁이 불을 뿜던 시기이기도 했다. 논쟁의 내용을 십분 감안하더라도 시에서 리얼리즘의 내포는 아무래도 명확하지 않았다. 그래서 나는 아직 보편화되어 있지는 않았지만 나 자신도 참여했던 리얼리즘 시 논쟁을 참고해 그럴싸한 논리를 만들었다. 하지만 심사를 맡은 오세영 교수님이 보기에는 내가 만든 논리가 별로 그럴싸하게 보이지 않는 듯했다.

심사과정에 오세영 교수님께서는 유독 이런저런 문제를 제기했다. 더러는 치밀한 고증이 요구되는 논쟁으로 발전하기도 했지만 선생님의 문제제기로 인해 나는 훨씬 더 정치한 논리를 만들 수 있었고, 별 탈 없이 박사학위를 받을 수 있었다. 매번 진땀을 빼며 반증을 제시해야 했지만 선생님께서 지적해준 이런저런 내용은 뒷날 내가 「리얼리즘 시의 세계관과 창작방법」이라는 조금은 유연한 글을 쓰는 데에도 큰 도움이 되었다.

선생님께서는 학위논문 심사를 계기로 나를 기억하는 듯했다. 시인으로보다는 박사로 기억하는 셈이었는데, 나로서는 그것이 다소 섭섭했다. 그러한 이유로 나는 선생님께서 나를 시인으로 기억할 수 있도록 많은 애를 썼다. 평론도 쓰고 논문도 써왔지만 그때나 지금이나 나는 내가 시인이라는 생각을 잊지 않고 있었다. 실제로는 나도 학위논문 심사를 계기로 선생님을 좀 더 잘 알 수 있었다. 그리하여 문단의 각종행사에서 뵐 때마다 훨씬 더 이런저런 친근성을 느낄 수 있었다.

오세영 선생님은 무엇보다 깔끔하고 담백한 성격이 특히 돋보이는 분이었다. 이러한 면은 선생님께서 문단에 따로 자기 사단을 만들지 않아온 것만 보더라도 잘 알 수 있다. 사적 이익을 위해 편법을 쓰지 않을 뿐더러 항상 대의를 앞세우는 분이 오세영 시인이라는 이야기이다. 여기서 대의를 앞세우는 분이라는 것은 오세영 선생님이 언제나 시 자체를 기준으로 해서 시인을 평가해왔다는 것과도 무관하지 않다.

무엇보다 커다란 열정을 지니고 있는 분이 오세영 시인이다. 오세영 선생님은 특히 시詩와 지知와 대한 애정이 매우 남다른 분이다. 선생님의 곁에 있으면 언제나 새롭고 참신한 인식의 세계 속에 빠져들을 수 있고, 샘솟는 영감을 체험할 수 있다.

1999년 여름의 일로 기억이 된다. 시사랑협의회의가 주최하는 여름 시인학교가 원주의 토지문학관에서 열렸는데, 물론 나도 참석을 했다. 그때 선생님께서는 행사에 참가한 사람들을 대상으로 매우 참신한 내용의 특강을 했다. 그때도 느낀 것은 선생님의 지知에 대한 사랑, 곧 애지였다. 애지가 철학을 뜻한다는 것은 불문가지이다. 선생님은 우리 시단에서는 드물게 자기 나름의 철학을 가진 분이기도 하다. 어쨌든 특강의 내용이 너무 좋아 바쁘게 노트에 받아 적었는데, 한참 뒤 나는 이 노트를 바탕으로 「변화하는 매체환경과 서정시의 내일」이라는 제목의 글 한 편을 만든 적도 있다.

　이러한 다음에도 선생님과의 인연은 줄기차게 이어져 여러 차례 함께 밥도 먹고 술도 마시며 적잖은 깨달음을 얻을 수 있었다. 그뿐만 아니라 내가 봉직하고 있는 광주대학교 문예창작과에서 주최하는 초청강연회의 연사로 선생님을 모셔 민족문학론의 허와 실에 대한 진지한 말씀을 들은 적도 있었다. 나아가 내가 관여하는 문예지에 선생님의 시집에 대한 서평을 쓰거나 특집을 기획해 그간의 인연을 확인한 적도 있었다.

　2001년 8월에는 태국과 네팔 쪽으로 함께 해외여행을 다녀오며 선생님을 좀 더 가까이에서 뵙기도 했다. 그때도 기본적으로 느낀 것은 선생님이 매우 깔끔하고 담백한 성품을 지니고 있는 분이라는 점이었다. 어느 누구에게도 부담을 주지 않으려 각별히 신경을 쓰는 마음가짐이 내게는 늘 모범으로 다가왔다.

　2005년 겨울부터 선생님은 한국시인협회 회장을 맡았다. 선생님께서는 회장을 맡자마자 곧바로 나를 특별히 추천해 한국시인협회에 가입시켰다. 이재무 시인과 박주택 시인도 그렇게 한국시인협회 회원이 되었다. 훨씬 이전부터 선생님은 당신께서 회장을 맡게 되면 한국시인협회에 가입을 해야 한다고 다짐을 해오던 터였다. 그렇게 해서 나도 전통을 자랑하는 한국시인협회의 회원이 되었다. 선생님의 배려와 권유가 없었다면 쉽게 마음을 내지 못했을 일이었다.

　2006년 10월 21일(토) 한국시인협회는 이른바 '태백산 시낭송회'를 개최했다. 나도 한국시인협회의 정식회원으로 참석해 중국의 동북공정을 비판하는 시 「말은 피다」라는 시를 낭송했다.

　내게 오세영 선생님과의 인연은 이제 막 발아의 단계인지도 모른다.

적어도 나는 그렇게 생각하고 있다. 지금까지는 몸과 말을 통해 선생님께 배운 것보다는 책과 글을 통해 선생님께 배운 것이 훨씬 더 많다고 생각되기 때문이다. 이제 곧 대학에서 물러나오기는 하지만 책과 글 밖에서도 선생님의 깊은 가르침이 계속되기를 바란다. (2006)

# 순수 혹은 저절로 그러한 삶
## — 전문수 시인을 그리워하며

2008년 8월 7일(목), 북경올림픽 전야제가 있는 날이었다. 방학 중이었지만 나는 학교에 출근해 무슨 글인가를 끼적대고 있었다. 어느새 오후가 되어 흩어져 있는 책들을 모으며 퇴근을 준비하던 중이었다. 일찍 집에 들어가 TV로 중계하는 북경올림픽 전야제를 보며 쉬려는 참이었다.

오후 4쯤이나 되었을까. 휴대전화의 벨소리가 울렸다. 폴더를 열고 통화 버튼을 누르자 '진진시' 모임에서 함께 공부하는 김민휴 시인의 목소리가 들렸다. 특별한 일이 없으면 저녁식사나 하자는 이야기였다. TV로 중계하는 북경올림픽 전야제가 시작되기까지는 아직 시간이 많이 남아 있었다.

김 시인이 운전하는 차에 올라 저녁식사를 할 식당을 찾는 중이었다. 문득 김 시인이 말했다.

"누구를 좀 불러낼까요? 전문수 시인……, 선생님, 어때요? 같이 저녁밥 먹게요!"

"좋지. 그런데 통화가 될까?"

"일단 전화를 걸어 볼게요. 저희 집에서 멀지 않은 곳에 살거든요."

곧이어 김 시인이 휴대전화를 꺼내 번호를 눌렀다. 뜻밖에도 전문수 시인이 곧바로 전화를 받았다. 이내 전문수 시인이 우리가 머물고 있는 광주 금호지구의 식당으로 찾아왔다. 집이 가까워서인지 전 시인은 반바지에 운동화 차림이었다. 함께 식사를 하며 우리는 이런저런 이야기를 즐겼다.

전문수 시인도 김민휴 시인과 마찬가지로 진진시 모임에서 함께 공부하고 있는 중이었다. 김 시인과는 달리 전 시인은 광주대학교 대학원 문예창작과의 내 지도학생이었다. 문예창작이 전공이라 대부분 학생들이 논문보다는 작품집으로 석사학위를 받았다. 전 시인도 마찬가지였다. 석사학위 작품집은 보통 50여 편의 창작시와 원고지 80여 장의 '나의 시론'으로 이루어졌다.

전 시인은 학점을 다 수료하고도 1, 2년의 시간을 더 보낸 뒤 석사학위 작품집을 제출했다. 그러는 동안 그는 따로 내게 연락을 한 적이 별로 없었다. 당연히 나는 그에 대해 아는 것이 많지 않았다. 물론 석사학위를 받을 때도 내가 채근을 해 기회를 만들기는 했고, 등단을 할 때도 내가 채근을 해 기회를 만들기는 했다. 대학원에 입학을 할 때도, 내가 지도교수를 맡을 때도 그는 내게 이렇다 할 형식이나 절차를 갖춘 적이 없었다.

따라서 전문수 시인에 대한 내 관심은 그냥 평범하게 대학원 수업시간을 통해 이루어졌다. 그의 시가 두루 관심을 끌었기 때문이다. 겉으로 내색은 하지 않았지만 수업시간에 그가 제출하는 시는 나를 고무시키기에 충분했다. 그의 시에서는 무엇보다 독특한 아우라를 갖는 지성이 스미어 있었다. 특히 오늘의 현실이 함유하고 있는 자본의 문제와 문명의 문제에 대한 비판적 지성이 돋보였다. 그와 내가 거주하고 있는 광주라는 지역의 특징으로 보면 그의 시가 지니고 있는 이러한

면은 조금쯤 놀라운 일이었다. 로고스보다는 파토스를 좀 더 소중히
여기는 것이 이 지역 사람들의 특징이었기 때문이다. 어쨌거나 나는
틈이 나는 대로 그의 시에 대해 이런저런 격려를 표하고는 했다.

다음은 내가 전 시인을 인식하게 된 첫 번째 시이다.


　　　아침 바쁜 도로 위
　　　짐받이 커다란 자전거
　　　낡은 연장 가방 싣고
　　　무릎 튀어나온 남회색 바지 홀쭉한 다리
　　　느리게 페달을 밟아
　　　길 거슬러 가고 있다.
　　　시선 끌지 못하는 광고 문구 같은
　　　키 작은 연어.


　　　햇살, 부서지고 흩어지고
　　　검은 강물처럼 흐르는 아스팔트 위로
　　　꼬리 물고 질주하는 바퀴 지느러미들
　　　쉴 새 없이 쏘아대는 매연의 물살 헤치며
　　　언덕길 오르고 있다.
　　　귀밑머리 하얀 연어.


　　　바다와 강의 경계 넘어
　　　고향 찾아 기억의 바퀴 굴리는
　　　강물 거슬러 오르는

본능, 길 열고 있다
제 새끼들 키울
둥지 하나 지으러
길 거슬러 가고 있다.

연어의 몸 감싸며
후광처럼 펼쳐지는 햇살
창창한 바큇살에서
푸드득 새떼처럼 날아오르고 있다.

—「길 위의 연어」 전문

이 시는 무엇보다 단단한 구성으로, 완미한 형상으로 내게 다가왔다. 그랬다. 이 시가 일단 내게 주는 것은 수미일관하게 시상이 전개되고 있다는 느낌, 구성이 매우 치밀하고 단단하다는 느낌이었다. 물론 그의 이 시가 크게 실험적이거나 전위적이라고 생각되지는 않았다. 하지만 이른 아침 짐받이 자전거에 "낡은 연장 가방 싣고" 일을 하러 나서는 일용직 노동자를 연어로 비유하고 있는 그의 따뜻한 마음은 주목을 받기에 충분했다.

대학원 수업기간에 제출하는 그의 시는 그 밖에도 여러 면에서 관심을 끌었다. 그의 시집에서도 찾아볼 수 있는 「伐草說」, 「굴뚝새」, 「거울」, 「양지꽃과 無名」 등이 그것이었다. 하지만 대학원의 학기를 다 마치자 그는 다시 별다른 연락을 하지 않았다. 오히려 내가 거듭 채근을 해서 작품집을 제출하고 석사학위를 받도록 했다. 이처럼 그는 순수했다. 어떤 일에도 억지를 부리지 않았다. 나는 이러한 그가 늘

'저절로 그러한 삶'을 꿈꾸고 있다고 믿었다.

석사학위를 받은 뒤에도 전문수 시인은 또 아무런 연락을 하지 않았다. 들리는 소문으로는 완도에 있는 중등학교로 전근을 가 있다고도 했다. 이른바 섬마을 선생님이 되어 있다는 것이었다. 자꾸만 나는 그의 석사학위 작품집에 실려 있는 좋은 시들이 아깝게 생각되었다. 그래서 나는 두어 차례 전화를 걸어 문예지 신인상에 투고를 해보라고 권유하기도 했다. 그러나 그것으로 끝이었다. 계속해서 시를 쓰고 있는 것 같기는 한데 여전히 그에게서는 아무런 연락이 없었다.

그럴 무렵이었다. 새로 생긴 종합문예지 『문학미디어』의 주간을 맡고 있는 소설가 김용만 선생이 내게 전화를 해왔다. 광주대학교 문예창작과 출신 중에 좋은 사람이 있으면 신인으로 소개를 좀 해달라는 것이었다. 마땅히 전문수의 얼굴부터 떠올랐다. 나는 서둘러 휴대폰의 숫자를 눌렀다. 상황을 이야기하고 일단은 등단의 절차를 밟는 것이 좋지 않겠느냐고 권했다.

"그렇게 혼자 유폐되어 있으면 영영 시를 못 씁니다. 그동안 공부한 것이 아깝잖아요. 아주 좋은 문예지는 아닌 듯해요. 이제 막 새로 생긴 잡지인 듯합니다. 일단은 등단의 절차를 밟고 나중에 신춘문예나 좋은 문예지를 통해 재등단하는 것도 한 방법이에요."

내가 이렇게 말하자 전문수 시인은 흔쾌히 동의를 했다. 원고를 보내고 예의 종합문예지를 통해 등단의 절차를 밟았지만 그는 다시 내게 아무런 연락도 하지 않았다. 한참 시간이 흐른 뒤였다. 들리는 소문에 의하면 그가 광주 근교인 담양의 어느 중학교로 전근 와 근무하고 있다는 것이었다. 나는 다시 그에게 전화를 걸어 진진시 모임에 참석해 함께 공부하자고 권했다. 이번에도 전 시인은 흔쾌히 동의를 했다.

　이렇게 해서 그는 진진시 모임에 참석해 함께 공부를 하게 되었다. 사적으로 깊은 이야기를 나눈 적은 별로 없었지만 이런저런 연유로 나는 늘 그를 가깝게 생각했다. 무엇보다 나는 시인으로서의 그의 재능을 아꼈다.

　김민휴 시인의 제의로 전문수 시인과 함께 저녁식사를 하던 날은 앞에서도 말한 것처럼 북경올림픽 전야제가 있던 날이었다. 즐겁게 식사를 마치고 식당 밖으로 나오려 하는데, 장대비가 억수같이 쏟아지는 것이었다. 도무지 한 걸음도 떼어놓을 수 있는 형편이 아니었다. 일단 상을 물린 뒤라 도로 식당 안으로 들어갈 수도 없었고, 하여튼 진퇴양난의 시간이 한참 계속되었다. 그렇게 반시간 정도를 쩔쩔매다가 가까스로 그와 나는 김민휴 시인의 차에 오를 수 있었다.

　차나 한 잔 마시자며 김민휴 시인은 차를 큰길 쪽으로 몰았다. 큰길에 이르기도 전에 갑자기 사위가 캄캄해지고 폭우가 더욱 세차게 쏟아져 내렸다. 차를 탄 채 어딘가로 피신을 하지 않을 수 없을 정도였다. 마침내 김 시인은 차를 몰아 근처의 초등학교 안으로 들어가 비를 그을 수 있는 주차장에 차를 세웠다.

　여름이라 아직도 땅거미가 내리기에는 이른 시간이었다. 차에서 내린 우리는 그렇게 빗속에 갇혀 데카메론의 시간을 갖게 되었다. 데카메론의 시간이라고 했지만 사실은 인생에 대한 각자의 소회와 자식들에 대한 걱정을 나누는 정도에 불과했다. 전문수 시인은 딸의 재롱 및 아들에 대한 기대를 주로 말했다. 김민휴 시인도 대강 그와 유사한 이야기를 했다. 나는 인생이라는 것이 별것 아니다, 너무 큰 욕심을 내다보면 뜻하지 않은 상처를 받을 수도 있다는 등의 이야기를 했다. 아마도 나는 욕심을 줄이고 소박하게 사는 것이 건강하고 행복하게 사는 데 좋다는 이야기를 많이 한 듯했다.

우리가 근처 사찰의 카페로 자리를 옮겨 녹차를 한 잔 마셨을 때는 이미 북경올림픽 전야제에 대한 TV 중계가 거의 끝나가고 있었다. 즐거운 이야기를 너무 많이 나누어 그때는 올림픽 전야제를 보지 못해도 좋다고 생각했다. 그날 밤 나는 11시가 다 되어서야 집에 돌아올 수 있었다.

이러한 일이 있고 스무 날이나 지났을까. 서울에서 광주로 차를 몰고 내려가는 도중이었다. 일단은 어머니한테 먼저 들를 생각에 대전으로 차를 몰았다. 막 대전 시내로 진입을 하고 있을 때였다. 휴대전화의 벨이 울렸는데, 통화 버튼을 누르자 전혀 낯선 목소리가 튀어나왔다. 낯선 목소리의 주인공은 급하게 전문수 시인이 스스로 이승을 하직했다는 소식부터 토해 놓았다. 믿기지 않아 누구냐고 따져 묻자 그는 자신이 전문수 시인의 동생이라고 말했다.

진진시 동인들과 함께 문상을 가서도 나는 좀 당황스러웠다. 우울증 때문에 진작부터 치료를 받아왔다고 하는데, 이 사실을 나는 전혀 눈치채지 못하고 있었으니 말이다. 불과 한 달도 채 안 지난 북경올림픽 전야제 날 함께 어울려 너무도 유쾌한 시간을 보내지 않았던가. 또한 방학을 이용해 나는 그를 비롯한 진진시 회원들과 함께 함양의 상림이며 여수의 돌산 등으로 두어 차례 창작기행을 다녀온 적도 있었다.

전문수 시인의 죽음을 두고 뭐라고 말을 해야 할까. 그저 명복을 빌 따름이다. 혹시라도 이번에 간행되는 그의 유고시집에서 답을 찾을 수 있을까. 나로서는 잘 모르겠다. 이 시집에 죽음의 냄새가 물씬 풍기는 좋은 시 한 편이 실려 있기는 하다. 이 시의 전문을 여기에

옮겨 적으며 이상의 글로 전문수 유고시집의 서문을 대신한다. (2009)

저녁 어둠 속에서 겨울비 내리기 시작한다.
비는 검은 상복을 걸치고 은밀히 흐느낀다.
잎을 모아 저승으로 보낸 은행나무
깡마른 몸 위에 점점이 피어나는 검은 물방울들
전지된 가지 끝에 모여 앉아 곡을 할 것이다.
저승사자 같은 차가운 얼굴을 하고
가로등은 은행나무 서 있는 아파트 뒷골목 엿보고 있다.
빈 소주병 넘어져 있다.
누군가 생의 슬픔 꿀꺽꿀꺽 병나팔 불었을지 모른다.
병 속에는 그늘이 적요롭게 가득 들어 차 있다.
짝 잃은 도둑고양이 울음소리 가득 들어 차 있다.
참빗질한 빗줄기는 빈병 위로 염을 하듯 흘러내린다.
빈병 옆을 지나가는 한 사내
저승사자의 눈빛 같은 검은 외투 입고 있다.
어깨선을 따라 빗물 흘러내린다.
현상수배 벽보 뒷면에는 그의 생이 수배 중일지 모른다.
골목 끝 어둠, 겨울비가 쌓고 있는 검은 탑 속으로
은신처를 찾아들 듯 사라진다.

—「겨울비」 전문

# 강한 책임감 혹은 분명한 가치관
## —문숙 시인

　문숙 시인을 처음 만난 것은 『불교문예』를 통해서이다. 내가 『불교문예』의 주간을 맡아 일하게 된 데는 우여곡절이 없지 않다. 물론 여기서 그것을 자세히 말할 수는 없다. 하지만 내부에 문제가 생겨 수습을 하는 과정에 『불교문예』를 간행하는 책임을 맡게 된 것만은 사실이다. 내가 다른 일들의 책임을 자주 그렇게 맡았듯이 말이다.

　아무것도 하지 않고 지내려면 너무도 길고 지루한 것이 인생이고, 무엇을 좀 하려면 너무도 짧고 덧없는 것이 인생이다. 처음 문학을 필생의 업으로 삼기로 뜻을 세웠을 때는 그것을 통해 무언가 큰일을 할 수 있으리라 생각하기도 했다. 뛰어난 작품을 쓰는 일은 말할 것도 없고, 뛰어난 작품을 널리 읽히는 일에도 좀 더 할 것이 있으리라고 믿었다.

　하지만 아직도 나는 무엇 하나 확실히 손에 잡지 못하고 시간을 보내고 있다. 물론 내가 문학과 세상을 위해 아무것도 하지 않은 것은 아니다. 나 나름대로 처한 상황이나 형편에 따라 그때그때 최선을 다하며 많은 일을 해온 것은 사실이다. 이러한 점에서 생각하면 『불교문예』 주간으로 일한 3년은 자못 보람 있는 시간이었다고 하지 않을 수 없다.

『불교문예』의 주간을 맡기로 하고, 수완 스님, 혜관 스님, 로담 스님 등 관계자들을 처음 만난 것은 인사동의 한 음식점에서였다. 약속 장소에 나가 보니 기존의 편집위원들과도 함께하는 자리였다. 이미 정해져 있는 편집위원들과 함께 급하게 『불교문예』를 만들어야 한다는 것을 단박에 알 수 있었다. 이들 편집위원들 중에는 진작부터 내가 잘 알고 있는 사람도 있었고, 그렇지 않은 사람도 있었다. 구체적으로 말하면 공광규 시인의 경우는 전자였고, 문숙 시인의 경우는 후자였다.

이런저런 과정을 거쳐 『불교문예』의 주간을 맡았지만 예상만큼 일이 쉽지는 않았다. 우선은 편집장이나 편집위원들이 잡지를 만들어 본 경험이 전혀 없어 매사가 거칠고 투박했다. 형편이 이러하니 교정을 보거나 교열을 보는 일까지 내가 직접 나서야 할 때가 많았다. 물론 잡지의 기본 포맷부터 새롭게 꾸며야 했다.

이런저런 일로 힘들어 하자 발행인인 혜관 스님이 내게 되도록 문숙 시인과 함께 일을 해보라고 권유했다. 『불교문예』를 만드는 일에 거듭 문제가 생기자 나는 과감하게 편집위원인 문숙 시인에게 편집장을 맡아달라고 청했다. 말은 쉬웠지만 그것은 편집위원을 편집장으로 강등시키는 일이었다. 그래도 문숙 시인은 기꺼이 내 청을 받아들여 편집장의 일을 맡아주었다.

이러한 과정을 거치면서 점차 『불교문예』는 주간인 나와, 부주간인 공광규 시인, 편집장인 문숙 시인을 중심으로 안정된 편집체제를 꾸리게 되었다. 함께 일을 하다 보니 무엇보다 문숙 시인이 책임감이 강한 사람, 분명한 가치관을 지닌 사람이라는 것을 알 수 있었다. 그뿐만 아니라 문숙 시인은 모든 일을 아주 꼼꼼하고 정밀하게 처리해 이내

『불교문예』를 빛나게 했다.

　『불교문예』에는 문예지를 만드는 일 외에도 여러 가지 일이 많았다. 봄에 개최하는 현대불교문학상 시상식, 여름에 개최하는 만해축전심포지엄, 가을에 개최하는 창작수련회, 겨울에 개최하는 송년회 및 『불교문예』 작품상 시상식 등이 그것이다. 이러한 일들에 쫓기다 보면 자기도 모르게 짜증을 내기가 쉽다. 하지만 문숙 시인은 언제나 솔선수범하는 가운데 세련되게 일을 처리해 주변 사람들의 마음을 편하게 했다.

　세상에는 많은 사람들이 살고 있다. 하지만 손발을 맞춰 함께 일할 사람을 만나기는 쉽지 않다. 문예지 만드는 일을 비롯해 그동안 나는 문학과 관련된 이런저런 많은 일을 해왔다. 그러는 과정에 수많은 사람과 만나고 헤어졌다. 하지만 문숙 편집장과 함께 『불교문예』를 만들 때처럼 손발이 척척 맞았던 때는 별로 없었다. 이러한 연유만으로도 나는 『불교문예』 주간으로 일하는 동안 문숙 시인을 만난 것을 큰 행운으로 생각하고 있다. 누가 뭐라고 해도 그는 시에서 말하는 것을 반드시 생활에서도 실천하려고 노력하는 사람이다. 그의 이러한 노력이 좀 더 역사의 전위에 서기를 바랄 따름이다. (2010)

# 성찰과 응시
— 흐르는 것들 혹은 떠도는 것들 혹은
「춘양 가는 길」·「고인돌」·「홀황」·「4월」·「금요일의 바람」

## 1

세상의 모든 것은 끊임없이 흐르고, 떠돌고, 움직인다. 움직이며 짝을 이룬다. 짝을 이룬다는 것은 춤을 춘다는 것, 춤을 춘다는 것은 리듬을 이룬다는 것, 나아가 리듬을 탄다는 것이다. 리듬은 소리나 호흡이 짝을 이루며 운동하는 것, 결과 틀을 만드는 것을 가리킨다. 쉬지 않고 끊임없이 짝을 이루며 운동하는 것이, 결과 틀을 만드는 것이 리듬이다.

말 결과 말 틀을 만드는 것, 말들이 짝을 이루며 춤추는 것, 곧 리듬은 모든 존재의 근원이다. 플러스는 마이너스와 짝을 이루고, 마이너스는 플러스와 짝을 이룬다. 음은 양과 짝을 이루고, 양은 음과 짝을 이룬다. 나는 너와 짝을 이루고, 너는 나와 짝을 이룬다. 리듬은 그렇게 흐름을 이루며 만들어진다.

짝을 이룬다는 것은 상호 순환한다는 것이다. 너와 나도, 나와 너도 상호 순환하기는 마찬가지이다. 네가 없는 나는 없다. 내가 없는 너는 없다. 나의 한편에는 네가 있고, 너의 한편에는 내가 있다.

이렇게 상호작용을 하며, 짝을 이루며, 결과 틀을 만들며, 서로 순환하며 모든 존재는 어디인가로, 무엇인가로 향해 움직인다, 떠난다.

떠나며 흐르며 거듭해 제 모습을 바꾼다.

생명은 무생명으로, 무생명은 생명으로 서로 제 모습을 바꾼다. 물질은 에너지로, 에너지는 물질로 서로 제 모습을 바꾼다. 기미幾微는 원리原理로, 원리는 기미로 서로 제 모습을 바꾼다. 있는 것은 없는 것으로, 없는 것은 있는 것으로 제 모습을 바꾼다. 모든 존재는 그렇게 쉬지 않고 바뀌고 변화한다.

이들 변화는 어떤 시간에는 빠르고, 어떤 시간에는 느리다. 이들 변화는 어떤 공간에는 빠르고, 어떤 공간에는 느리다. 시간과 공간에 따라 변화가 저 스스로 해찰을 하기 때문이다. 이처럼 변화의 발목을 잡기도 하는 것이 어떤 시간과 공간이다.

어떤 시간과 공간은 변화를 만드는 객체이다. 더러는 객체가 외적 이유로 변화의 발목을 잡기도 한다. 물론 완벽하게 독립되어 있는 객체의 외적인 이유는 없다.

객체의 외적인 이유가 변화의 발목을 잡는 것은 주체의 내적인 이유가 호응을 하기 때문이다. 주체의 내적인 이유, 즉 마음이 호응을 하지 않는데, 객체의 외적인 이유, 즉 몸이 저 홀로 작동하기는 어렵다.

본래 변화는 어떤 시간과 공간에 의해 마음이 발목 잡힐 때 발목 잡힌다. 변화의 발목이 잡히는 것은 마음이 시궁창에 처박힐 때 가능해진다. 마음이 시궁창에 처박히게 되면 변화는, 운동은 주춤할 수밖에 없다.

시궁창에 처박히게 된 마음은 아프다. 시궁창에 처박혀 쭈그러지고 일그러지게 될 때 마음이 아픈 것은 당연하다. 그렇게 되면 마음이 아플 수밖에 없다

## 2

마음이 아프면 몸도 아프다. 몸이 아프지 않으려면 마땅히 몸이 처한 상황이 바뀌어야 한다. 상황이 바뀌면 몸도 바뀌고, 몸이 바뀌면 마음도 바뀐다. 마음이 바뀌어야 아프지 않게 된다.

마음을 바꾸기 위해 할 수 있는 일은 많다. 산책을 나가는 것도 하나의 방법이다. 산책의 시간은 어떤 경우라도 좋다. 늦은 밤 시간이라도 산책은 괜찮다. 도시의 밤거리를 산책하다 보면 새롭게 만나는 것이 있다.

도시의 밤거리에서 일단 먼저 만나는 것은 바람이다. 이미 저 자신이 산책인 바람 말이다. 끊임없이 흐르고, 떠돌고, 움직이는 것이 바람이다. 바람은 기본적으로 무정형이다. 규정이 없는 것이 바람이다. 그러한 점에서 바람은 무의식과 같다, 리비도와 같다.

가을에는 누구나 낙엽을 밟지 않을 수 없다. 낙엽 밟는 소리는 콧노래를 불러오기 마련이다. 콧노래는 발걸음과 함께 짝이 있는 리듬을 만든다. 리듬을 만드는 발걸음은 땅을 향하기도 하지만 하늘을 향하기도 한다. 하늘을 향하는 발걸음의 끝에는 무엇이 있나. 멀리 아파트들 사이로 보이는 하늘에는 둥근 달이 떠 있다. 둥근 달 아래의 작은 풀 더미 속에는 풀벌레 소리가 있다.

풀벌레 소리가 들리기 시작하면 아픈 마음이 천천히 아물기 시작한다. 더 이상 마음이 아프지 않으면 발길에 차이는 낙엽들을 매개로 미래의 흙을 떠올릴 수 있다. 미래의 흙은 나와 그대의 다음 생이 이룰 첫 번째 모습이다.

어떻게 아프지 않고 다음 생의 흙이 될 수 있겠는가. 그렇다. 먼 훗날 어떻게 아프지 않고 몸 밖으로 영혼을 떠나보낼 수 있을 것인가를 생각해도 좋다.

미래의 흙에 대한 생각은 어느 때 하더라도 빠르지 않다. 다음의 생명을 준비하지 않는 지금의 생명은 모자라고 부족하다. 내일의 생명을 준비하지 않는 오늘의 생명은 진실하지 않다.

## 3

모든 일에는 때가 있다. 때는 변화의 이치이며 운기運氣다. 운기運氣는 본래 나아갔다가는 물러가고, 물러갔다가는 나아간다. 진동했다가는 반동하고, 반동했다가는 진동한다.

이처럼 진동은 반동을 거느리고, 반동은 진동을 거느린다. 플러스는 마이너스를 거느리고, 마이너스는 플러스를 거느린다. 장점은 단점을 거느리고, 단점은 장점을 거느린다. 나쁜 일은 좋은 일을 거느리고, 좋은 일은 나쁜 일을 거느린다.

삶에는 모난 돌이 필요할 때도 있고, 둥근 돌이 필요할 때도 있다. 충족은 결핍을 낳고, 결핍은 충족을 낳는다. 이보 전진은 일보 후퇴를 낳고, 일보 후퇴는 이보 전진을 낳는다.

일보 후퇴를 염두에 두어야 정작의 전진, 진보를 알 수 있다. 일보 후퇴를 계산하지 못하는 이보 전진, 진보는 제대로 된 역사가 되기 어렵다. 모든 사월이 다 봄이 아닌 까닭이 여기에 있다. 봄이면서 봄이 아닌 것이 본래의 사월이다.

'사월'은 시샘이 많은 달이다. 사월은 마이너스가 많은 달이다. 사월은 후퇴가 많은 달이다. 사월에는 감나무 잎사귀가 미처 다 피지 못하는 것도 이 때문이다. 이러한 이유로 정작의 봄은 오월이 되어야 온다.

오동꽃이 피고, 아카시아꽃이 피어야 오월이다. 그렇다. 오월이 되어야 완전한 봄이다. 오월은 일보 후퇴를 염두에 두어도 봄이다. 오월의 봄에는 이미 유월의 여름이 들어 있다. 여름이 들어 있는 봄은 벌써 얼굴이 푸르게 주름져 있다. 유월의 밤꽃 피는 냄새가 그윽하게 들어 있는 것이 오월의 봄이다.

하지만 사월이 없이 어찌 오월이 있으랴. 흐르며, 떠돌며, 움직이며, 짝을 이루며, 더하고 빼며……, 그렇게 리듬을 만들며 '때'는 온다. 어느 '때'가 허물을 벗을 '때'인가. 허물을 벗고 나비가 되어 하늘로 오를 '때'인가.


### 4

소리 나는 쪽으로 고개를 돌리는 것이 존재의 본능이다. 꽃이 피는 쪽으로 발걸음을 움직이는 것이 존재의 본능이다. 볕이 좋은 쪽으로 가슴을 향하는 것이 존재의 본능이다.

오월, 볕이 환한 곳, 드들강을 지나 '춘양 가는 길'에는 '고인돌'도 제 가슴에 꽃을 피운다, 보랏빛 제비꽃을!

돌이 꽃을 피우는 것은 흔한 일이다. 돌의 자손인 흙도 꽃을 피우거늘! 더구나 크고 무거운 고인돌이 제 옷섶에 꽃을 피우는 것은 자연스러운 일이다. 거대한 무게로 죽음을 누르고 있는 것이 고인돌이다. 그러한 고인돌이 왜 제 몸에 꽃을 피우지 못하겠는가.

오월, 볕이 밝고 환한 곳, '춘양 가는 길'에는 꾀꼬리도 골짜기 가득 꽃을 피운다, 샛노란 붓꽃을!

꾀꼬리가 샛노란 붓꽃을 피우는 일은 어려운 일이 아니다. 꾀꼬리의 샛노란 노랫소리를 따라 한 걸음씩 피어나는 것이 샛노란 붓꽃이다. 꾀꼬리의 샛노란 노랫소리는 강한 전염성을 갖고 있다.

따뜻한 바람이 불어오는 곳으로 발길을 돌리는 것이 존재의 운기運氣이다. 그럴 때 '홀황'으로 가슴이 텅 비어 오기 때문이다.

'홀황'의 세계는 따로 없다. '홀황'의 세계가 따로 없다는 것은 극락의 세계가 따로 없다는 것과 같다. 극락의 세계가 따로 없다는 것은 천국이 따로 없다는 것과 같다.

'홀황'의 세계, 곧 극치의 세계……. 나아가 극락이나 천국은 공간이라기보다는 시간이다. 아니 시간과 공간이 미분리되어 있는 크로노토프이다. 문득, 별안간, 갑자기, 퍼뜩 시간과 공간이 합치되는 것이 홀황이다. 파라다이스나 유토피아라고 불리는 것들도 이처럼 순간적이기는 마찬가지이다.

따라서 이들 세계는 도달해 향유하는 공간이 아니고, 시간이 아니다. 그렇다. 이들 세계는 시간의 끝이나 공간의 끝에 있지 않다. 시간과 공간의 아무 데나 어느 때나 있는 것이 홀황이다. '홀황'은 어디에서나 문득, 별안간, 갑자기, 퍼뜩 왔다가 사라진다.

홀황은 어느 시간이나 어느 공간 이후로부터 따로 보장되는 행복이나 희열이 아니다. 홀황은 지금 당장 이곳에서 당신과 내가 문득, 별안간, 갑자기, 퍼뜩 저 자신도 모르게 이르게 되는 하나됨의 기쁨 속에, 곧 깨달음의 환희 속에 존재한다.


5

따뜻한 바람이 불어오는 쪽으로 발길을 돌리다 보면 아하, 발길이 그냥 따뜻한 바람일 때가 있다. 바람이 그냥 나일 때가 있다. 바람인 나……. 그리하여 가시덤불 쑥 구렁에 처박혀 있는 것이 '나'이기도 하지만 끊임없이 움직이는 것이, 흐르는 것이, 떠도는 것이 '나'이기도 하다.

이렇게 바람인 나, 나의 운동은 일주일을 단위로 강화되기도 하고 약화되기도 한다, 돌아오기도 하고 떠나기도 한다.

주말은 금요일 오후부터다. '금요일의 바람'……. 주말이 되면 늘 바람은 어디론가 떠날 준비를 한다. 지금 이곳을 떠나는 바람의 행방은 어디인가. 그곳이 꼭 서울인 것만은 아니다. 바람은 해주로도 가고 싶고 평양으로도 가고 싶다.

그곳이 어디이든 바람의 행방은 비어 있는 쪽을 향하기 마련이다. 그렇게 바람은 항상 비어 있는 쪽을 채우기 위해 움직인다. 그렇게 움직이는 것이, 그렇게 떠도는 것이 바람의 행방이다.

세속의 삶은 언제나 결핍을 만든다. 결핍은 충족을 만들고, 충족은 결핍을 만든다. 결핍도 없고 충족도 없는 세계는 없다. 그러한 세계는 운동하지 못한다. 운동하지 못하는 세계는 좋은 세계가 아니다.

끊임없이 흐르는 것이, 움직이는 것이, 떠도는 것이 존재의 본능이다. 움직이며 짝을 이루고, 짝을 이루며 춤을 추는 것이, 춤을 추며 떠도는 것이 존재의 질서다. 존재의 질서라니? 실제로는 질서라고, 진리라고 할 것도 없는지 모른다. 주체의 마음에 따라 끊임없이 제 모습을 바꾸어 가는 것이 존재의 본질이고 현상이기 때문이다.

움직이는 것이, 떠도는 것이, 날아오르는 것이 존재의 운명이고 행복인 것은 바로 이 때문이다. 이러한 이유로 금요일 오후가 되면 바람은 다시 또 어딘가를 향해 길을 떠나는 것이리라.


6

변화 중의 변화는 허물을 벗는 일이다. 아예 껍데기를 벗는 일이다.

때가 되면 누구나, 무엇이나 겁 없이 껍데기를 벗어야 한다. 망설이지 않고 지금과는 다른 존재로 전이되어야 한다.

사람에게 껍데기를 벗는 단위는 온전한 생이다. 그렇다. 온전히 이승의 생을 살고 나면 온전히 저승으로 가야 한다. 온전히 저승으로 가 저승의 생을 살아야 한다. 저승에서의 생이 어떤 모습을 하는지는 누구도 알지 못한다. 물론 이승의 생으로 되돌아오는 저승의 생도 있으리라. 이승이 저승이고 저승이 이승 아닌가.

이승의 생을 마치면 일단 먼저 물이 되고, 불이 되고, 바람이 되고, 흙이 되어야 한다. 다른 생을 살기 전 모든 존재에게는 물, 불, 바람, 흙이 되는 중간 과정이 필요하다. 어떤 존재에게나 잠시 물질로 지내는, 자연으로 지내는 시간은 필요하다.

그냥 자연으로 머물러도 좋다. 나아가 자연을 벗어버려도 좋다.

벗어버리는 자연은 깃털처럼 가볍다. 깃털처럼 가벼운 자연! 자연은 본능이다, 충동이다, 무의식이다, 리비도이다. 욕망하는 것이 자연이다. 그럼에도 불구하고 자연은 구조이다, 체계이다, 질서이다.

자연을 벗어야 사람은 사람이 된다. 자연을 벗어야 사람은 이성을, 영혼을 지닌다. 이성을, 영혼을 지니고 있으면서도 자연과 함께하는 것이 사람이다. 영혼에도 질이 있고, 품이 있고, 격이 있다. 훌륭한 영혼, 좋은 영혼은 무겁지 않다. 깃털처럼 가볍다.

자연을 다 벗어버리면 생명이 되지 못한다. 생명이 되지 못하면 사람이 되지 못한다. 자연을 다 벗어버리지 못하는 것이 사람이다.

저승으로 가지 못하고 떠도는 영혼이 있다. 떠도는 영혼의 모습은 다양하다. 다양한 모습으로 떠도는 것이 미처 저승으로 가지 못한 영혼이다. 떠도는 영혼 중에는 이승에서 누리던 것을 차마 버리지 못하는 놈도 있다. 힘의, 권력의, 폭력의 이승으로 돌아오고 싶어 안달복달하는 놈도 있다.

이러한 놈은 대부분 독재자의 영혼이다. 이러한 놈들은 대부분 권력자의 영혼이다. 이승으로 돌아오고 싶어 안달복달하는 영혼은 절망이거나 고통이기 쉽다. 중음신으로 떠돌며 이승으로 되돌아오고 싶어 안달복달하는 영혼이 무잡한 힘이고, 권력이고, 폭력일 때 남아 있는 생명의 마음은 복잡해진다.

이때 남아 있는 생명이 할 수 있는 일은 무엇인가. 아직 식지 않은 그의 몸을 크고 무거운 돌로 꽉꽉 눌러두는 일! 그렇다. 다시는 그의 영혼이 이승으로 되돌아오지 못하도록 크고 무거운 돌로 그의 몸을 꽉꽉 눌러두어야 한다. 고인돌로 말이다.

## 7

무수한 언론들이 한때는 힘이고, 권력이고, 폭력이던 그의 영혼을 다시 이승으로 불러들인다. 수시로 그의 이름이나 딸의 이름, 제자의 이름을 불러대는 것이 오늘의 대다수 언론이다. 정치의 계절에는 더욱 기승을 부리는 것이 그의 이름, 딸의 이름, 제자의 이름이다.

그를 저승으로 보낸 뒤 이승에 남아 있는 생명들은 너무도 불안하고 초조하다. 그러니 이승에 남아 있는 생명들은 그의 영혼이 이승으로 다시는 돌아오지 못하도록 크고 무거운 돌, 고인돌로 꽉꽉 눌러놓을 수밖에 없다. 그렇게 하고도 이승에 남아 있는 생명들은 무섭고 두려워 부는 바람으로, 흐르는 물로 무거운 돌, 고인돌을 깨끗이 씻어 말리고 있다. 앞으로도 더욱 크고 무거운 돌, '고인돌'이 필요한 것은 이처럼 그의 영혼이 너무도 무섭고, 겁나기 때문이다. (2009)

# 시, 풍경과 존재의 변증법

## —시는 어떻게 어디서 오는가

시는 질문이 많은 사람의 산물이다. 질문이 많은 사람은 호기심이 많은 사람이다. 시는 호기심이 많은 사람의 산물이다. 호기심의 대상은 시인 자신과 세상이다.

호기심이 많은 사람은 화두가 많은 사람이다. 화두로 제 마음을 어지럽히며 복잡하게 살아가는 사람이 호기심이 많은 사람이다. 시는 이처럼 마음이 어지럽고 복잡한 사람의 산물이다.

화두는 상징으로 만들어진 질문이다. 이때의 상징은 언어를 매개로 한다. 화두라는 상징에 민감한 사람은 언어에 민감하다. 언어에 민감한 사람은 감각에 민감하다. 감각은 이미지의 태반이다. 이미지는 감각을 태반으로 해서 태어난다.

언어를 매개로 해 태어나는 상징도 이미지이다. 상징의 하나인 화두도 이미지이기는 마찬가지이다. 화두가 많은 사람은 호기심이 많은 사람이다. 화두가 많은 사람, 곧 호기심이 많은 사람은 이미지가 많은 사람이다.

시에서는 이미지도 언어이다. 이미지의 언어가 많은 사람은 이미지의 언어로 사유한다. 이미지의 언어가 많은 사람이 개념의 언어로 사유하는 예는 많지 않다. '개념'이라는 말 대신 '논리'라는 말을 사용해도 좋다.

이미지보다는 개념을 좋아하는 사람이 있고, 개념보다는 이미지를 좋아하는 사람이 있다. 이미지보다 개념을 좋아하는 사람이 좋은 시를 쓰기는 어렵다.

사유의 차원에 머물러 있을 때 이미지는 이미지 자체이지만 개념은 언어이기 쉽다. 시로, 글로 표현하면 이미지도 개념과 마찬가지로 언어가 된다.

이미지의 언어이든 개념(논리)의 언어이든 시는 '언어'라는 기표를 포기하지 못한다. 시의 영역 안에 들어오면 모든 질료는 다 언어화될 수밖에 없다.

이미지로 사유하는 사람은 마음에 풍경이 많은 사람이다. 풍경이라는 말 대신 장면이라는 말, 형상이라는 말을 사용해도 좋다. 이미지로 사유하는 사람은 풍경으로 사유하고, 장면으로 사유하고, 형상으로 사유한다.

이때의 풍경은 스틸사진일 수도 있고, 동영상일 수도 있다. 스틸사진이든 동영상이든 풍경이 많은 사람은 이야기가 많은 사람이다. 개념이나 논리보다는 이야기로 사유하는 사람이 풍경을 많이 갖는다. 이야기와 이미지는 개념(논리)보다 훨씬 더 근친성을 갖는다.

이야기로 사유하는 사람은 정서(감정)가 많은 사람이다. 정서(감정)가 많은 사람은 이미지가 많은 사람이다. 따라서 마음에 풍경이 많은 사람은 이미지가 많을 수밖에 없고, 이야기가 많을 수밖에 없고, 정서가 많을 수밖에 없다. 이미지, 이야기, 정서가 많은 사람, 곧 마음에 풍경이 많은 사람이 시인이다. 시인은 풍경으로 사유하는 사람이다.

풍경으로 사유하는 사람은 개념이나 논리보다 장면으로 사유한다.

장면으로 사유하는 사람은 지성이나 이성보다 형상으로 사유한다. 형상으로 사유하는 사람은 체계나 합리보다 이미지, 정서(감정), 이야기로 사유한다. 이미지는 정서(감정), 정서(감정)는 이야기, 이야기는 이미지와 서로 뒤섞이며 존재한다. 이처럼 형상의 여러 자질들과 뒤섞이며 존재하는 것이 이미지이다.

이렇게 만들어진 풍경(형상, 상상, 장면)에는 이미지, 이야기, 정서가 착종되어 있다. 이미지, 이야기, 정서는 각기 일정한 의미를 거느린다. 유의미성을 갖는 것이 형상이라는 이야기이다. 하지만 시에서의 유의미성, 곧 의미는 상대적으로 부차적이다. 부차적이라는 말은 결과적으로 의미가 드러난다는 뜻이다.

결과적으로 의미가 드러난다고 하더라도 이때의 의미는 곧바로 진실에 닿는다. 진실에 닿는 까닭은 그것이 깨달음의 산물이기 때문이다. 깨달음의 산물이라는 것은 화두 또는 호기심의 산물이라는 것이다.

깨달음은 영감靈感의 형식으로 오기도 하지만 직관直觀의 형식으로 오기도 한다. 문득, 별안간, 갑자기, 퍼뜩 시인의 마음을 꿰뚫는 것이 시와 함께하는 깨달음, 곧 진실이다. 따라서 이때의 진실은 영적靈的일 수밖에 없다. 이처럼 영적인 감흥과 함께하는 것이 시에서의 진실이다.

시인의 '마음'이 시가 잉태되고 생산되는 태반인 까닭이 바로 여기에 있다. 시의 씨앗을 받아 가꾸고 기르는 태반……. 하지만 시의 씨앗이 '마음'이라는 태반에 머무는 시간은 일정하지 않다. 어떤 경우에는 10년을 머물기도 하고, 어떤 경우에는 10초를 머물기도 한다. 씨앗의 종류에 따라, 태반의 형편에 따라 형편이 달라지기 때문이다.

…… 시인의 마음은 시의 태반이라고 하기보다 시의 영매라고 해야 옳을는지도 모른다. 시인의 마음을 빌려 세상에 태어나는 것이 시이기

때문이다.

시인의 마음을 빌려 세상에 태어나는 시는 그 자체로 객체이면서 주체이다. 시가 그 자체로 객체이면서 주체라는 것은 시가 그 자체로 독립적이면서 자율적인 존재라는 뜻이다. 물론 이때의 시라는 존재는 하나의 풍경(형상, 상상, 장면)으로, 하나의 물질로 현현되는 것이 보통이다. 모든 예술이 그렇듯이 시도 물질로, 곧 사물로 태어난다.

시라는 존재로 현현되는 사물이 완벽한 구상일 필요는 없다. 더러는 추상일 수도 있고, 반추상일 수도 있는 것이 시에서의 사물이다. 화두 또는 호기심이 한꺼번에 풀리면서 마음속에 화들짝 생성되는 것이 이때의 사물이다. 화두 또는 호기심이 만드는 시에서의 상징이, 상징이 만드는 이미지가, 완벽한 구상이기는 쉽지 않다. 꿈의 이미지가 그렇듯이 함부로 흐트러져 있거나 일그러져 있기 일쑤인 것이 시에서의 사물이다.

그렇다면 시인의 마음을 빌려 태어나는 시……. 시는 어디에서 오는 가. 어디에서 와 시인의 마음을 빌려 태어나는가.

**시는 언어로부터 온다.** 언어의 아름다움, 말의 아름다움으로부터 오는 것이 시이다. 말의 아름다움을 말의 즐거움이라고 해도 좋다. 말의 아름다움이나 말의 즐거움은 말재미, 곧 말맛을 가리킨다.

많은 사람들이 말맛을 통해 시의 맛을 안다. 일차적으로 말맛은 어휘의 맛에서 비롯된다. 아름다운 한국어의 어휘, 그중에서도 형용사의 아름다움이 먼저 가슴에 닿는다. 적어도 내 경우에는 그렇다.

말맛에 **빠져들게** 하는 형용사는 수없이 많다. 일단은 '파랗다'라는 형용사의 계열어부터 떠올려 보자. 파랗다. 파르랗다. 파르스레하다. 파르스름하다. 파릇하다. 우리말 형용사가 얼마나 풍성하고 화려한가.

유사한 형용사인 '푸르다'의 계열어는 이보다 훨씬 풍성하고 화려하다. 푸르다. 높푸르다. 짙푸르다. 시푸르다. 검푸르다. 푸르게하다. 푸르죽 죽하다. 푸르뎅뎅하다. 이처럼 참으로 싱싱한 것이 한국어 형용사의 연쇄이다.

형용사의 말맛에 빠져드는 단계를 지나면 부사의 말맛에 빠져드는 단계에 이른다. 부사의 말맛, 특히 '-이, -히, -리, -기' 등으로 끝나는 부사의 말맛은 젊은 시인 지망생들을 깊이 취하게 한다.

그래서일까. 어린 시절에는 나도 형용사에 '-이, -히, -리, -기' 등 접미사를 붙여 부사를 만드는 말놀이를 즐긴 적이 있다. '곱다'→'고 이', '아득하다'→'아득히', '나란하다'→'나란히', '미치다'→'미쳐' 등 이 구체적인 예이다. 그뿐만 아니라 심지어는 아예 조어를 만드는 재미에 빠져든 적까지 있다.

맨 처음 내가 시의 어휘가 갖는 말재미, 말맛에 빠져든 것은 소월의 시를 통해서이다. 소월의 시를 읽으며 처음으로 나는 형용사의 말맛을, 부사의 말맛을 알았다. 고등학교 때는 소월의 시에 사용된 모든 언어를 품사별로 분류해본 적까지 있다.

어휘의 말맛에 취하는 단계를 지나면 누구나 어휘들이 모여 만드는 리듬의 맛에 빠져들기 마련이다. 리듬의 재미를 처음 깨달은 것도 실제로는 소월의 시를 통해서이다. "그립다 / 말을 할까 / 하니 그리워 // 그냥 갈까 / 그래도 다시 더 한번……"(「가는 길」). 지금 읽어도 입 안에 향기와 울림이 번지는 리듬을 갖고 있는 것이 소월 시의 이 구절이다.

리듬의 맛, 가락의 맛을 즐길 수 있게 되면 시의 언어들이 뒤얽혀 이루는 비유의 맛도 알게 된다. 비유의 맛은 새로운 이미지를 만드는 맛이기도 하고, 새로운 의미를 만드는 맛이기도 하다. 새로운 이미지에는 새로운 의미를 거느리지 않는 절대적 이미지도 있지만 새로운 의미를 거느리는 상대적 이미지도 있다.

무의미한 이미지를 만드는 비유, 절대적 이미지를 거느리는 비유도 소중하다. 이들 이미지가 축적되면 환상적 이미지가 태어나기 때문이다. 환상적 이미지는 시와 인간을 새롭게 만들 뿐더러 시와 인간에게 활기를 불어넣는다.

유의미한 이미지를 만드는 비유, 상대적 이미지를 거느리는 비유는 더욱 소중하다. 의미를 갖는 이미지를 낳는 비유라고 해서 모두 현실적이고 상상적인 것은 아니다. 의미를 갖는 이미지를 낳는 비유도 또한 비현실적이고 환상적일 수 있다.

비유가 만드는 새로운 이미지를 즐길 수 있게 되면 시 전체가 이루는 형상의 맛도 즐길 수 있게 된다. 시 전체가 이루는 형상의 완미성을 따져볼 수도 있다는 뜻이다. 완미한 형상의 아귀가 딱 맞는 즐거움이라니!

완미한 형상의 시를 즐길 수 있게 되면 완미한 형상의 시를 쓸 수 있게 된다. 완미한 형상의 시는 완미한 형상의 시를 부르기 마련이다. 아름다운 시는 아름다운 시를 부르고, 좋은 시는 좋은 시를 부른다. 그렇다. 훌륭한 시인은 훌륭한 시인을 부른다.

다시 시는 어디서 오는가.

**시는 시로부터 온다**. 좋은 시는 좋은 시를 낳는다. 좋은 시를 읽지 않고, 좋은 시를 즐기지 않고, 좋은 시를 좋아하지 않고 좋은 시를 쓰기는 어렵다.

새로운 시도 마찬가지이다. 새로운 시도 새로운 시로부터 온다.

새로운 시를 읽지 않고, 새로운 시를 즐기지 않고, 새로운 시를 좋아하지 않고 새로운 시를 쓰기는 어렵다

이때의 시는 진실을 함유한다. 진실을 함유하는 시는 일종의 존재자이다. 하이데거가 말하는 존재자라는 말은 그것이 이미지이고, 물질이고, 풍경(형상)이라는 것을 가리킨다. 존재를 숨기고 있는 것이, 감추고 있는 것이 존재자이다.

하이데거에게는 존재자보다 존재가 선행한다. 하지만 내게는 존재보다 존재자가 선행한다.

존재보다 존재자가 선행한다는 것은 의미보다 이미지가 선행한다는 뜻이다. 이는 형상이 진리보다 선행한다는 말이기도 하다. 형상이 진리보다 선행한다는 것은 물질이 정신(마음)보다 선행한다는 이야기이기도 하다.

이는 이理보다 기氣가 선행한다는 것을 가리킨다. 이처럼 시는 진리형상이기보다는 형상진리이다. 바로 이 지점에서 나는 하이데거와 다르다.

시 이전에 언어가 있다. 언어 이전에 사유가 있다. 사유 이전에 사물이 있다. 사물은 자연의 일부다. 사물은 자연을 구성하는 핵심 자질이다. 모든 예술은, 시는 이 사물을 토대로 한다. 예술이, 시가 이 사물을 토대로 한다는 점에서 나는 하이데거와 같다.

사물은 그 자체로 독립된 '존재자'다. '존재자'라는 말이 가능한 것은 사물이 진실(존재)을 함유하고 있기 때문이다. 사물이 언어를 만드는 것도 사물이 진실을 함유하고 있기 때문이다. 모든 진실은 언어를 통해 현현되기 마련이다. 언어를 통하지 않고 진실이 현현되는 길을, 방법을 나는 모른다. 물론 이때의 언어는 개념(논리)의 언어가

아니라 사물의 언어, 곧 이미지의 언어이다.

진실을 함유하고 있지 않은 사물(이미지)은 정작의 사물이 아니다. 진실을 함유하고 있지 않은 사물은 언어를 만들지 못한다. 언어를 만들지 못하는 사물은 존재를 잉태하지 못한다. 물론 이때의 존재는 지극하고 그윽한 무엇을 가리킨다. 지극하고 그윽한 무엇을 함유하고 있는 사물은 저 스스로 언어를 만들어 자신을 현현한다.

시는 언어를 통해 현현되는 사물에 함유되어 있는 진실과 함께한다. 시와 함께하고 있는 진실도 보이지 않기는 마찬가지이다. 보이지 않는 무엇이니만큼 시의 진실은 비가시적이다. 비가시적이라는 것은 그것이 비의적이라는 것을 가리킨다.

시는 가시적인 무엇이다. 가시적인 무엇인 시는 그것이 제대로 된 것이라면 비가시적인, 곧 비의적인 진실을 함유할 수밖에 없다. 시가 가시적인 무엇이라는 것은 그것이 사물의 모습을 하고 있기 때문이다. 시와 함께하는 사물은 언제나 언어를 통해 현현되기 마련이다.

다시 또 시는 어디서 오는가.

**시는 사물로부터 온다**. 언어를 통해 현현되는 사물은 이미지이다. 아니 이미지들이 만드는 풍경이다.

풍경이 이미지만을 자질로 하는 것은 아니다. 이미지 외에도 이야기와 정서를 자질로 하는 것이 풍경이다. 물론 풍경이라는 말을 형상이라는 말로 바꾸어도 좋다.

풍경 속에는 사물이 모여 만드는 자연이 자리해 있다. 사물이 부분집합이라면 자연은 합집합이다. 따라서 사물로부터 시가 온다는 것은 자연으로부터 시가 온다는 것이 된다.

그리고 다시 또 시는 어디서 오는가.

**시는 자연으로부터 온다.** 자연은 그 자체로 풍경이다. 자연의 풍경 속에도 이미지와 이야기와 정서가 들어 있다. 이미지가 좀 더 자연에 가깝다면 이야기와 정서는 좀 더 인간에 가깝다. 좀 더 자연에 가깝다는 것은 좀 더 객관적이라는 것이고, 좀 더 인간에 가깝다는 것은 좀 더 주관적이라는 것이다.

주관적이라는 것과 객관적이라는 것은 무엇인가. 주관이라는 것과 객관이라는 것이 있기는 한가. 가장 객관적인 것이 가장 주관적인 것이고, 가장 주관적인 것이 가장 객관적이지 않은가. 이즉기理即氣이고, 기즉이氣即理라는 것이다. 주객일체, 객주일체라는 것이다. 물심일여物心一如와 같은 동양적 진실(진리)을 예로 들지 않아도 이는 자명하다. 아인슈타인의 생각처럼 에너지(정신)와 물질과 파동은 상호 순환하며 상호 전이된다.

하지만 이러한 관계를 인식하고, 이해하고, 나누고, 실천하는 주체는 누구인가. 당연히 시인 자신이다. 당연히 시인 자신도 사람이다. 사람은 주체이면서 객체이다.

주체이면서 객체인 시인은 저 자신과 마주하면서 저 자신으로부터 배우고 깨닫는다. 배우고 깨닫는다는 것은 안다는 것, 인식한다는 것이다. 내가 나를 인식한다는 것은 내가 남이 된다는 것을 가리킨다. 내가 남이 될 때, 곧 타자가 될 때 나는 나를 바로 인식하게 된다. 내가 남이 되는 것, 그리하여 내가 남인 나를 인식하는 것, 그것이 시작詩作의 첫걸음이다. 그러한 뜻에서 시인에게 '나'는 타자이다.

이때의 인식은 마땅히 이미지로, 풍경으로, 형상으로 존재한다. 이미지로, 풍경으로, 형상으로 존재하므로 이때의 인식은 시가 된다. 이때의 인식이 그윽하고 지극한 진실을 담으리라는 것은 불문가지이다.

나아가 다시 시는 어디서 오는가.

**시는 시인 자신으로부터 온다.** 시인 자신이라니! 시인에게 저 자신은 '나'이다. 시는 어디서 오는가. 시는 저 자신인 '나'로부터 온다. 시 쓰기가 나 쓰기가 되고, '시 찾기'가 '나 찾기'가 되는 까닭이 바로 여기에 있다.

나를 찾는 순간 나는 남이 된다. 남이 될 때 비로소 나를 찾을 수 있기 때문이다. 남이 된 나는 내가 아니다. 아니, 나이면서 내가 아니다

이처럼 시 쓰기는 나이면서 내가 아닌 나, 곧 없는 나를 찾는 일이다. 일찍이 부처님이 무자기無自己, 무자성無自性이라고 하지 않았는가.

부처님의 말을 빌릴 필요도 없이 나는 없는 존재이다. 없는 존재인 나는 타자, 곧 사람, 곧 남일 수밖에 없다. 하지만 이들 사람, 남에게는 내가 들어 있다.

이제 다시 시는 어디서 오는가.

**시는 사람으로부터 온다.** 내가 들어 있는 사람, 이들 사람이야말로 시를 불러일으키는 원동력이다. 내가 들어 있는 남이야말로 시가 숨어 있는 더없이 중요한 공간이고 시간이다.

사람이 아닌 사람들, 단수의 사람이 아닌 복수의 사람들……, 이들은 항상 시끄럽고, 어지럽고, 복잡하다. 순식간에 사회를 만드는 것이 그들이다. 모든 사회는 문제덩어리이고, 모순덩어리이다. 사람들의 마음이, 사람들의 욕망이 끊임없이 문제덩어리를, 모순덩어리를 만들어내기 때문이다.

문제덩어리이고, 모순덩어리인 것은 복수의 사람들만이 아니다. 낱낱의 사람 자체, 단수의 사람 자체도 문제덩어리이고, 모순덩어리이다. 이러한 사람들이 모여 만드는 문제덩어리이고, 모순덩어리인 사회

는 깊이 시를 품을 수밖에 없다.

이제 다시 또 시는 어디서 오는가.

**시는 사회로부터 온다.** 문제덩어리이고, 모순덩어리인 사회는 문제덩어리이고, 모순덩어리인 만큼 유토피아와 파라다이스의 꿈을 갖고 있다.

좋은 시는 당대의 사회가 만드는 유토피아와 파라다이스의 꿈을 숨기고 있다. 눈 밝은 시인은, 독자는 누구라도 시를 통해 유토피아와 파라다이스의 꿈을 찾는 재미를 즐긴다.

이처럼 시인과, 시인이 만드는 시가 유토피아와 파라다이스의 꿈을 갖는 것은 인간과, 인간의 문화가 근본적인 결여를, 근원적인 상실을 갖고 있기 때문이다.

부정의 정신, 거부의 정신과 함께하는 것이 유토피아와 파라다이스의 꿈이다. 자유의지의 산물인 유토피아와 파라다이스의 꿈은 경직되고 고착되는 것을 견디지 못한다. 유토피아와 파라다이스의 꿈은 본래 기존의 지배문화에 대한 저항의지로부터 비롯된다.

시인과 시는 유토피아와 파라다이스의 꿈을 통해 한 걸음씩 역사를 진전시킨다. 이들 꿈을 통해 시가 진전시키는 역사의 보폭은 넓고 크지 않다. 넓고 크지 않아도 한 걸음씩 역사를 앞으로 진전시키는 것은 분명하다.

마침내 시는 어떻게 어디서 오는가. 이제는 알 수 있다, 시가 어떻게 어디서 오는지 아무도 모른다는 것을!

**시는 제 마음대로 자유롭게 여기저기서 온다.** 오고 싶으면 오고, 오기 싫으면 오지 않는다. 아무 때나 아무렇게나 시는 문득문득 시인이라는 영매의 여린 가슴을 뚫고 저절로 온다. (2008)

# 가슴과 이마에 등불을 켜고

사람들은 대부분 두 개의 등불을 켜고 자신에게 주어진 삶을 살아간다. 하나는 가슴에 켜는 등불이고, 다른 하나는 이마에 켜는 등불이다. 가슴에 켜는 등불은 의식과 내면을 밝히고, 이마에 켜는 등불은 현실과 외면(사회와 역사)을 밝힌다.

주체 중심, 개인 중심의 삶이 대세인 만큼 요즈음 사람들에게는 이마에 켜는 등불보다 가슴에 켜는 등불이 훨씬 밝기 마련이다. 가슴에 켜는 등불이 밝은 것은 자연스러운 일이다. 보통 사람들에게는 가슴에 켜는 등불이 이마에 켜는 등불보다 선행하기 때문이다.

가슴에 켜는 등불은 이마에 켜는 등불보다 좀 더 본능에 가깝다. 가슴에 켜는 뜨거운 등불을 다독이고 달래는 것이 이마에 켜는 차가운 등불이다. 가슴에 켜는 등불은 알전구처럼 뜨겁고, 이마에 켜는 등불은 형광등처럼 차갑다. 가슴에 켜는 등불이 많은 문제를 거느리는 것도 이와 무관하지 않다.

최근에 들어서는 더욱 많은 문제를 불러일으키는 것이 가슴에 켜는 등불이다. 많은 사람들이 이마에 켜는 등불은 끄고 가슴에 켜는 등불만으로 살아가기 때문이다.

가슴에 켜는 등불만으로 살아가는 사람들은 자의식이 지나쳐 온갖 정신질환에 **빠져들기**가 쉽다. 멜랑콜리라고 부르는 우울증에 **빠져** 삶을 무너뜨리기 일쑤인 것이 이들이기도 하다. 그렇다. 우울증만큼 무서운 병은 없다.

자본주의적 근대를 두고 개인의식의 시대라고 한다. 주체가 발견되고, 실현되고, 존중되는 시대 말이다. 하지만 이 시대에 들어서도 개인의 삶은 제대로 보장되지 않는다. 국가나 사회, 타자 등에 의해 함부로 찌그러지고 문드러지고 하는 것이 개인의 삶이다.

지금 이 사회의 지배세력은 이마에 켜진 등불이 밝은 것을 좋아하지 않는다. 그들은 오늘의 역사와 사회가 환하게 밝혀지는 것을 좋아하지 않는다. 자신들이 저지른 나쁜 짓이 환하게 드러나는 것을 싫어하기 때문이다. 그렇다. 사람들의 이마에 켜는 등불을 교묘한 방식으로 **끄**도록 유도하는 것이 바로 이들이다.

정작 중요한 것은 건강한 몸과 마음으로 주어진 삶을 제대로 살아내는 일이다. 주어진 삶을 제대로 살아내려면 이마에 켜는 등불을 꺼서는 안 된다. 가슴에 켜는 등불도 물론 알맞은 조도를 유지해야 하지만 말이다.

이마에 켜는 등불을 **끄**면 건강한 현재도, 씩씩한 미래도 사라질 수밖에 없다. 이마에 켜는 등불이 밝게 빛날 때 사람들은 건강한 정신과 씩씩한 육체를 갖는다. 건강한 정신과 육체는 개인의 것이기도 하지만 사회(역사)의 것이기도 하다.

시인의 경우도 이는 마찬가지이다. 시인도 건강한 삶을 살려면, 나아가 씩씩한 시를 쓰려면 무의식이나 의식, 곧 내면에만 파고들어가서는 안 된다. 가슴의 안쪽만 밝히는 등불은 너무 뜨거워 끝내 시인 자신까지 타 죽게 만들 수 있다.

시의 역사에서 이렇게 타 죽은 시인의 예를 들기는 별로 어렵지 않다. 이른바 요절 시인들 중에는 자신의 가슴에 켠 뜨거운 등불에 타 죽은 예는 많다. 그들이 이 세상에 기여한 공로는 그렇게 타 죽어서는 안 된다는 것뿐이다.

무의식이나 의식, 곧 내면만을 파고드는 시는 보편성을 잃기 쉽다. 시인이 저 자신의 멜랑콜리를 심미적 언어로 옳게 치환해내지 못하기 때문이다. 이러한 시는 당연히 난해해질 수밖에 없다. 이렇게 난해해진 시는 해석이 불가능해지기 일쑤이다.

해석이 불가능해진 시를 쓰는 시인은 자신에게 엄습하는 멜랑콜리의 실재를 제대로 알지 못한다. 무엇이 저 자신을 멜랑콜리에 휩싸이게 하는지를 바르게 파악하지 못하는 것이 이들 시인이다. 이들 시인은 자본주의적 근대의 어긋난 삶이 내뿜는 죽음의 정서에 깊이 함몰되기 쉽다.

삶과 생활을 떠나 있는 시들, 자신의 아픔조차 객관적으로 진단하지 못하는 시들, 자신의 통점이 어디에 어떻게 존재하는지조차 제대로 파악하지 못하는 시들, 이들 죽음의 시도 새롭지 못하기는, 낡고 진부하기는 마찬가지이다.

이들 죽음의 시는 대체로 현실을 반대 모방한다. 실제로는 반대 모방하는 것이 아닐 수도 있다. 죽음의 시의 계보에서 보면 이들 시도 앞 세대의 죽음의 시를 그냥 모방, 변주하는 것일 수도 있다.

그렇다고 해서 이들의 시가 중요하지 않다는 것은 아니다. 하지만 중요하지 않다는 것과 좋지 않다는 것은 다르다.

이들의 시도 충분히 의미가 있다. 하지만 의미가 있다는 것과 좋다는 것은 다르다.

내가 보기에는 낡고 진부한 것이 이들의 시이다. 나는 이들의 시, 즉 낡고 진부한 시를 좋아하지 않는다. 너무 뻔한 이들의 낡고 진부한 시에 담겨 있는 지나친 엄살이 나는 싫다. 싫다는 것은 내가 이들과 같은 엄살의 시, 불건강한 시를 쓰지 않겠다는 것이기도 하다.

나는 가슴에 켜진 등불을 끄지 않으면서도 이마에 켜진 등불로 시를 쓰려고 한다. 나는 이마에 켜진 등불을 끄지 않으면서도 가슴에 켜진 등불로 시를 쓰려고 한다.

이마에 켜진 등불을 끄지 않으면서도 가슴에 켜진 등불로 낡지 않은 시를 쓰기는 쉽지 않다. 그렇게 해서 새로운 시를 쓰기는 더더욱 쉽지 않다.

이마에 켜진 등불이 비추는 삶은 한심하고, 누추하고, 매너리즘에 빠져 있기 일쑤이다. 한심하고, 누추하고, 매너리즘에 빠져 있는 삶을 극복하기 위해 할 수 있는 일은 무엇인가. 한심하고, 누추하고, 매너리즘에 빠져 있는 삶, 폭폭하고 우울한 삶…….

일단 나는 폭폭하고 우울한 삶을 극복하기 위해 이 나라의 흙과 나무와 풀과 좀 더 친해지려고 한다. 폭폭하고 우울한 삶을 극복하기 위해서는 대지와 자연의 정신을 배우는 것이 좋다. 대지와 자연을 찾아 나서며 폭폭하고 우울한 삶을 극복하는 것 말이다.

이 나라의 대지와 자연은 늘 마을과 함께해온 바 있다. 하지만 최근에 들어서는 이 나라의 대지 및 자연과 함께 마을도 급격히 파괴되고 있다.

마을은 모든 문화의 태반이다. 마을에서부터 시작되는 것이 모든 문화이다. 마을의 파괴가 문화의 파괴가 되는 까닭이 바로 여기에 있다. 마을의 파괴, 문화의 파괴만큼 아픈 일은, 슬픈 일은 없다.

요즈음 들어 나는 기꺼이 이 땅의 자연과 대지와 마을을 찾아 나선다. 찾아 나서는 일이 쏘다니는 형식을 취한들, 여행의 형식을 취한들 어떠랴. 찾아 나서는 것만으로도 나와 자연과 대지와 마을은 저 자신을 따뜻하게 치유해 가리라.

그렇게 하더라도 이 나라의 마을공동체가 제대로 바르게 회복되기는 어렵겠지만 말이다. (2016)

# 시조를 쓰고 읽는 즐거움

## 1. 깨어 있는 시민계급과 시조

한때는 시조를 늙고 낡은 언어예술 형식이라고 생각한 적이 있다. 시조가 민주화된 오늘의 자본주의 사회에서도 생존할 수 있을까. 시조는 이미 저 자신의 사회경제적 토대를 잃어버린 지 오래이지 않은가. 조선시대의 사대부적 가치를 반영하고 있는 언어예술이니만큼 그들의 가치가 해체되고 소멸된 지금은 시조도 해체되고 소멸되어야 마땅하다고 이해했던 것이다.

하지만 지난 1980년대를 거치면서 나는 그러한 생각을 수정한다. 1980년대 이후 우리 사회의 구성형식에 대해 좀 더 진전된 인식을 갖게 되었기 때문이다. 따져 보면 시민계급을 기반으로 하는 오늘의 민주화된 현대사회와 양반계급을 기반으로 하는 과거의 봉건 사대부사회가 전혀 다른 것은 아니다. 사회·경제적 측면에서 보면 깨어 있는 시민계급 중심의 오늘의 현대사회와 깨어 있는 사대부 중심의 과거의 봉건사회는 상호 겹쳐지는 부분을 갖고 있다.

오늘의 깨어 있는 시민계급과 과거의 깨어 있는 사대부계급은 정서적으로도 유사한 특징을 공유한다. 여러 면에서 오늘의 현대사회의 시민계급은 과거의 봉건사회의 사대부계급과 유사한 의식지향을 갖는다. 이는 좀 더 나은 세상을 만들려는 비판의식의 면에서도 마찬가지이다. 형편이 이러하니 심미의식의 면에서도 오늘의 시민사회는 과거의 사대부사회와 충분히 접점을 갖는다.

깨어 있는 주체로서 언어예술에 대한 깊은 의지를 지닐 수 있는 사람은 어차피 그 사회의 특별한 몇몇 개인일 수밖에 없다. 바로 이러한 점에서도 시조는 오늘의 깨어 있는 시민사회에서 여전히 유효한 역할을 갖는다. 시조라는 언어예술 형식이 지니고 있는 서정적 심미의식을 생산하고 향유할 수 있는 사람은 아무래도 특별한 능력을 지닌 몇몇 소수일 수밖에 없다. 바로 그러한 점에서 시조와 자유시의 창작주체 및 향유주체는 상호 공존할 수밖에 없다.

## 2. 품위 있는 삶과 시조의 형식

자유시는 매 편마다 자기형식을 창출해야 하지만 시조는 그렇지 않다. 일정한 형식, 기본체계를 지니고 있는 것이 시조이다. 이른바 '3장 6구 12음보'라는 기본형식이 바로 그것이다. 많은 사람들이 시조를 두고 '정형시'라고 부르는 것도 다름 아닌 이 때문이다.

한 행이 4음보인 시조의 기본형식은 한 행이 3음보인 4구체 향가의 기본형식을 떠올린다. 4구체 향가의 기본형식은 원시 민요의 기본형식과 유사하다. 그렇다. 4구체 향가의 기본형식은 한 행이 3음보인 '4장 6구 12음보'라고 요약할 수 있다. 한 행이 3음보인 4구체 향가와 한 행이 4음보인 시조는 장과 행의 구조가 뒤집혀져 있을 따름이다. 이러한 점에서 4구체 향가와 평시조 단수는 형식적으로 깊은 유사성을 갖는다.

시조의 전통적인 리듬형식, 리듬체계를 있는 그대로 창작에 구현하는 시인은 많지 않다. 시인들 자신도 시조의 기본형식을 있는 그대로 창작에 구현하는 것에 대해서는 마땅치 않아 한다. 주어진 시조의 기본형식을 바탕으로 끊임없이 새롭게 하기, 이른바 '낯설게 하기'를 시도하고 있는 것이 시조가 처해 있는 현실이다. '3장 6구 12음보'라는 기본형식을 기꺼이 수용하면서도 즐겁게 새로운 변화를 시도하고 있어 시조는 더욱 주목을 받는다.

물론 주어진 형식 안에서 실현하는 변화와 변주는 어느 면에서 어눌하고 답답해 보이기도 한다. 그럼에도 불구하고 나는 그 안에서 새로운 행의 처리로 새로운 리듬을 이루려는 탐구를 거듭 즐기고 있다. 장章을 단위로 행을 나누는 것이 기본형식이지만 매번 그렇게 행을 나누는 것은 읽는 맛과 보는 맛을 고루하게 만든다. 남들처럼 나도 장을 지니고 있으면서 장을 초월하는 행, 나아가 구, 음보, 음절 단위로 다양하게 행을 나누어 읽는 맛과 보는 맛을 배가시키려 노력한다.

이렇게 행을 분할하는 것은 시조를 새롭게 만들기, 곧 낯설게 만들기 위해서이다. 이때의 낯설게 만들기는 마땅히 읽고 보는 즐거움을 향상시키기 위해서이다. 이처럼 행을 낯설게 분할하는 가운데 가락을 밀고, 당기고, 끊고, 맺고, 꺾고, 젖히는 것은 시조를 창작하는 또 다른 기쁨 중의 하나이다.

주어진 틀 안에서의 자유, 곧 틀 안에서의 이런저런 자잘한 실험은 시민적 가치의 실천, 곧 살아 있는 민주주의의 실천에 대응하기도 한다. 따로 강조하지 않아도 '민주주의'라는 틀 안에서 나날의 삶이 지니고 있는 형식을 새롭게 발견하고 개혁하는 일은 자못 중요하다. 어떤 삶에도 형식은 있기 마련이거니와, 이때의 형식을 바로 깨닫고 바로 실천하는 일은 삶의 품위를 높이는 일이기도 하다.

시조의 기본형식을 새롭게 발견하고 변주하는 일은 오늘의 삶이 지니고 있는 기본형식을 발견하고 변주하는 일과 무관하지 않다. 아니, 오늘의 삶이 지니고 있는 기본형식을 발견하고 변주하는 일은 시조의 기본형식을 발견하고 변주하는 일과 무관하지 않다.

형식을 갖추지 않고 품위 있는 삶을 얻기는 힘들다. 내용에 못지않게 형식도 중요한 것이 일상의 삶이다. 형식을 갖출 때 삶은 품위를 얻기 마련이다. (2016)

# 나는 이런 시를 쓰고 싶다

## 1. 내가 좋아하는 시

나는 지금 무슨 시를 쓰고 싶으냐고 묻는다. 잠시 뒤 나는 대답한다, 좋은 시를 쓰고 싶다고. 좀 더 지난 뒤 나는 내 대답이 왠지 좀 상투적이라고 생각한다. 그래서 나는 다시 묻는다, 무슨 시가, 어떤 시가 좋은 시이냐고. 문득 나는 내가 이러한 질문에 객관적으로 대답하는 것이 불가능하다는 생각을 한다.

객관적으로 좋은 시라는 것이 있는가. 쉽게 대답하기 어렵다. '좋은 시'라는 말에는 감정가치가 들어 있기 때문이다. 따라서 그저 주관적으로 '좋아하는 시'가 있을 뿐이라고 생각하기도 한다. 그렇다고 하더라도 좋은 시에 대한 객관적 기준을 포기할 수는 없다.

다른 글에서 나는 좋은 시의 기준을 '활기 있는 언어', '단단한 구조', '충만한 문제의식'이라고 말한 적이 있다. 나름대로 엄정하고 객관적인 척도를 제시하려 애를 쓰다가 얻은 결론이다. 이때의 좋은 시의 기준이 지금 바뀐 것은 아니다. 하지만 '쓰고 싶은 시'에 대해 말하면서 좋은 시에 대한 예의 기준을 다시 말할 수는 없다.

## 2. 소통이 잘되는 시

사람들이 시를 잘 안 읽는다고 한다. 시집이 안 팔리는 것이 이를 잘 말해준다. 요즈음 사람들에게 얼마간 소외되어 있는 것이 시이다. 그 까닭이 무엇인가. 우선은 시를 쓰는 사람의 마음과 시를 읽는 사람의 마음이 잘 소통되지 못하기 때문으로 보인다. 시인의 마음과 독자의 마음이 어긋나 있다는 뜻이다.

오늘날 시가 잘 안 읽히는 까닭은 그 밖에도 많다. 시가 너무 난해해진 것도 그중의 하나이다. 난해할 뿐만 아니라 재미도 없는 것이 요즈음의 시이다. 요즈음의 시는 재미도 없을 뿐더러 새롭지도 않다. 많은 사람들이 요즈음의 시는 무엇을 뜻하는지 잘 모르겠다고 말한다.

나는 이러한 시, 난해시는 쓰고 싶지 않다. 여기서 말하는 난해시는 해석이 다양한 시가 아니라 해석이 불가능한 시를 가리킨다. 나는 책을 좀 읽은 사람들이라면 누구나 기꺼이 즐길 수 있는 시를 쓰고 싶다. 어렵지 않게 읽으면서 충분히 향유할 수 있는, 재미있고도 새로운 시 말이다. 넉넉하게 소통이 되는 재미있고도 새로운 시가 그저 쉬운 시, 편한 시는 아니다. 내게는 익숙한 소재의 시라도 독자에게는 낯선 소재의 시일 때 재미도 있고 새로움도 있다.

재미있고도 새로운 시는 처음 읽을 때는 조금쯤 낯설고 어색해도 좋다. 처음 읽을 때 조금쯤 낯설고 어색한 것은 무언가 지금까지의 시와는 다른 것이 들어 있기 때문이다. 나는 내가 쓰는 시에는 남들의 시에는 없는 새로운 발견과 깨달음이 있기를 바란다. 그렇다. 나는 새로운 발견과 깨달음이 있는 시를 쓰고 싶다. 물론 이때의 발견과 깨달음은 인간의 본질에 관한 것일 수도 있고, 시대와 사회에 대한 것일 수도 있다.

내가 쓰고 싶어 하는 발견과 깨달음의 시가 뻔한 상투적인 시일 까닭은 만무하다. 발견과 깨달음의 시는 독자들에게 놀라움과 감탄을 주는 시이다. 그렇다. 나는 독자들에게 놀라움과 감탄을 주는 시를 쓰고 싶다. 시인도 모르고 독자도 모르는 난해한 시, 해석이 불가능한 시는 쓰지도 못하지만 쓰고 싶지도 않다.

## 3. 지금까지는 없는 시

한국의 현대시사에서 특이한 자기영역을 개척한 시인은 많다. 한용운, 김소월, 김기림, 정지용, 김영랑, 신석정, 백석, 이용악, 오장환, 서정주, 김광균, 이육사, 윤동주, 박목월, 조지훈 등도 그들이다. 해방 이후의 시인들로는 김수영, 신동엽, 김종삼, 박용래, 신경림, 고은, 황동규, 정현종, 오규원, 정희성 등도 예로 들 수 있다. 돌이켜 보면 한국의 근현대시사에서 개성 있는 자기영역을 개척한 시인들이 어찌 이들 뿐이겠는가. 하지만 여기서 그들의 이름을 일일이 다 거론할 수는 없다.

물론 나는 이들 모두의 시를 읽으며 공부하고 있다. 공부하고 있을 뿐만 아니라 나도 늘 이들과 같은 시인이 되고 싶어 한다. 한국의 현대시사에서 나도 특이한 영역을 개척한 시를 쓰고 싶은 것이다.

특이하고 개성 있는 영역을 개척하려면 이들과 다른 시를 써야 한다. 이들과 다른 시는 아직까지 아무도 쓰지 않은 시를 가리킨다. 그렇다. 나는 아직까지 아무도 쓰지 않은 시를 쓰고 싶다.

아직까지 아무도 쓰지 않은 시를 쓰려면 새로운 발상의 시를 써야 한다. 발상이 새롭지 않고서는 새로운 시가 되기 어렵다. 나도 특별한 발상의 시, 아무도 하지 못한 발상의 시를 쓰고 싶다. 나 자신도 처음

보는 희한하고도 놀라운, 낯설고도 신기한 발상의 시를 쓰고 싶다.

발상이 새로워지려면 역발상, 전복적인 상상력을 해야 한다. 역발상, 전복적인 상상력을 하려면 상식적이고 일상적인 발상부터 버려야 한다. 관습적이고도 인습적인 발상을 한순간에 깨부술 수 있는 안목을 획득해야 그것은 가능해진다. 그럴 수 있을 때 지금까지는 없었던 미래의 진실을 시에 담아낼 수 있다.

### 4. 참신한 언어의 시

새로운 발상만으로 새로운 시가 써지는 것은 아니다. 새로운 발상이 새로운 시로 써지려면 새로운 언어의 뒷받침이 필요하다. 새로운 언어는 참신한 언어를 가리킨다. 당연히 나는 참신한 언어로 가득한 새로운 발상의 시를 쓰고 싶다. 참신한 언어를 매개로 활기가 있으면서도 웅혼한, 발랄하면서도 숭고한 운기運氣가 있는 시를 나는 쓰고 싶다.

발랄하면서도 숭고한 운기運氣는 좋은 시 나름의 고유하고도 개성 있는 심미적 아우라를 가리킨다. 나도 참신한 언어를 매개로 나 나름의 고유하고 개성 있는 심미적 아우라를 갖는 시를 쓰고 싶다. 나도 세련된 언어의 능란한 운용을 통해 태어나는 따듯하고 부드러운 서정의 결을 지닌 시를 쓰고 싶다.

참신한 언어는 어떻게 태어나는가. 참신한 언어는 거칠 것 없는 활달한 상상력, 망설이지 않는 심미적 정서와 함께한다. 일필휘지하는 순발력, 문득, 갑자기, 별안간, 순간의 거울로 태어나는 이미지와 어조로부터 비롯되는 것이 참신한 언어이다. 그뿐만 아니라 이들 이미지와 어조가 분출하는 리듬과 가락이 참신한 언어를 만든다. 참신한 언어에는 물여울 치고 튀어 오르는 피라미 떼 같은 발랄한 기세가 있다.

나도 이들 피라미 떼 같은 발랄한 기세가 있는 시를 쓰고 싶다.

## 5. 느낌이 확실한 시

좋은 시는 한 번만 읽어도 온몸이 뒤흔들리는 감흥을 지니고 있다. 좋은 시는 한 번의 독서만으로도 온몸이 저릿저릿 떨리는 흥분을 갖고 있다. 이처럼 한 번만 읽어도 느낌이 확실한 시를 나는 쓰고 싶다. 다른 시인은 눈으로 보지 못하는 것, 귀로 듣지 못하는 것, 코로 냄새 맡지 못하는 것, 혀로 맛보지 못하는 것, 손으로 만지지 못하는 것을 나는 시로 쓰고 싶다.

나는 다섯 가지 감각, 이른바 오온五蘊이 확실한 시를 좋아한다. 물론 이때의 감각에는 영혼을 울리는 지성이 담겨 있기를 꿈꾼다. 이를테면 구체적인 감각이 살아 있으면서도 높고 깊은 지성이 담겨 있는 시를 쓰고 싶은 것이다.

모든 감각은 항상 이미지를 통해 구체화되기 마련이다. 시에서 이미지는 장면을 만들고, 장면은 풍경을 만들고, 풍경은 공간을 만든다. 이때의 공간을 두고 형상이라고 불러도 좋다. 물론 온전한 형상이 단지 이미지만으로 이루어지는 것은 아니다. 이미지에 이야기와 정서(감정)가 함유되면서 시의 형상은 온전한 모습을 갖춘다.

제대로 된 시적 형상은 단 한 번만의 독서로도 온몸에 저릿저릿한 충격을 준다. 이때의 충격은 당연히 온몸을 벌떡 일으켜 세우는 감흥을 낳는다. 한 번 읽고, 두 번 읽고, 세 번 읽고……, 좋은 시는 읽을 때마다 분명한 느낌을 준다. 느낌이 분명한 시, 처음 읽었을 때부터 온몸을 저릿저릿 흔드는 시를 나는 쓰고 싶다. 느낌이 확실한 시 말이다.

느낌이 확실한 시는 감각을 넘어 감정(정서)까지도 세련되게 만든다.

감정을 넘어 의식까지도, 지성까지도 세련되게 만든다.

## 6. 하심이 있는 시

시의 형상은 시의 풍경을 기초로 한다. 시의 형상이 시의 풍경에서 비롯된다는 것은 불문가지이다. 시에서는 풍경의 선택이 형상의 선택이 되고, 형상의 선택이 공간의 선택이 된다. 그렇다. 풍경의 선택은 형상의 선택이 되고, 형상의 선택은 공간의 선택이 되고, 공간의 선택은 세계관의 선택이 된다.

세계관은 세계를 보는 마음, 곧 세계에 대한 심心을 가리킨다. 심心에는 상심上心이 있고 하심下心이 있다. 나는 내가 쓰는 시에 상심上心보다는 하심下心이 내화되어 있기를 바란다. 상심보다는 하심을 소중히 여기는 것이 본래의 시의 마음이다. 실제로도 상심보다는 하심이 시심詩心의 중심中心에 가깝다.

하심은 자신을 낮추는 마음이다. 하심, 곧 자신을 낮추는 마음이 있어야 측은지심惻隱之心이 생긴다. 측은지심은 차마 어찌하지 못하는 마음이다, 차마 어찌하지 못하는 마음은 어진 마음, 곧 대자대비심大慈大悲心이다.

대자대비심大慈大悲心을 지니고 사는 사람은 늘 가슴에 부처나 하늘을 모시고 산다. 이때의 부처나 하늘은 사람이 될 때도 있고, 사물이 될 때도 있다. 부처이든 하늘이든 사람이든 사물이든 그것들에게 나는 늘 하심下心을 가지려 한다.

하심을 갖는다는 것은 시의 대상을 귀하고 높게 여기는 마음을 갖는다는 것을 뜻한다. 하심을 가지면 시의 대상들이 가슴을 활짝 열고 나와 하나가 되고 싶어 한다. 하나가 되고 싶어 하는 마음이 곧 시심詩心이다. 갈등과 대립을 즐기는 사람이 좋은 시인이 되기는 매우 어렵다.

나는 당연히 하심이 가득한 시를 쓰고 싶다. 하심은 정성스러운 마음이기도 하고, 지극한 마음이기도 하다. 차마 어찌하지 못하는 마음이 하심이기도 하다. 그렇다. 나는 정성스럽고도 지극한 마음이 담겨 있는 시를 쓰고 싶다.

정성스럽고도 지극한 마음은 상심上心보다 하심下心에 가깝다. 하심은 갑의 마음이기보다는 을의 마음이다. 따라서 하심을 갖는다는 것은 을의 마음을 갖는다는 것이 된다. 여전히 갑이 중심인 세상이다. 그럴수록 나는 내가 쓰는 시에 을의 마음을 담을 생각이다.

이처럼 갑의 마음보다는 을의 마음을 시에 담고 싶은 것이 나이다. 시를 통해 나는 조금쯤 을의 마음을 부추겼으면 좋겠다. 부추기지는 못하더라도 을의 마음을 깊이 감싸 안았으면 좋겠다.

하지만 나는 갑과 을을 동시에 끌어안는 중도의 마음도 포기하지 않으려 한다. 나는 내가 쓰는 시에 갑에게는 비판을, 을에게는 연민을 담고 싶다. 을보다는 갑을 비판할 때 구경꾼들이 많이 모이기 때문만은 아니다. 갑에게는 수오지심羞惡之心을, 을에게는 측은지심惻隱之心을 보여 주는 것이 본래의 시정신詩精神이라는 것을 나는 잘 알고 있다.

그럴수록 나는 갑과 을을 동시에 아우르는 중도의 마음을 잃지 않으려 한다. 중도의 마음을 잃지 않을 때 오늘의 현실을 정확하게 파악할 수 있을 뿐더러 내일의 현실도 옳게 만들어 갈 수 있기 때문이다.

## 7. 창조적 아우라가 있는 시

일정한 경지에 오른 시인은 자신의 시에 독특한 정서적 아우라를 함유할 줄 안다. 그러나 자신만의 스타일, 자신만의 심미적 정서를 갖고 있는 시인은 별로 많지 않다. 자신의 시에 이러한 특징을 반영하는 시인은 그 나름의 개성 있는 심미의식을 갖고 있다고 해도 좋다.

더러는 개성 있는 심미의식 자체가 문제일 수도 있다. 자기도 모르게 자신의 시를 모방하는 예가 없지 않기 때문이다. 개성 있는 심미의식을 무비판적으로 반복하다 보니 자기도 모르게 자신의 시를 모방하게 되는 것이다.

모든 창조는 모방으로부터 시작된다. 처음 시를 쓸 때는 남의 시를 모방도 하고, 남의 시로부터 영향도 받는다. 모방을 거친 뒤 일정한 경지에 이르면 누구라도 끊임없이 자기 자신의 스타일, 자기 자신의 심미의식을 갱신해 나간다. 그래야 시세계에 변화가 있고 발전이 있기 마련이다. 하지만 이를 구체적으로 실천하는 일은 쉽지 않다.

나는 내가 쓴 시를 모방하지 않으려 한다. 어떻게든 나는 내가 쓴 시와 유사한 시를 반복해 쓰지 않으려 한다. 내 나름의 고유한 영역을 분명하게 추구하기는 하되, 내가 쓴 시와 유사한 시를 쓰지는 않을 생각이다.

나는 늘 좀 더 새로운 시를 쓰고 싶다. 좀 더 새로운 시를 쓰기 위해서는 끊임없이 나만의 스타일, 나만의 심미적 정서를 갱신해 나가야 한다.

한 시인이 기존의 시와 유사한 시를 쓰는 까닭은 매너리즘에 빠져 있기 때문이다. 매너리즘에 빠져 있는 시는 국화빵틀로 찍어낸 국화빵 같은 느낌을 준다. 이러한 시를 쓰는 시인은 공부를 하지 않는 사람이기 일쑤이다. 새로운 시를 읽으며 새로운 공부를 하는 시인이라면 국화빵틀에 찍어낸 국화빵 같은 느낌을 주는 시를 쓸 리 만무하다.

## 8. 정작의 새로운 시

무엇이 시를 새롭게 하는가. 시를 새롭게 하는 것은 인식을 새롭게 하는 것만이 아니다. 형식을 새롭게 하는 것도 시를 새롭게 하기 때문이다. 새로운 형식을 발견하고 깨닫는 것이 더없이 중요한 까닭이 여기에 있다. 여기서도 알 수 있듯이 형식의 새로움에 대해서도 깊이 숙고할 필요가 있다.

기본적으로 형식의 새로움은 언어의 새로움에서 온다. 언어의 새로움은 어디에서 오는가. 언어의 새로움은 언어의 파괴에서 온다. 언어의 새로움을 위해서는 언어를 파괴할 수도 있어야 한다. 물론 언어를 파괴하는 것은 좋은 시, 새로운 시, 내가 쓰고 싶은 시를 쓰기 위한 것이어야 한다.

그렇다면 언어를 파괴하는 것은 언어의 무엇을 파괴하는 것인가. 언어는 음소, 음절, 단어(어휘), 구, 절, 통사, 의미 등을 다 포괄해 가리킨다. 따라서 언어를 파괴한다는 것은 이들 중의 무엇인가를 파괴한다는 것이 된다.

언어의 무엇을 파괴할 것인가. 통사統辭의 구조를 파괴하면 문법의 체계를 파괴하게 되어 제대로 소통이 되는 통사를 이루지 못한다. 통사를 제대로 이루지 못한 비문이나 졸문을 언어파괴라고 할 수는 없다.

물론 잘 갖춘 통사에 의해서만 의사소통이 이루어지는 것은 아니다. 미처 통사를 갖추지 못해도 의사소통은 이루어진다. 이는 일상의 대화를 통해서도 익히 확인이 된다. 일상의 대화에서는 제대로 된 통사를 이루기 이전의 단어(어휘)나 구, 절만으로도 충분히 의사소통이 이루어진다. 일상의 회화會話에서는 통사를 미처 갖추지 못한 단어문이나 구절문도 익히 사용이 된다.

표현주의에서는 어휘투사나 구절투사, 장면나열 등을 중요한 표현 기법으로 받아들인 적이 있다. 실제로는 이것들 또한 언어파괴의 하나라고 해야 마땅하다. 지금에 이르러서는 그것이 크게 새로울 것도 없지만 말이다.

정작 주목해야 할 언어파괴는 김춘수, 이승훈 시인 등에 의해 시도되었던 무의미의 시인지도 모른다. 시의 언어에서 의미를 제거하는 일이야말로 언어파괴의 구체적인 예일 수 있기 때문이다. 한때는 몇몇 젊은 시인들을 깊이 사로잡았던 것이 이 무의미의 시이다. 이들 젊은 시인의 언어실험이 새로운 시를 탄생시키는 데 제대로 된 바른 기여를 하지는 못했지만 말이다.

시의 새로움을 위해서는 형식실험과 언어실험도 깊이 고려해야 한다. 시의 형식실험과 언어실험은 새로운 의미를 만드는 일과도 무관하지 않다. 새 술은 새 부대에 담아야 한다고 하지 않던가. 내용이 새로워지면 형식도 새로워지기 마련이다. 형식이 새로워지면 내용도 새로워지기 마련이다. 내가 쓰고 싶은 시에는 새로운 내용만큼이나 새로운 형식도 깊이 고려되어 있으면 좋겠다.

## 9. 지금 쓰고 있는 시

이미 나는 내가 쓰고 싶은 시를 잘 쓰고 있다. 몇 개의 시의 광맥에서 내가 캐고 싶은 시를 부지런히 잘도 캐내고 있다. 시단에 등단한 1980년 대 이래 나는 이른바 시 쓰기의 공백기, 휴지기를 겪은 적이 별로 없다. 일정한 시간이 지나면 시의 샘물에서 자연스럽게 시가 흘러넘쳤

기 때문이다.

2000년대 초의 일이다. 나는 다음 카페에 내가 쓴 시와 산문들이 자기들끼리 놀 수 있는 조그만 집을 지은 적이 있다. 집을 지으면서 나는 이 집에 '돌과 바람의 시'라는 이름을 붙인 적이 있다. 이름을 이렇게 붙인 것은 그동안 내가 '돌과 바람의 시'를 많이 써왔기 때문이 아니다. 문득 별안간 갑자기 우발적으로 이렇게 집의 이름을 붙였을 따름이다.

이렇게 이름을 붙이고 난 뒤 오히려 나는 '돌과 바람의 시'를 더 많이 쓴 듯싶다. 물론 최근에는 또 다른 시의 광맥에서 또 다른 시를 더 많이 캐내고 있기는 하지만 말이다. 조금은 다른 소재의 시들을 쓰고 싶은 것이다.

최근 몇 년 동안 나를 가장 사로잡는 시의 소재는 '마을'이다. 마을은 자본주의적 근대가 본격화되면서 점차 사라지고 있는 삶의 공간이다. 마을이라는 삶의 공간의 소멸은 그곳을 중심으로 형성된 가치나 윤리의 소멸을 불러올 수밖에 없다. 지금의 사람들이 알고 있는 대부분의 가치나 윤리는 마을이라는 공동체를 바탕으로 형성된 것들이다. 도道니, 덕德이니, 예禮니 하는 가치들도 실제로는 마을이라는 공동체를 바탕으로 형성된 것들이다.

금세기에 들어서는 마을이라는 삶의 공간이 더욱 급격하게 해체되고 있다. 이제는 어디에도 제대로 된 공동체로서 마을이라는 삶의 공간이 존재하지 않는다. 더러는 마을이라는 삶의 공간이 남아 있다고 하더라도 자본주의의 악폐가 도시에 못지않게 심화되어 있는 것이 지금의 현실이다.

지난 세기에 이어 금세기에도 온갖 건설과 건축이 삶의 중심을 이루고 있다. 너무도 당연한 이야기이지만 건설과 건축 중심의 삶이 행복을 보장해주는 것은 아니다. 오히려 삶의 행복을 일그러뜨리는 것이 건설과 건축 중심의 삶이지 않은가 싶다. 건설과 건축이 자연의 파괴를 통해 이루어지고 있다는 점을 기억하지 않으면 안 된다.

건설과 건축 중심의 오늘의 삶은 내 고향마을에까지 거대한 대도시를 세우고 있다. 처음에는 참으로 난감하고 당황스러웠던 것이 내 고향마을에 세워지는 대도시였다. 이른바 세종특별자치시……. 오래 방황하다가 이제는 대도시가 된 과거의 내 고향마을을 시로 복원하는 작업을 하고 있다. 이미 세상 어디에도 존재하지 않는 내 고향마을 '막은골'을 지금 내가 시로 되살려내고 있는 것이다.

시를 통해 고향을 복원하는 하는 일은 내게 땅과 흙에 대한 좀 더 적극적인 관심을 갖게 해주고 있다. 그러한 연유로 나는 내가 두 발로 밟고 디뎌온 이 나라의 구석구석을 시로 노래하는 일도 병행하고 있다. 일종의 국토기행시일 것인데, 머잖아 이들 작업도 한 권의 시집으로 세상에 태어나기를 바란다.

10여 년을 넘게 내가 탐구해온 시의 소재나 주제 중에는 '언어'에 관한 것도 있고, '사랑'에 관한 것도 있다. 또한 나는 시조와 동시에도 적극적인 관심을 갖고 있어 줄곧 창작의 목록을 덧붙이고 있다. 때가 되면 이들 시도 각 권의 책이 되어 독자들의 곁으로 다가갈 수 있기를 바란다.

이처럼 내가 쓰고 싶은 시를 나는 이미 잘 쓰고 있다. 그것이 늘 고맙다. (2015)

# 시적 발상과 형상의 언어

## 1. 발상은 시창작의 첫걸음이다

시를 쓰는 사람이라면 누구나 좋은 시를 쓰고 싶어 한다. 좋은 시는 뛰어난 발상을 세련된 언어로 정련하고 가공할 때 가능해진다. 좋은 시는 탁월한 발상과 정련된 언어의 뒷받침이 없이는 쓰기가 힘들다. 탁월한 발상과 정련된 언어는 좋은 시를 쓰기 위한 양대 축이라고 해도 과언이 아니다.

아무리 발상이 탁월하다고 하더라도 정련된 언어가 뒷받침되지 않으면 좋은 시가 되기 어렵다. 탁월한 발상과 정련된 언어는 무엇이 선행한다고 단정하기 어려울 만큼 상호 뒤얽혀 있는 것이 사실이다. 일반적으로는 언어보다 발상이 선행한다고 여기는 것이 보통이다. 본래 언어보다 선행하는 것이 사유이기 때문이다. 따라서 우선은 정련된 언어보다 탁월한 발상을 중심으로 좋은 시를 쓰기 위한 몇 가지 고민을 토로하지 않을 수 없다.

발상發想은 상상력(이미지를 단위로 하는 사유)을 펼친다는 것을 뜻하고, 형상形象은 종합적인 상(이미지)을 만드는 것, 전체적인 상을 이루는 것을 뜻한다. 따라서 발상과 형상은 시의 전초적인 작업으로, 시를 쓰는 데 더없이 중요한 과정이라고 하지 않을 수 없다. 뛰어난 시를 쓰기 위해 뛰어난 발상이 요구되는 까닭이 바로 여기에 있다.

뛰어난 발상이 뛰어난 시를 쓰기 위한 기본 전제라는 것은 특별히 강조할 것이 못 된다. 좋은 시를 쓰기 위해 좋은 발상이 필요한 것은 지극히 당연한 일이다. 좋은 발상이든 나쁜 발상이든 발상은 시 쓰기의 첫걸음이다. 모든 시 쓰기는 발상으로부터 시작된다고 해도 과언이 아니다. 시에서 발상은 시적 상상력을 펼치는 것으로, 시적인 것, 다시 말해 서정적인 것, 그리고 그것과 함께하는 진리를 만들고, 형성하고, 창조하는 것을 가리킨다. 따라서 발상은 창작자의 인지영역 안에 시적인 것, 곧 시 특유의 형상적인 것을 맨 처음 떠올리는 일이라고 하지 않을 수 없다.

물론 시적인 것, 곧 서정적인 것, 그리고 그것과 함께하는 진리가 시에만 존재하는 것은 아니다. 요컨대 서정적인 것(시적인 것, 곧 서정적인 것, 그리고 그것과 함께하는 진리를 서정적인 것이라는 말로 요약한다)은 시 밖에도, 나아가 언어 밖에도 충분히 존재한다. 언어 밖에 존재하는 서정적인 것은 TV나 영화 등에 의한 물리적 영상, 곧 물리적 이미지가 만드는 것을 가리킨다. 따라서 서정적인 것은 언어로 표현되는 것과, 물리적 이미지로 표현되는 것으로 나누어질 수 있다.

언어와 이미지는 그 자체로 인식의 두 도구이다. 어떠한 형태의 것이든 언어와 이미지를 매개로 하지 않고서는 앎에 이르기가 쉽지 않다. 언어와 이미지는 앎으로 가는 가장 일차적인 징검다리이다. 앎이라는 것이 본래 언어와 이미지를 도구로 하기 마련이라는 이야기이다.

하지만 언어로 표현되는 시적 서정과 물리적 이미지로 표현되는 시적 서정은 많이 다르다. 시적 서정 자체는 TV의 드라마나 다큐의 아름다운 영상, 기타 영화의 수많은 명장면을 통해서도 어렵지 않게 향유될 수 있다. 하지만 저녁 9시 뉴스의 일기예보 직전에 펼쳐지는 아름다운 풍경, 곧 아름다운 이미지가 아무리 충만한 시적 서정을 담고 있다고 하더라도 그것을 시라고 할 수는 없다. 따라서 정작의 시적 서정은 언어로 표현된 심미적 서정을 가리킨다고 하지 않을 수 없다.

물론 시적 서정은 서정 자체만으로 채워지는 것이 아니다. 서정은 수시로 서사와 극을 받아들여 저 자신을 갱신하는 특성을 갖고 있다. 순수하게 시적인 서정도 있을 수 있지만 대부분은 서사나 극을 끌어들여 저 자신을 새롭게 개혁하는 것이 시적 서정이다. 시적 서정만이 아니라 서사적 서정, 극적 서정 등의 개념이 가능한 것도 바로 이 때문이다.

다른 장르의 특성을 받아들여 자기 자신을 갱신하는 것이 서정의 영역에서만 일어나는 것은 아니다. 서사는 극이나 서정을 끌어들여, 극은 서정이나 서사를 끌어들여 자기 자신을 갱신하는 일이 적잖기 때문이다. 서정과 서사와 극은 이처럼 끊임없이 상호 개입하는 가운데 저 자신을 고쳐 나가는 특성을 갖고 있다. 서정과 서사와 극이 저 자신을 갱신하기 위해 오직 다른 장르의 특성만을 수용하는 것은 아니지만 말이다.

## 2. 서정적인 것은 형상적인 것이다

서정적抒情的인 것이라고 할 때의 서정이란 무엇인가. 한자漢字로 물 길어 올린 抒(서) 자에 정서 情(정) 자를 쓰는 '抒情'이라는 말은 '정서를 길어 올린다'는 뜻을 갖고 있다. 서정적인 것이 늘 정서적인 아우라, 곧 정서적인 분위기와 함께하는 까닭이 바로 여기에 있다.

이때의 정서적 아우라, 곧 정서적 분위기는 남을 높이고 나를 낮추는 겸손한 마음을 바탕으로 할 때 좀 더 충만해진다. 남을 높이고 나를 낮추는 겸손한 마음을 바탕으로 할 때 좀 더 쉽게 '나'는 남과 하나가 될 수 있기 때문이다. 물론 내가 남과 하나가 되는 것은 매우 복잡한 심리현상으로 존재한다. 이때 하나가 되는 것은 거개가 하나이면서 둘, 둘이면서 하나인 형태, 곧 불이ㅈㅡ의 형태를 취하기 때문이다. 따라서 여기에서 말하는 하나됨의 의미를 단일하게 규정하기는 쉽지 않다. 이에 대해서는 좀 더 상세한 논의가 요구되지 않을 수 없다는 뜻이다.

그렇다고는 하더라도 예의 하나됨이 '나'라고 하는 주체의 마음 안에 재미, 기쁨, 즐거움, 흥취, 감동 등 긍정적인 정서를 갖게 하는 것은 사실이다. 긍정적인 정서는 '나'라는 주체에게 통합, 통전의 정서를 갖도록 하는 것을 뜻한다. 물론 이는 기이하고 기발한 느낌, 나아가 발견이나 깨달음과 함께하는 낯설고 새로운 느낌을 동반하기도 한다. 서정적인 심미현상이 독자의 인지영역에 정서적 아우라, 정서적 분위기를 바탕으로 하는 장면을 만들고, 풍경을 만드는 것도 이와 무관하지 않다.

물론 이때의 장면이나 풍경을 만드는 언어가 따로 있기는 하다. 일상적인 언어, 곧 의미론적 기호로서의 언어가 아니라 서정의 언어, 곧 형상의 언어가 시에서 장면이나 풍경을 만든다. 따라서 형상의 언어에 대한 고민이 없이 좋은 시를 쓰기는 힘들다. 하지만 형상의 언어가 지니고 있는 특징은 좀 더 시간을 두고 논의하지 않을 수 없다.

시에서 장면이나 풍경을 만드는 것, 그리고 장면이나 풍경과 함께하는 활기나 생기를 만드는 것을 흔히 형상이라고 한다. 이때의 형상을 구성하는 핵심적인 질료는 이미지, 이야기, 정서이다. 이미지, 이야기, 정서를 질료로 해서 창작될 때 시에 제대로 된 형상이 구현되기 때문이다. 물론 이때의 이미지, 이야기, 정서는 유의미한 의식지향을 함유한다. 여기서 유의미한 의식지향이라고 하는 것은 시의 형상이 자신의 내부에 지니고 있는 진실 혹은 진리를 가리킨다. 이로 미루어 보더라도 서정적인 것은 결국 형상적인 것이 된다.

형상의 사유는 '형상의 언어'에 의해 구체화되기 마련이다. 모든 사유는 언어로 드러날 때 저 자신을 바르게 구현한다는 것을 잊어서는 안 된다. 형상의 사유가 형상의 언어로 치환될 때 보편성을 얻는 까닭이 바로 여기에 있다. 그렇다고 하더라도 사유와 언어가 이루는 관계는 만만치 않은 복잡계를 거느린다. 물론 형상의 언어는 이미지, 이야기, 정서가 상호 뒤섞이는 가운데 형성되는 언어를 가리키지만 말이다.

형상의 언어는 기본적으로 개념의 언어와 대립한다. 개념의 언어는 문법과 논리를 바탕으로 논설문이나 학술문처럼 추상적인 글을 낳는다. 물론 개념의 언어는 수시로 형상의 언어와 뒤섞이려는 특성을 보여주고, 형상의 언어는 수시로 개념의 언어와 뒤섞이려는 특성을 보여준다. 형상적인 것과 개념적인 것은 언제나 상호 착종되는 가운데 존재하려는 경향을 지니고 있다. 따라서 실제의 시에는 이것들이 서로 뒤섞여 있는 경우가 대부분이다. 낱낱의 구체적인 시작품에 반(半)추상이나 반(半)구상의 모습이 자주 보이는 것도 다름 아닌 이러한 이유에서이다.

앞에서 말한 형상의 자질, 즉 이미지, 이야기, 정서 가운데 가장 선행하는 것은 이미지이다. 이들 형상의 자질 가운데 이미지를 생산하는 방식에는 묘사와 비유가 있다. 물론 묘사와 비유의 차원에서 이미지가 생산되기 이전에 시의 어휘 그 자체만으로 이미지가 생산되는 예도 있기는 하다. 생활어, 사물어, 고유어, 토착어, 사투리, 자연어 등이 특별히 어휘 차원에서 이미지를 생산하는 기능을 한다. 말하자면 이들 언어가 상대적으로 형상성을 풍부하게 지니고 있다는 뜻이다.

그렇다고는 하지만 시에서의 이미지는 언어 그림으로서의 묘사를 기초로 하는 것이 보통이다. 묘사는 어휘들이 상호 결합되는 가운데 태어나거니와, 이는 비유의 경우에도 마찬가지이다. 비유는 두 언어 혹은 두 개념이 지니고 있는 이미지를 뒤섞어 양가적 이미지를 투사하는 수사<sup>修辭</sup>의 형식이다. 직유이든 은유이든 환유이든 제유이든 상징이든 알레고리이든 그것은 마찬가지이다.

이미지는 자연의 이미지와 삶의 이미지로 나누어지기도 한다. 자연의 이미지는 식물의 이미지, 동물의 이미지, 광물의 이미지로 나누어질 수 있고, 삶의 이미지는 생활(일상)의 이미지, 문명(기계/기술)의 이미지로 나누어질 수 있다. 자연의 이미지 중에서는 광물의 이미지보다 식물의 이미지나 동물의 이미지가 좀 더 자주 시에 선택되고, 삶의 이미지 중에서는 문명(기계/기술)의 이미지보다 생활(일상)의 이미지가 좀 더 자주 시에 선택된다.

하지만 이미지와 관련해 정작 중요한 것은 새로움, 곧 참신성이다. 새로운 이미지는 말할 것도 없이 새로운 의미를 낳는다. 하지만 이미지는 의미의 자질이기보다는 형상의 자질이라고 해야 옳다.

이야기는 서사<sup>敍事</sup>의 다른 표현이다. 물론 서사보다 작은 것을 '이야기'라고 지칭하기도 한다. 서사는 사건<sup>事件</sup>이 펼쳐져 있다는 뜻을 지니고 있는 한자말이다. 따라서 서사의 다른 표현인 '이야기'는 시간에 맞게 사건이 기술되어 있는 것을 가리킨다. 시간에 맞게 사건이 기술되어 있다는 것은 사건이 처음, 중간, 끝의 형식을 지닌다는 것을 가리킨다.

이야기의 종류에는 나(일인칭)의 이야기, 너(이인칭)의 이야기, 그(삼인칭)의 이야기가 있다. 그중에서 가장 기초가 되는 것은 그의 이야기, 곧 3인칭 객관적 서사이다. 서사 자체의 속성이 3인칭으로 객관적이기 때문이다. 하지만 서정시에서 3인칭 객관적 서사로서의 그의 이야기는 나의 이야기에 의해, 곧 창작주체의 이야기에 의해 생생하게 포섭되지 않으면 별다른 감동을 주지 못한다.

서정시가 본래 1인칭 주관적 장르라는 것을 간과해서는 안 된다. 서정시에 수용되는 이야기는 반드시 '나', 곧 주체에 의해 새롭게 재창조될 때 밀도 있는 감염력을 갖는다.

시에서의 이야기는 실제로도 '나', 곧 주체의 구체적인 경험담으로 표현될 때 제대로 된 형상을 갖는다. 그러나 이때의 '이야기'가 온전한 형식을 다 갖추고 있을 필요는 없다. 시에 함유되는 이야기는 다소간 편린으로 존재하더라도, 부서진 채로 존재하더라도 크게 어색하지 않다.

정서는 정화되고 정제된 감정을 가리킨다. 모든 감정은 시에 수용되는 과정에 정화되고 정제되기 마련이다. 날것의 감정은 너무 거칠고 투박해 심미적인 기능을 하기 어렵다. 모든 날것의 감정은 언어로 수용되는 과정에, 나아가 시의 언어로 포섭되는 과정에 애초의 실감이 유리되고 보수될 수밖에 없다.

시에서 정서는 대부분 리듬과 어조에 의해 태어난다. 리듬은 객관적으로 구획될 수 있는 것이기는 하지만 근본적으로는 주관적인 호흡을 반영하고 있는 기표체계이다. 특히 리듬이 모여 이루는 심미적 정서에는 창작주체의 심미의식, 곧 호흡의 결이 깊이 스미어 있을 수밖에 없다.

창작주체의 주관적이고 심미적인 호흡이 깊이 스미어 있는 것은 어조의 경우에도 마찬가지이다. 어조 역시 객관적인 구획이 가능하지만 기본적으로는 주체의 개성을 반영하고 있다고 해야 마땅하다. 어조는 특히 창작주체 고유의 목소리를 반영하고 있어 시의 정서적 아우라를 만드는 데 적극적으로 참여한다.

더러는 여타의 형상의 자질인 이미지와 이야기도 시의 정서를 만드는 데 기여한다. 시에서는 이미지와 이야기 역시 창작주체의 개성 있는 목소리를 통해 진술되는 만큼 정서 산출의 역할을 하는 것은 당연하다.

시에서 정서는 우선 통합의 정서와 분열의 정서로 나뉘어 논의될 수 있다. 통합의 정서는 생명의 정서와 함께하고, 분열의 정서는 죽음의 정서와 함께한다. 생명의 정서는 사랑의 정서, 희망의 정서, 화합의 정서를 가리키고 죽음의 정서는 미움의 정서, 절망의 정서, 갈등의 정서를 가리킨다. 통합의 정서는 조화의 정서이고, 화해의 정서이고, 일체의 정서이다. 이른바 '서정적' 정서라고 할 수 있는 것이 이들 정서이다. 분열의 정서는 분리의 정서이고, 대립의 정서이고, 미움의 정서이고, 투쟁의 정서이다. 이른바 '극적' 정서라고 할 수 있는 것이 이들 정서이다. 전자는 플러스 정서라고 할 수 있고, 후자는 마이너스 정서라고 할 수 있다. 결국 정서에는 플러스 정서와 마이너스 정서가 있는 셈이다.

정서를 사적 정서와 공적 정서로 나누어 이해하기도 하는데, 이는 크게 설득력을 갖지 못한다. 모든 정서는 기본적으로 사적 정서에 뿌리를 내리고 있기 때문이다. 한편으로 공적 정서는 민족의 정서, 민중의 정서 등으로 불리는 규모가 큰 공동체적 정서를 가리키기도 한다.

### 3. 형상적인 것은 통전의 체험을 촉발시킨다.

이상의 논의로 미루어 보더라도 서정적인 것은 형상적이라는 것을 알 수 있다. 서정적인 것은 언제나 독자의 인지영역 안에 형상적인 것을 만들어주기 때문이다. 독자의 인지영역 안에 형성된 형상적인 것은 당연히 정서적 일체감을 촉발시킨다. 일체감은 감동의 다른 이름이다. 감동은 통전統全의 체험을 가리킨다. 그렇다면 형상적인 것은 감동을 주는 것이고, 감동을 주는 것은 일체감을 주는 것, 곧 하나됨의 체험을 주는 것이라고 요약할 수 있다. 독일의 시학자 에밀 슈타이거는 이를 가리켜 회감回感이라고 말하기도 한다.

시에서의 하나됨, 곧 일체는 보통 세 가지 축을 통해 일어난다. 이때의 일체가 시를 구성하는 요소들 사이에서 일어나는 것은 물론 사실이다. 1) 시 내부의 객관적 대상들(형상의 질료들) 사이의 일체, 2) 주관적 화자와 객관적 대상(시의 소재들) 사이의 일체, 3) 객관적 대상(시작품/텍스트)과 주관적 독자 사이의 일체가 그것이다.

앞에서도 말했듯이 시가 주는 감동은 시와 독자 사이의 하나됨, 곧 일체에서 비롯된다. 그것은 시의 수준과 독자의 수준이 유사하거나 같을 때 좀 더 쉽게 가능해진다. 아는 만큼 보인다고 하지 않는가. 독자의 심미적 수준에 따라 하나됨, 곧 '일체'의 밀도나 형식, 경지나 품위 등이 달라지는 것은 당연하다.

그렇다면 시가 지니고 있는 어떤 무엇이 독자의 인지영역에 일체감, 곧 통전統全의 체험을 만드는가. 여기서 말하는 통전의 체험은 당연히 회감回感의 체험, 곧 감동의 체험을 가리킨다. 독자의 인지영역에 일체감을 만드는 것은 무엇보다 시가 지니고 있는 새로운 것, 신선한 것, 참신한 것, 기발한 것 등이 아닌가 싶다. 낡고 진부한 것, 구태의연한 것들을 확실하게 물리칠 때 이것들이 좀 더 쉽게 가능해지리라는 것은 불문가지이다.

따라서 기존의 자동화된 것, 관습화된 것, 인습화된 것과는 전적으로 다른 것이 이들이라고 해야 마땅하다. 이들 새로운 것, 신선한 것, 참신한 것, 기발한 것은 기본적으로 발상이 전혀 다른 것, 발상이 전혀 뜻밖의 것일 수밖에 없다. 발상이 전혀 다른 것, 발상이 전혀 뜻밖의 것은 말 그대로 기존의 것이 아닌 것, 곧 역발상의 것을 가리킨다.

역발상, 곧 새로운 발상은 대상을 뒤집어볼 때, 다시 말해 물구나무서서 바라볼 때 가능해진다. 전복적 상상력으로 대상을 바라볼 수 있어야 그것이 가능해진다는 뜻이다. 선시禪詩와 깊이 관련되어 있는 선불교에서는 이때의 전복적 상상력을 반상합도反常合道라는 말로 표현하기도 한다.

역발상이나 전복적 상상력, 반상합도 등은 구태의연한 기존의 것에 대해 비판적인 태도를 가질 때, 비판적인 상상력(사유)을 들이댈 때 비로소 가능해진다. 낡은 것, 진부한 것과 결별하고 새로운 것, 신선한 것, 참신한 것, 기발한 것들을 찾아 나설 때 가능해지는 것이 비판적인 상상력(사유)이다. 비판적 상상력을 갖지 못하고 새로운 시, 신선한 시, 참신한 시, 기발한 시를 쓰기는 거의 불가능하다.

어떻게 할 때 비판적인 상상력(사유)은 가능해지는가. 비판적인 상상력(사유)은 말할 것도 없이 움직이고, 변화하고, 진화하는 역사의 첨단에 설 때 가능해진다. 역사의 첨단에 서기 위해서는 나날의 인간의 삶과 관련해 가장 근원적이고 근본적인 것이 무엇인가를 늘 고민해야 한다. 나날의 인간의 삶과 관련해 가장 근원적이고 근본적인 것은 가장 인간적인 것이기도 하다. 가장 인간적인 것은 모든 인간의 자유로운 삶, 모든 인간의 평등한 삶, 모든 인간의 사랑받는 삶, 모든 인간의 평화로운 삶을 가리킨다. 자유, 평등, 사랑, 평화의 삶이야말로 인간이 이루는 나날의 일상에서 가장 근원적이고 가장 근본적인 꿈이라는 것이 내 생각이다.

물론 이때의 자유롭고 평등하고 사랑받고 평화로운 삶이 오직 인간에게만 해당되는 것은 아니다. 인간은 물론 이 땅에 존재하는 모든 동식물, 심지어는 광물까지도 자유롭고 평등하고 사랑받고 평화로울 수 있어야 한다는 뜻이다. 인권은 물론 물권까지도 확실하게 보장되는 삶이 가장 인간적일 뿐만 아니라 근원적이고 근본적인 삶이라는 이야기이다.

모든 인간의 자유롭고 평등하고 사랑받고 평화로운 삶에 소외와 고독과 불안과 분노와 상실과 증오 등의 감정이 있을 리 만무하다. 따라서 이러한 삶이야말로 가장 생명적이고 생태적이라고 해야 마땅하다. 바로 이러한 이유에서 뛰어난 시, 탁월한 시, 좋은 시는 언제나 어제와 오늘의 가치를 바탕으로 미래의 가치를, 다시 말해 참자유의 가치를 담아낼 수밖에 없다. (2012)

제2부

# 시 쓰기의 흥취와 아취

# 운명의 출발
## —1984년의 화제작 『마침내 시인이여』

오늘의 창비사, 그때의 창작과비평사에서 『마침내 시인이여』라는 이름의 신작사화집이 출간된 것은 1984년 1월의 일이다. 1984년 1월은 전두환 군사독재의 무지막지한 탄압에 맞서 민주세력 전체가 막 반격을 시작한 무렵이기도 하다. 예의 시대적 분위기 때문일까. 이 합동시집은 출간이 되자마자 엄청난 반향을 일으켰다. 이때의 반향은 이 합동시집이 엄청난 베스트셀러였다는 것을 뜻한다. 이 사화집을 읽지 않고서는 당시의 시대 상황과 관련한 이런저런 논의에 참여하기 어려웠던 것이 사실이다. 1980년대를 가리켜 흔히 '시의 시대'라고 하거니와, 이때의 '시의 시대'라는 것이 바로 이 사화집에서 비롯되었다고 해도 좋다.

이 합동시집 『마침내 시인이여』가 간행되는 데는 물론 사연이 있다. 이때의 사연은 5·18 민주화운동을 무자비한 폭력으로 짓밟고 권력을 틀어쥔 전두환 군사독재가 국민들의 입에 재갈을 물리기 위해 강제로 언론을 통폐합한 일과 깊이 관련되어 있다. 그 과정에 『창작과비평』, 『문학과지성』 등의 진보적인 문예지가 강제로 폐간되거니와, 이 합동시집 『마침내 시인이여』는 전두환 신군부가 자행해온 예의 문화탄압에 대한 저항의 성격도 띤 채 출간된 일종의 시전문 무크지였다.

제목인 『마침내 시인이여』는 이 합동시집의 모두冒頭에 실려 있는 고은의 시 「차령산맥」의 한 구절 "마침내 시인이여 결단하자"에서 따왔다. "먼 산들을 좋아하지 말자 / 먼 산에는 거짓이 많다 / 시인이여"라는 구절로 시작하는 고은의 시 「차령산맥」은 당시 젊은이들의 가슴을 들끓게 하기에 충분했다.

이 합동시집 『마침내 시인이여』가 정작 사람들의 관심을 끈 것은 오랜 감옥살이를 마치고 나온 김지하 시인이 맨 처음 발표한 장시 「다라니」가 실려 있는 것과도 무관하지 않다. 이 무렵 독자 일반에게는 '김지하'라는 이름 자체가 금기이면서도 신비였다는 점을 기억해야 한다. 그것은 내게도 마찬가지였다. 1970년대 말 일본의 한양출판사에서 나온 김지하 전집을 복사하려다가 소소한 곤욕을 치른 적이 있는 나로서는 그의 새로운 시를 접한다는 것 자체가 충격이었다.

김지하의 이 시 「다라니」는 1980년 5월의 광주민주화운동과 10월의 법난을 겪고도 아무런 실천적 행동에 나서지 않는 한국 불교의 현실을 풍자하고 야유하는 데 의도의 핵심이 있었던 듯하다. 미학적으로 보면 판소리 형식의 활달하고 유장한 리듬을 바탕으로 김지하 특유의 거칠 것 없는 골계미를 담고 있는 것이 이 장시 「다라니」이다. "미묘하게 미묘하게 더욱더 미묘하게 구라 잘 치게 해주소서 옴 바아라네 담아예 사바하", "입 터지고 박 터지고 주장자 부러지고 손 찢어지고 피를 질질질질질질질" 등이 그 구체적인 예이다. 단지 이러한 점만으로도 나는 이 합동시집 『마침내 시인이여』에 감개무량해 한 바 있다. 하지만 내가 이 합동시집 『마침내 시인이여』에 감개무량해 한 데는 또 다른 이유도 없지 않다.

'17인 신작시집'이라는 수식어를 덧붙이고 있는 이 사화집이 출간될 무렵 내 나이는 이미 서른을 넘기고 있었다. 석사학위를 마친 뒤 노동자들의 삶을 좀 더 가까이에서 체험하겠다고 산업체 부설학교의 국어교사로 자원해 근무하다가 느닷없이 해직이 된 나는 모교인 한남대학교에서 몇 시간 시간강의를 하며 힘겹게 세월을 견디고 있었다. 나 자신의 앞날에는 아무런 희망도 없었지만 당시 나는 그래도 크게 절망하거나 좌절하지 않았다. 그해 4월 29일로 결혼 날짜가 잡혀 있었는데, 그 일이 우선은 나를 들뜨게 했다. 결혼을 하면 아내를 따라 서울에서 살림을 차리기로 해 삶의 변화에 대한 들뜬 기대도 없지 않았던 것이다.

하지만 그 무렵 정작 나를 들뜨게 한 것은 이 합동시집에 내 시가 7편이나 실려 있었다는 점이다. 게다가 처음으로 중앙의 유명한 매체에 시를 싣는 경험을 하게 되어 나로서는 가슴이 들뜨지 않을 수 없었다. 물론 내가 인쇄매체에 시를 발표한 것이 그때가 처음은 아니다. 『창작과비평』, 『문학과지성』 등 진보적인 문예지가 폐간되자 나는 친구들과 함께 종합문예무크지 『삶의문학』을 만들어 이미 시와 평론을 발표하고 있었다.

그렇기는 하더라도 내가 쓴 시가 동인지 성격의 종합문예무크지 『삶의문학』을 벗어나 본격적인 발표지면을 얻은 것은 이 합동시집이 처음이었다. 시인으로서의 내 운명이 이 합동시집 『마침내 시인이여』를 딛고 출발했던 것이다. 이 합동시집을 내가 시의 등단지면으로 삼고 있는 것도 다름 아닌 이 때문이다.

이 합동시집을 통해 문단에 처음 이름을 알린 사람은 대구의 김용락 시인과 나뿐이다. 나머지 시인들은 김용락 시인이나 나보다 문단에 이름이 알려진 시간이 빨랐다. 내가 김용락 시인에 대해 남다른 우정을 느끼고 있는 것은 어쩌면 이에서 비롯된 것일 수도 있다.

내가 쓴 시 7편은 이 합동시집 『마침내 시인이여』의 맨 끝부분에 실려 있다. 그래서인지 내가 쓴 시들은 별로 주목을 받지 못했다. 하지만 나는 지금도 이 합동시집에 수록되어 있는 내가 쓴 시들이 좋다. 첫 시집을 내면서 제목으로 삼은 시 「좋은 세상」을 비롯해 「무엇인가」, 「향수」 등은 나 나름대로 당시 이 나라의 경제현실과 정치현실을 재미있게 풍자하고 야유하지 않았나 생각된다. 「겨울방학」, 「눈」, 「당암리 · 3」, 「사루비아」 등도 그 시대 삶의 현실을 진정한 마음으로 서정성 있게 그려내고 있고.

1984년에는 채광석, 황지우, 김정환, 김사인, 김진경, 최두석, 이영진, 도종환 등 몇몇 시인들과 함께 자유실천문인협의회를 재구성하기 위해 분주하게 뛰어다녔다. 이 일을 함께하기 위해 뛰어다녔던 문인 중에는 평론가이기도 한 채광석 시인의 영향력이 가장 컸다. 이 합동시집에 수록되어 있는 시 가운데 채광석이 가장 높이 평가했던 시는 김용택의 「마당은 비뚤어졌어도 장구는 바로 치자」였다. 사석에서든 공석에서든 채광석 시인은 입만 열면 김용택의 이 시 「마당은 비뚤어졌어도 장구는 바로 치자」를 추켜세워 나를 쑥쓰럽게 했다.

채광석 시인이 교통사고로 세상을 버린 지도 벌써 20년이 훨씬 넘었다. 되돌아보면 어제의 일 같은데 어느새 그렇게 많은 세월이 흐른 것이다. 그동안 이 나라의 안팎에 얼마나 많은 일들이 있었나. 수많은 사람이 죽었고 수많은 사람이 태어났다. 한바탕 꿈같은 것이 인생이라는 선인들의 말이 새록새록 귀에 새겨지는 날이다. (2012)

# 진해 바다 혹은 사로잡힌 마음

## ─졸시 「진해, 사랑」

　소중한 인연을 따라 몇 해를 이어서 진해 나들이를 하고 있다. 소중하게 여기는 인연을 만든 것은 '김달진문학제'에서였다. 최근 두어 해는 못 갔지만 벌써 예닐곱 번은 진해에 다녀온 듯싶다.

　그래서일까. 해마다 9월이 되면 진해에 갈 생각으로 마음이 설렌다. 오랫동안 자주 가고 왔기 때문이리라. 자주 오가며 깊은 정이 든 것이다.

　지난 2003년 9월인 듯싶다. '김달진문학제'의 본 행사가 끝나 광주로 막 돌아오려는 참이었다. 자동차의 시동을 거는데, 두 명의 여성이 진해 바다가 보고 싶다고 자꾸 보챘다. 이내 광주로 돌아가고 싶은 마음과 진해 바다를 보고 싶은 마음이 내 안에서 칡넝쿨처럼 뒤엉키기 시작했다.

　이렇게 두 마음이 함부로 뒤엉키는 데는 또 다른 마음의 영향도 컸다. 또 다른 마음? 일종의 자괴감일 것인데, 자괴감을 불러일으키는 또 다른 마음을 밝히는 것은 또 다른 자괴감을 불러일으킬 수 있어 여기서는 생략하기로 한다.

　결국은 광주로 돌아가고 싶은 마음이 진해 바다를 보고 싶은 마음에 지고 말았다. 나는 두 명의 여성을 차에 싣고 바닷가 쪽으로 달렸다. 바닷가 쪽으로 달리면서도 내 마음은 별로 흔쾌하지 않았다. 두 명의 여성 탓일까. 그럴 수도 있으리라. 두 명의 여성 중 한 명의 여성 탓일까. 그럴 수도 있으리라.

나는 진해 변두리의 어느 바닷가 횟집 마당에 차를 세웠다. 그리고 바다가 바라다 보이는 창가에 자리를 잡고 앉았다. 그해 9월에도 진해 바다는 어지럽도록 파랗고 환했다. 내 마음의 바다도 어지럽도록 파랗고 환했다.

두 여성은 즐겁게 재잘거리며 생선회를 안주로 소주를 마셨다. 하지만 운전을 하고 광주까지 가야 하는 나는 기껏 사이다나 찔끔거려야 했다. 묻지도 않았는데 자연산이라고 자꾸 외쳐대는 주인 여자라니! 갑자기 주인 여자가 싫었고 미웠다. 내가 돈을 내야 했기 때문일까. 아니, 내가 한 여성에게 사로잡혀 있기 때문일까.

나는 투망으로 감싸 올린 뒤 저수통에 내던져진 도다리나 광어나 우럭이나 붕장어 같았다. 아니, 회칼로 얇게 저며져 접시 위에 예쁘게 놓인 생선회 같았다. 아니, 그들이 아니, 무언가 보이지 않는 것들이 아니, 풋고추, 마늘쪽과 함께 생선회를, 나를 상추쌈에 싸서 맛있게 먹어대는 것 같았다.

갑자기 가슴 한쪽이 무너져 내렸다. 슬펐다. 아렸다. 아팠다. 슬프고 아리고 아팠지만 또 다른 내가 바라보는 이 모습은 너무 우스웠다. 이 모습을 바라보며 또 다른 내가 자꾸 킥킥킥 웃어댔다.

'시작노트'에 의하면 이 시 「진해, 사랑」의 초고를 쓴 것이 2003년 11월 10일로 되어 있다. 그때의 감정이 시로 형상화되기까지 대강 두 달 정도는 내 마음 안에서 굴러다닌 셈이다. 나는 지금도 그때의 내 마음이 싫고 밉고 버겁다. 한쪽 발이 지옥에 빠져 있을 때의 마음이 이러했을까.

이렇게 해서 쓴 시 「진해, 사랑」의 전문을 아래에 옮겨 본다. (2006)

귀신에라도 홀린 것인가, 무언가 보이지 않는 것들이
우르르 달려들어 순식간에 나를
투망으로 감싸 올린다 물 맑은 진해만
횟집 저수통의 도다리로, 광어로, 우럭으로, 아나고로 나를 집어던진
다
이내 얇고 예쁘게 저며
고추장, 된장, 간장에 찍어
풋고추, 마늘쪽과 함께 상추쌈으로 싸
나를 처먹어대기 시작한다 무언가 보이지 않는 것들이
살은 다 저며 나가고
새까만 눈망울과 커다란 대가리와 앙상한 가시만 남은 나는
울어버린다 쫀득쫀득 나를 처먹어대는 것들
물끄러미 바라보는 마음이라니
그물망 다 찢어내고 무언가 보이지 않는 것들을 향해
불화살 쏘아대고 싶어 쩔쩔맨다 한 방에는 쓰러지지 않을 저 귀신들
차마 어쩌지 못한다 어느덧 흘러내리는 눈물
텅 비어 있는 모듬회 접시를
가득 적신다 포구를 오가는 통통배들
이 모습 바라보며 킥킥킥 웃는다
앙상한 가시와 커다란 대가리와 새까만 눈망울만 남은 나도
이 모습 바라보며 킥킥킥 따라 웃는다.

— 「진해, 사랑」 전문

# 저희들 마음대로 깔고 뭉개는 내 고향마을
## ―「포클레인이 짓밟고 간 고향집에서 ― 막은골 이야기」

  사범학교를 나온 아버지는 40년을 넘게 교직에서 근무했다. 초등학교 교장으로 정년퇴직을 한 아버지는 폐가나 다름없는 고향의 양철집을 허물고 새로 예쁜 양옥집을 지었다. 본래의 양철집도 직접 지었으니 아버지가 손수 지은 집으로는 두 번째였다. 물론 어머니의 뜻은 이와 달랐다. 어머니는 도시의 아파트에서 편하게 살고 싶어 했다. 아버지와는 달리 어머니는 현실주의자였다.

  우리 형제들이 대도시로 나와 공부를 마치고 각기 제금을 나기까지는 꽤 많은 시간이 걸렸다. 오랫동안 비워둔 고향의 양철집은 매우 낡아 있었다. 내가 중학교 2학년이 되던 해에 지은 것이 이 양철집이었다. 40여 년 넘게 이 세상에 서 있다가 사라진 것이었다. 이 양철집에서 나는 사춘기를 맞았고, 재수를 했고, 철이 들었다.

  양철집은 비가 올 때 좋았다. 양철집 누다락에서 듣던 빗소리라니! 물론 빗소리는 뒤꼍의 대숲에서 들을 때도 좋았다. 그래서일까. 양철집을 허물고 예쁜 양옥집을 지을 때도 마냥 좋지만은 않았다. 아버지는 말끝마다 따뜻한 물로 샤워를 할 수 있는 집이라고 강조했다. 온수가 나오는 목욕탕이 딸린 집이라는 뜻이었다. 그래도 나는 무언가 자꾸 아쉬웠다.

예쁜 양옥집을 지은 뒤 아버지는 이내 대전에서의 아파트 생활을 청산했다. 고향의 새 집으로 이사를 한 뒤 아버지는 정원을 가꾸는 일로 몇 년을 보냈다. 아주 넓지도 않고 아주 좁지도 않은 정원은 작은 숲이었다. 아버지는 그곳에 온갖 나무를 다 심었다. 감나무, 소나무, 모과나무, 잣나무, 살구나무, 매화나무, 앵두나무, 진달래, 개나리……. 봄이면 온갖 꽃이 피어 집을 덮었다.

아버지는 그동안 남에게 맡겼던 논과 밭도 되찾아 직접 농사를 지었다. 농사에 재미를 붙인 아버지는 마을 옆으로 흐르는 모듬내의 하천부지를 다듬어 고구마나 동부, 콩나물 콩 등을 심기까지 했다. 아버지의 터무니없는 욕심 때문에 어머니는 더러 짜증을 내기도 했다. 아버지는 농사일이 너무 재미있다며 내게도 정년퇴직을 대비해 농사일을 배워 두라고 말하며 너털웃음을 웃고는 했다.

또한 아버지는 수석을 좋아했다. 아버지는 집안 가득 온갖 돌들을 모아 전시하고 바라보는 것을 즐겼다. 어떤 돌은 호피석이라고 했고, 어떤 돌은 국화석이라고 했다. 어떤 돌은 산수석이라고 했고, 어떤 돌은 강수석이라고 했다. 어떤 돌은 문양석이라고 했고, 어떤 돌은 인물석이라고 했다. 안방에도 거실에도 기기묘묘한 돌들이 가득했다. 그뿐만이 아니라 정원에도 이런저런 수석들이 가득했다. 정원의 돌들은 크기는 하지만 귀하지는 않는 듯싶었다. 구경을 오는 사람들마다 벌린 입을 다물지 못하고 놀라워했다.

그뿐만 아니라 아버지는 온갖 새들도 키웠다. 새로 지은 양옥집의 대문을 열고 안으로 들어가면 오른쪽 끝에 철망으로 만든 2층짜리 커다란 닭장이, 아니 새장이 우뚝 있었다. 철망으로 만든 새장, 10여 평은 족히 넘는 이 새장에는 온갖 기기묘묘한 새들이 살고 있었다.

오골계, 꿩, 공작새, 비둘기, 앵무새, 원앙새, 메추라기……. 새장에는
이 밖에도 별별 이름 모를 새들로 가득했다.

꽃처럼 예쁘고 신기한 이들 새들은 알을 많이 낳았다. 늦은 아침에
새장에 나가 보면 메추리알만한 알들이 너무 많아 줍기가 벅찰 정도였
다. 어머니는 계란 대신 이 꽃새들의 알로 반찬을 만들고는 했다.
아버지는 볕 좋은 안채 앞에 또 다른 새장을 짓고 알전구를 여러
개 매달아 부화장으로 쓰기도 했다.

거듭되는 이러한 노동은 아버지의 육체를 금방 피폐하게 했다. 당뇨
합병증이 심해지자 아버지는 자주 병석에 누웠다. 더러는 병원에 입원
을 하기도 했다. 그럴 때마다 아버지는 농담처럼 말했다.

"공부만 하지 말고 너도 취미를 좀 갖거라. 수석, 어떠냐? 내가
없어도 수석 잘 보관할 수 있겠냐?"

"걱정하지 마세요. 저도 수석 좋아하잖아요."

"정년퇴직하면 너도 고향에 들어와 살아라. 내가 이 집을 도시의
아파트 못지않게 살기 편하도록 만들어 놨다. 너도 고향으로 들어와
살 거지?"

"그럼요. 저도 고향으로 돌아와 살 거예요. 걱정 말고 건강이나
먼저 추스르세요. 옆 마당의 잔디가 너무 좋네요."

아버지가 이러한 말을 하는 것 자체가 수상하기는 했다. 설마설마
했는데 이러한 말을 자주하더니 아버지는 끝내 저승으로 가셨다. 변변
한 유언조차 남기지 않아 장남인 나는 한동안 노심초사해야 했다.
무엇보다 시끄러운 소리, 나쁜 소리가 나는 집안이 되어서는 안 된다는
강박관념이 심했다.

정년퇴직을 하면 정말 나는 뒤도 돌아보지 않고 고향집으로 직행하

려 했다. 서울이나 대전의 친구들이 그립겠지만 그래도 나는 일단 고향집으로 돌아가고 볼 참이었다. 너무 외로우면 대전이나 서울로 다시 이사를 가면 될 일이었다.

내가 맨 처음 고향을 떠난 것은 중학교 때였다. 읍내에 있는 중학교에 가기 위해 고향을 떠난 이래 평생을 두고 나는 공주와 대전과 서울과 광주를 떠돌아다녔다. 떠돌아다니며 나는 공부를 했고, 사유를 했고, 글을 썼다. 언제 제대로 한번 느긋하게 틀어박혀 공부를 하고, 사유를 하고, 글을 쓴 적이 없었다. 길 위에서 공부를 하고, 길 위에서 사유를 하고, 길 위에서 글을 쓴 것이 대부분이었다. 밥도 길 위에서 먹고, 잠도 길 위에서 잘 때가 많았다. 어머니는 사주팔자에 역마살이 끼어 그렇다고 했다.

그때마다 나는 생각했다. 이은봉! 조금만 더 참아라. 얼마 안 남았다. 곧 고향으로 돌아갈 수 있을 거다. 하지만 어느 날 내 이러한 바람은 일거에 무너지고 말았다. 내 고향마을 막은골[杜谷]의 주변에 대한민국 정부가 행정중심복합도시(행복도시)를 세운다는 것이었다.

아뜩했다. 돌아갈 고향이 없어진 셈이었다. 맨 처음 이곳에 행복중심복합도시를 세우겠다고 나선 것은 노무현 정부였다. 행복중심복합도시는 이내 세종특별자치시라는 촌스러운 이름으로 불렸다. 공식적인 행정지명을 그렇게 정한 것이었다. 이 나라의 윗대의 조상들 중에 내세울 만한 사람이 이분밖에 없는가.

나는 고향이 없어지는 것이 싫었다. 그래서 고향을 없애는 일에 앞장서는 노무현 정부도 싫었다. 싫을 때마다 나는 나를 탓했다. 너 정말 이기주의자이구나. 제 고향밖에 모르다니! 국가의 백년대계를 추진하는 정부를 싫어하다니!

노무현 정부가 들어선 이후였다. 주말에 고향집에 가면 하루 종일 헬리콥터가 하늘을 귀찮게 하는 것이 보였다. 얼마간 시간이 지나자 이윽고 정부는 집과 땅을 내놓고 이사를 가라고 윽박질렀다. 이러한 정부가 싫었지만 이런저런 체면 때문에 나는 싫어도 싫다고 하지를 못했다. 어쩔 수 없이 나는 고향의 집과 땅을 정부에, 토지공사에 팔았다. 너무나 헐값이었다. 설움을 삭이고 마음을 곧추세우기까지는 제법 많은 시간이 걸렸다.

이미 정부의, 토지공사의 소유가 되어 있었지만 고향마을과 고향집은 언제나 그리움의 대상이었다. 보상 형식의 판매대금을 받은 뒤에도 너무 아쉬워 틈이 날 때마다 나는 고향마을과 고향집에 들르고는 했다. 그러던 어느 날이었다. 자동차를 몰고 고향마을 근처를 지나던 길이었다. 습관적으로 나는 고향집 쪽으로 자동차의 핸들을 꺾었다. 고향집 앞에 서자 정신이 아찔했다. TV나 영화에서 보던 폐허의 모습이 거기 함부로 널브러져 있었다. 충격이 너무 크다 보니 마음속에서 나도 모르게 시라는 이름의 글자들이 마구 흘러나왔다.

시멘트 블록으로 낮게 쌓아올린 담벼락, 함부로 무너진 채 여기저기 널브러져 있다 왼편 언덕 바윗덩어리 축대까지 제멋대로 뒤집혀져 있다

잽싸게 다 캐 가버린 소나무, 잣나무, 매실나무, 모과나무, 자두나무, 감나무, 후박나무…… 아예 단풍나무와 영산홍은 뿌리째 뽑혀 나뒹굴고 있다

포클레인의 뜨거운 주둥이가 제멋대로 툭툭 쳐댔으리라 그놈의 불
덩이 주걱턱이 한꺼번에 주르륵 밀어붙였으리라

폐허! 1920년대 초를 풍미한 문예지의 이름이 아니다 영화에서나
보던 폐허가 실제로 이곳에 펼쳐져 있다니

이곳, 충남 공주군 장기면 당암리 245번지 막은골, 나 태어나 자란
고향집, 고향집이 지금 구부러진 철근에 목을 매단 채 시멘트 덩어리로
버둥거리고 있다.
　　—「포클레인이 짓밟고 간 고향집에서—막은골 이야기」전문

　하루 종일 헬리콥터가 하늘을 귀찮게 할 무렵이었다. 이제 고향마을
과 고향집이 없어지는 것은 분명했다. 없어지는 것은 단지 고향마을과
고향집만이 아니었다. 고향마을 고샅마다 숨어 있는 수많은 이름도,
이야기도 사라져버릴 것이었다. 이야기 중에는 신화와 전설과 민담도
있었다. 심지어는 오지랖 넓은 과수댁 정씨 이야기도, 좀 모자란 상영이
이야기도, 손버릇 나쁜 은골댁 이야기도, 바람둥이 재마 형 이야기도,
재동 씨의 상엿소리도, 이 양반 각시 황우재 댁의 길쌈노래도 사라져버
릴 것이었다.
　생각해 보니 내게도 영영 사라져버리는 고향마을과 고향집을 위해
무언가 해야 할 일이 있을 듯싶었다. 화가인 임재일은 연기군 남면의
면소재지인 종촌에서 무슨 설치미술 작업을 기획하고 있는 듯했다.
사라져가는 종촌의 풍물들을 위해 일종의 제의를 준비하는 듯도 싶었
다. 나는 그냥 고향마을과 고향집의 이야기를 시로 기록하기로 했다.

미처 시가 못되어도 좋았다. 이들 이야기로부터 심리적인 거리를 갖기는 물론 쉽지 않았다. 위의 시에 이런저런 감정이 과도하게 묻어 있는 것도 그 때문일 터였다.

2007년 겨울, 대통령 선거운동 기간 동안 이명박 후보는 "국민 여러분 경제, 꼭 살리겠습니다"라고 속삭였다. 이 말을 믿고 어리석은 국민들은 이명박 후보를 대통령으로 뽑았다. 이명박 정부가 들어선 지 채 2년이 안 되었을 때였다. 공주 출신의 정운찬 서울대학교 전 총장이 이명박 정부의 국무총리가 되었다. 정부에, 토지공사에 집과 땅을 팔고 난 뒤 겨우겨우 설움을 달래고 있던 때였다.

정운찬 총리가 느닷없이 한마디 내질렀다. 행정중심복합도시에서 행정중심을 **빼고** 그냥 복합도시로 세종특별자치시를 만들겠다고 말이다. 이를 가리켜 다들 이명박 대통령을 대신해서 하는 말이라고 했다. 비겁하게 총리를 시켜 자신의 뜻을 펴려고 한다면서 기분 나쁘게 생각하는 사람이 적지 않았다. 나도 왠지 기분 좋게 생각되지 않았다.

당연히 대전과 충남을 중심으로 나라 전체가 크게 요동을 쳤다. 이미 법으로 정해진 것을 실행하지 않겠다고 하니 이곳 사람들에게는 참 어이없는 일로 보였다. 행정중심복합도시법을 통과시킬 때 앞장을 섰던 박근혜 의원도 한마디 툭 내던졌다. 나라 전체가 더 크게 요동을 쳤다. 정치적인 이해득실에 대해 말이 많았다. 누대를 살아온 내 고향 땅에 새로 세워지는 세종특별자치시를 두고 누가 무슨 정치적인 음모를 꾸미고 있는 것인가. 누구는 누구를 도려내기 위한 정치적인 술수라고 했다.

이곳 원주민으로서는 그저 복창이 터질 일이었다. 누가 행정중심복합도시를 만들어 달라고 했나. 아니, 누가 행정중심복합도시에 '행정중심'을 넣어 달라고 했나. 저희들 마음대로 넣었다가 저희들 마음대로 빼겠다고 하니 원주민으로서는 미칠 노릇이었다. 저희들 마음대로 깔고 뭉개는 내 고향마을만 불쌍하고 딱하고 한심했다. "포클레인의 뜨거운 주둥이가 제멋대로 툭툭 쳐"대 이미 엉망진창으로 무너져버린 내 고향집만 안쓰러웠다. (2009)

# 죽음의 늪을 건너는 법
— 제6시집 『길은 당나귀를 타고』에 대해

  인류는 지금 '자본주의적 근대'라는 역사의 한 시기를 살아가고
있다. 그렇다. 자본주의적 근대는 '역사의 한 시기'이다. 따라서 언젠가
는 자본주의적 근대 이후의 또 다른 '역사의 한 시기'가 오기 마련이다.
누군가는 좀 더 적극적으로 '자본주의적 근대 이후의 세상'을 준비하고
맞이하지 않을 수 없는 까닭이 바로 여기에 있다. 여기서 말하는 '자본주
의적 근대 이후의 세상'이 이미 실패한 것으로 판명된 실물 사회주의의
세상이 아니라는 것은 불문가지이다.
  자본주의적 근대와 관련해 내가 이러한 생각을 하기 시작한 것은
1990년대 후반부터인 듯싶다. 이른바 세기말을 거치면서 이러한 내
생각은 조금씩 진전이 되지 않았나 싶다. 물론 이러한 내 생각은 일종의
몽상이나 공상일 수도 있다. 하지만 이렇게 시작된 몽상이나 공상은
지금도 계속되고 있다.
  어쩌면 오늘의 인간이 지니고 있는 자질로는 거의 불가능한 것이
자본주의적 근대 이후의 삶에 대한 꿈, 즉 근대 극복에 대한 꿈인지도
모른다. 지금의 인간이 갖고 있는 여러 자질과 너무도 잘 어울리는
것이 자본주의적 근대라는 오늘의 사회경제체제이기 때문이다. 그럼
에도 불구하고 지금의 이 자본주의적 근대라는 사회경제체제는 행복의

기제이기보다는 고통의 기제인 것이 사실이다. 따라서 근원적인 행복을 되묻는 사람이라면 누구라도 고통의 기제인 현재의 이 사회경제체제를 극복하기 위해 꿈을 꾸는 것이 당연하다.

새삼스러운 이야기이지만 나는 추상적인 '인간'이 아니라 구체적인 '시인'이다. 시인은 언제나 불가능한 것을 꿈꾸는 사람이다. 그렇다면 시인으로서의 내가 이른바 '근대 극복의 꿈'을 실현하기 위해 할 수 있는 일은 무엇인가.

자본주의 이후의 사회, 곧 탈근대의 사회를 준비하고 맞이하는 일은 물질의 영역에서도 필요하지만 정신의 영역에서도, 정서의 영역에서도 필요하다. 시인인 나는 물질의 영역과는 제법 멀리 떨어져 살고 있다. 이미 나는 자본이라는 물질의 영역보다는 시라는 정서의 영역과 밀착해 살고 있다는 뜻이다.

이러한 이유만으로도 시인으로서 내가 할 수 있는 것은 정서의 영역에서 근대를 극복하는 일일 수밖에 없다. 정서의 영역에서 근대를 극복하는 일이란 무엇인가. 일단은 정서의 영역에서 근대를 극복하는 일도 근대를 비판하는 일에서 시작되기 마련이다. 이때의 근대는 당연히 합리성과 과학성에 토대를 둔 산업의 근대, 발전의 근대를 가리킨다.

세상에는 아직도 근대의 정서에 적응하지 못하는 사람이 많다. 심지어는 근대의 정서에 이르지 못한 사람도 있다. 따라서 근대의 정서를 완성하지 못한 사람이 많은 것은 당연하다. 형편이 이러한데 어떻게 근대의 정서를 극복한다는 말인가.

강조하건대 나는 시인이다. 시인으로서 근대 이후의 세계를 준비하고 맞이하기 위해 내가 할 수 있는 일은 무엇인가. 아무래도 근대의 정서를 깊이 있게 탐구하는 것 외에는 달리 길이 없을 듯싶다. 시인이야말로 정서에 대해서는 전문가가 아닌가. 여기서 말하는 근대의 정서를 너무 어렵게 받아들일 필요는 없다. 근대의 정서라는 것이 실제로는 지금 이곳에서 사는 사람들의 움직이는 마음, 유동하는 감정을 뜻하기 때문이다.

이 땅에 명실공히 민주정부가 들어선 것은 1998년 3월 이후부터이다. 1998년 3월 이후라면 세기말이다. 세기말을 거치면서 어김없이 나도 남들처럼 그 특유의 정서, 곧 환멸과 절망을 경험한다. 무슨 운명처럼 나도 근대적 정서를 생생하게 체험할 수 있는 기회를 갖게 된 것이다. 죽음의 늪에 빠져 고독, 소외, 상실, 환멸, 염증, 피곤, 절망, 불안, 초조, 공포, 설움, 우울, 침통, 싫증, 짜증, 권태, 나태의 날들을 살았기 때문이다.

죽음의 늪으로 나를 밀어 넣은 것은 대의大義의 탈을 쓴 지극히 사적이고 개적個的인 욕망들이다. 이들 사적이고 개적個的인 욕망들 또한 역사에서 실재했던 것들이다. 이렇게 말하고 있는 나의 몽상이나 공상조차 나는 '역사를 사는 일'이라고 생각한다. 역사라는 것이 언제나 집단주체의 소유물만은 아니지 않은가. 터무니없이 사적이고 개적인 욕망들도 역사적 현재의 산물이라는 것을 잊어서는 안 된다.

역사를 사는 일이란 무엇인가. 당연히 역사를 사는 일은 역사를 만드는 일이다. 마땅히 지금 오늘 역사를 만드는 일은 근대를 만드는 일이다. 근대를 만드는 일에 앞장을 서는 시인들은 많다. 한반도의 통일운동에 힘을 보태는 시인들도 그들 중의 하나이다. 통일된 민족국가를 건설하는 일, 오늘에 이르러서는 그것도 근대를 만드는 일일 뿐만이 아니라 근대를 완성하는 일이기도 하다.

근대를 완성하는 일은 역사를 사는 일이다. 그럼에도 불구하고 지금 나는 별로 역사를 살고 싶지 않다. 역사를 사는 일이 이제 내게는 낡은 것으로 받아들여질 때가 있다. 이제 역사를 사는 일은 정치인이나 경제인에게 맡겨 두는 것이 좋지 않을까. 나는 정치인이나 경제인이 아니라 시인이다. 언제부턴가 시인으로서 나는 역사를 살고 싶지 않다. 역사를 살고 싶기보다는 역사와 경쟁하고 싶다.

역사와 경쟁하고 싶다니? 역사와 경쟁하고 싶다는 것은 역사 밖을 살고 싶다는 뜻이다. 역사 밖을 살고 싶다는 것은 근대 밖을 살고 싶다는 뜻이다. 근대 밖을 살고 싶다는 것은 근대라는 시간을 극복하고 싶다는 뜻이다. 이는 결국 시간 밖을 살고 싶다는, 곧 무시간의 세계를 살고 싶다는 것이기도 하다.

무시간의 세계는 주술과 마법과 신화의 세계이다. 주술과 마법과 신화의 세계는 비이성적이고 비합리적인 환상의 세계이다. 이러한 세계는 당연히 반근대反近代의 세계이다. 반근대反近代의 세계를 살고 싶다는 말을 전근대, 곧 근대 이전의 세계를 살고 싶다는 말로 오해해서는 안 된다.

반근대의 세계는 탈근대의 세계이다. 탈근대의 세계는 근대 밖의 세계이다. 근대 밖의 세계는 근대 앞의 세계이거나 근대 옆의 세계이기도 하다. 탈근대의 세계가 근대 이후의 세계, 근대 다음의 세계를 가리킨다면 더욱 좋다. 근대 밖의 세계를 근대 앞의 세계라고 해도 나쁠 것은 없다. 근대 앞의 세계는 중세의 세계이기도 하지만 시원의 세계이기도 하다. 시원의 세계는 '오래된 미래'의 세계이다. 오래된 미래의 세계는 인간이 끝내는 도달해야 할 주술과 마법과 신화의 세계이다.

주술과 마법과 신화의 세계에는 모든 존재들이 자유롭게 통합되어 있다. 자유롭게 통합되어 있는 세계에는 긴장은 있지만 억압은 없다. 긴장은 있지만 억압은 없는 세계는 활기로 넘친다. 활기로 넘치는 세계에서는 모든 생명들이 자연스럽게 탄생하고, 성장하고, 소멸한다.

이러한 세계는 궁극의 세계이다. 궁극의 세계는 시간 밖의 세계이다. 시간 밖의 세계는 무시간의 세계이다. 무시간의 세계는 시간이 없으면서도 있는 세계이고, 있으면서도 없는 세계이다. 시간이 있으면서도 없는 세계는 시간이 있더라도 시간을 지각하지 못하는 세계이다.

시간을 지각하지 못하면 죽음을 지각하지 못한다. 죽음을 지각하지 못하는 세계에서는 죽음의 정서, 곧 고독, 소외, 상실, 환멸, 염증, 피곤, 절망, 불안, 초조, 공포, 설움, 우울, 침통, 싫증, 짜증, 권태, 나태 등의 정서가 태어나지 못한다.

이러한 세계는 흔히 에덴이라는 이름의 파라다이스로 상징된다. 이때의 파라다이스를 반드시 과거의 공간으로 받아들일 필요는 없다. 실제로는 지금 이곳의, 나아가 내일 저곳의 상상 속에 존재하는 세계가 파라다이스이기 때문이다. 과거의 파라다이스는 언제나 이처럼 미래의 유토피아로 존재한다.

파라다이스는 유토피아에의 의지가 만들어낸 상상의 공간일 따름이다. 유토피아에의 이상이 없으면 파라다이스에의 이상도 없다. 기표는 달라도 기의는 같은 것이 파라다이스와 유토피아이다.

파라다이스나 유토피아는 상상의 공간 안에서나 가능해진다. 이때의 상상의 공간은 시간 밖의 초월의 공간으로 전이되기 쉽다. 초월의 공간은 도피의 정신기제를 바탕으로 하기 일쑤이다. 초월의 공간이 도피의 정신기제로 존재하는 것은 제대로 된 고뇌가 있지 않기 때문이다. 제대로 된 고뇌가 있지 않고서는 바르고 옳게 상상되지 않는 것이 파라다이스이고 유토피아이다. 제대로 된 모든 고뇌는 오늘의 현실에 대한 깊은 성찰과 반성에서 비롯되기 때문이다. 깊은 성찰과 반성의 과정에 태어나는 것이 정작의 파라다이스이고 유토피아라는 뜻이다.

앞에서도 말했듯이 시인으로서 지금 내가 성찰하고 반성하고 있는 것은 사람들의 정서이다. 상상의 공간에서라도 파라다이스와 유토피아를 꿈꾸기 위해서는 오늘을 사는 사람들의 정서를 문제로 삼아야 한다.

정서는 사물보다는 감각에 가깝다. 정서는 사실보다는 의식에 가깝다. 정서는 객관보다는 주관에 가깝다. 최근 들어 내가 객관적인 사물이나 사실보다는 그것들에게서 비롯되는 주관적인 감각이나 정서(감정), 의식에 대해 좀 더 관심을 갖는 것은 바로 이 때문이다. 이러한 연유로 요즈음 들어 나는 시적 대상을 객관적인 타자보다 주관적인 자아로 옮겨온 바 있다. 주관적 자아는 주관적 정서를 바탕으로 할 수밖에 없다. 주관적 정서는 이른바 개성의 산물이다.

개성의 산물인 주관적 정서를 개혁하는 일은 주관적 자아를 개혁하는 일이다. 주관적 자아를 개혁하는 일은 올바른 자아, 곧 참 '나'를 찾는 일이다. 오늘 지금 주관적 정서를 개혁하는 일, 곧 올바른 자아, 참 '나'를 찾는 일은 근대적 정서를 개혁하는 일이다. 나는 나이면서 너이고, 그이고, 곧 세계이기 때문이다. 일즉다一則多, 다즉일多則一! 나는 세계, 세계는 나! 따라서 지금 이 세계의 정서, 곧 근대적 정서를 개혁하는 일은 근대 밖을, 자본주의 밖을 꿈꾸는 일이 된다.

앞에서도 말한 것처럼 근대적 정서는 고독, 소외, 상실, 환멸, 염증, 피곤, 절망, 좌절, 불안, 초조, 분노, 공포, 설움, 우울, 침통, 싫증, 짜증, 권태, 나태, 무료 등이다. 이들 정서는 생명의 정서가 아니라 죽음의 정서이다. 이들 정서는 살림의 정서가 아니라 죽임의 정서이다. 나날의 일상을 죽음의 늪으로 만드는 것이 이들 정서이다. 오늘 지금의 삶을 죽음으로 체험하게 하는 것이 이들 정서이다. 실제로는 오늘 지금의 삶이, 나날의 일상이 이들 정서, 죽음과 죽임의 정서를 낳는다고 해야 할는지도 모른다.

지금의 이 사회, 즉 자본주의적 근대의 이 사회에는 언제나 죽음과 죽임의 정서로 가득 차 있다. 서로가 서로를 물어뜯고 할퀴며 만드는 정서가 다름 아닌 죽음과 죽임의 정서이다. 이들 정서로부터 해방되지 않고서는 상상의 공간 안에 근대의 밖을 만들기 어렵다. 이러한 이유만으로도 이들 정서를 꼼꼼하고 정밀하게 시로 담아내는 일은 중요하다. 시를 통해 이들 정서의 전모를 좀 더 실감 있게 드러낼 때 그것들이 갖는 의미를 더욱 정확히 알 수 있기 때문이다.

실제의 경험을 토대로 내가 이들 죽음과 죽임의 정서를 시에 담기 시작한 것은 1999년 중반부터이다. 2005년 2월에 간행된 이번의 시집 『길은 당나귀를 타고』는 바로 그때 이래의 죽음과 죽임의 정서를 담고 있다. 이 시집의 전체적인 분위기가 별로 밝지 못한 것도 이와 무관하지 않다.

자본주의적 근대를 살아가는 사람들의 정서는 겉으로 드러나는 것과는 달리 매우 복잡하다. 마음 안에 고독, 소외, 상실, 환멸, 염증, 피곤, 절망, 불안, 초조, 공포, 설움, 우울, 침통, 싫증, 짜증, 권태, 나태 등의 정서가 착종되어 있기 때문이다. 이처럼 서로 뒤섞여 있는 이들 정서는 흔히 '위험 사회'라고 불리는 자본주의적 근대의 삶이 만드는 온갖 질병과 질환에서 비롯된다.

한 인간이 지니는 정서의 질과 결은 자기 자신의 의지에 의해 주체적으로 생성되고 결정되는 것이 아니다. 한 인간이 지니는 정서의 질과 결은 자기 자신이 그때그때 겪는 체험과 더불어, 체험이 퇴적되면서 생성되고 결정되는 것이다. 시집 『길은 당나귀를 타고』의 시들에 담겨 있는 이런저런 정서의 질과 결도 그동안의 삶을 살아오면서 겪은 생생한 체험으로부터 기인한다.

자본주의적 근대의 삶은 과잉 조장된 욕망으로 가득 차 있다. 과잉 조장된 욕망은 어떤 형태로든 나날의 삶에 상처를 남긴다. 이때의 상처가 죽음과 죽임의 정서를 만드는 가장 주요한 원인이라는 것을 알아야 한다. 내가 이번 시집 『길은 당나귀를 타고』에서 자주 과잉 조장된 욕망을 문제로 삼고 있는 것도 다름 아닌 이러한 이유에서이다.

이 시집에서 내가 죽음과 죽임의 정서에 대해 주목한 것은 역설적이기는 하지만 생명과 살림의 정서에 대해 강조하기 위해서이다. 이를 가리켜 근대적 정서에 대한 탐구를 통해 탈근대적 정서에 대해 꿈꾸고 있다고 해도 좋다.

어쩌다 보니 정서 타령을 너무 많이 한 듯도 싶다. 정서도 정서이지만 이 시집에는 답답하고 폭폭한 오늘의 자본주의 현실을 살아가며 깨닫는 이런저런 소식小識이나 지혜, 의지 등도 깊이 담겨 있다. 물론 그것들이 이 시집에 일정한 유형별로 묶여져 있지는 않지만 말이다.

이 시집의 표제시인 「길은 당나귀를 타고」에서 '당나귀'는 시를 상징하고, '길'은 시에 담긴 소식小識이나 지혜智慧, 의지意志 등을 상징한다. 여기서 말하는 소식이나 지혜, 의지 등은 진리眞理나 도道, 정의正義 등으로 치환되어도 무방하다.

오늘의 세계에서는 진리나 도, 정의 등이 실제로 존재하는지조차 알기 어렵다. 하지만 그것들이 실제로 존재한다고 신을 믿듯이 믿으며 그것들이 구체적으로 실현될 수 있는 세계, 곧 근대 밖을 향해 더듬거리며 떠나는 것이 시의 길이다. 회의하고 방황하며 떠나는 이 길은 당나귀를 타고 가는 것처럼 지루할 수밖에 없다. 이때의 여정旅程이 분명히 앞을 향해 열려 있다고 믿기는 하지만 말이다.

이 시집 『길은 당나귀를 타고』에는 모두 69편의 시가 실려 있다. 69는 시인 이상李箱이 1935년 서울 종로에 열었던 다방의 이름이기도 하다. 그와 관련해 대부분 사람들은 69라는 숫자의 의미부터 궁금해한다. 그들이 이 69라는 숫자에서 가장 먼저 떠올리는 것은 섹스이다. 섹스는 분리된 것들끼리의 일치, 곧 합일을 뜻한다는 점에서 곧바로 서정시의 본질과 통한다.

본질적으로 서정시는 하나의 세계를 꿈꾼다. 물론 정작의 하나의 세계는 둘이면서도 하나인 세계이다. 둘이면서도 하나인 세계는 '불이不二의 세계'이다. 이른바 '불일이불이不一而不二'의 세계 말이다. '불이의 세계'는 시간이 있으면서도 없는 세계이므로 무시간의 세계라고 할 수 있다.

무시간의 세계는 시간 밖의 세계이다. 시간 밖의 세계는 역사나 문명 밖의 세계, 곧 시원의 세계이다. 시원의 세계는 주술과 마법과 신화의 세계이다. 주술과 마법과 신화의 세계는 활기가 넘치는 신생의 세계이다. 이 신생의 세계는 오늘의 눈으로 보면 비현실적인 환상의 세계일 수도 있다. 나는 이러한 뜻에서의 환상을 이번 시집 『길은 당나귀를 타고』에 적극적으로 수용하고 있다.

이러한 점에서 생각하면 69라는 숫자는 분열과 파괴로 가득 차 있는 자본주의 밖의 세계, 곧 근대 밖의 세계에 대한 꿈을 담고 있다. 좀 더 상상력을 보태면 69라는 숫자는 섹스로 구체화되는 순환하는 원을 상징하기도 한다. 이때의 원은 나선형으로 순환한다. 나선형으로 순환하는 원은 기본적으로 음에서 양으로 진행한다.

6은 음이고, 9는 양이다. 6은 -이고, 9는 +이다. -는 무無고, +는 유有다. 무는 결핍이고, 유는 충족이다. 결핍은 공空이고 충족은 색色이다. 따라서 69는 -+이고, 무유無有이고, 공색空色이다. 당연히 6즉9는 -즉卽+이고, 무즉유無卽有이고, 공즉색空卽色이다. 그러므로 공즉색空卽色이 순환하는 원인 것처럼 6즉9도 순환하는 원이다.

순환하는 원은 태극이다. 태극은 무극이다. 음에서 양으로, 양에서 음으로 순환하는 무극즉태극無極卽太極에서는 항상 에너지, 즉 기氣가 생성된다. 이때의 기氣는 죽음과 죽임의 정서가 아니라 살림과 생명의 정서이다. 살림의 활기活氣! 생명의 활기! 따라서 순환하는 원, 즉 무극즉태극無極卽太極의 안에는, 그것의 내부에는 어떤 그윽한 영혼이, 비의의 생명이, 곧 신神이 살 수밖에 없다. 이를테면 어머니의 자궁처럼 신비로운 역할과 작용이 살아 있는 공간이 69의 세계인 셈이다.

물론 이러한 운산運算은 시적 상상 속에서나 가능하다. 상상으로 펼쳐내는 시원의 세계, 곧 마법과 주술과 신화의 세계에서나 가능한 환상이 이러한 운산이다. 이번 시집 『길은 당나귀를 타고』에는 이러한 운산이 「섬」으로 시작해 「무인도」로 끝나는 방식으로 담겨 있다.

먼저 「섬」의 전문부터 읽어 보자


스스로의 生 지키기 위해
까마득히 절벽 쌓고 있는 섬


어디 지랑풀 한 포기

키우지 않는 섬

눈 부릅뜨고 달려오는 파도
머리칼 흩날리며 내려앉는 달빛

허연 이빨로 물어뜯으며

끝내 괭이갈매기 한 마리
기르지 않는 섬

악착같이 제 가슴 깎아
첩첩 절벽 따위 만들고 있는 섬.

—「섬」 전문

　　이 시 「섬」에는 사람이 살지 않는다. 「섬」은 고독과 소외의 표상이다.
「무인도」도 사람이 살지 않기는 마찬가지이다. 하지만 「무인도」에는
사람에 대한 그리움이 있다. 사람에 대한 탄식이 있다. 이러한 점에서
「섬」은 無이고, -이고, 음이고, 空이다. 「무인도」는 有이고, +이고,
양이고, 色이다.
　　이러한 이유로 이번 시집의 「섬」에서 「무인도」까지의 시들은 혼돈이
면서 질서, 곧 카오스모스일 수밖에 없다. 물론 이들 각각의 카오스모스
는 그 나름의 깨달음을 지니고 있다. 이때의 깨달음은 고독, 소외,
상실, 환멸, 염증, 피곤, 절망, 불안, 초조, 공포, 설움, 우울, 침통,
싫증, 짜증, 권태, 나태 등의 정서와 함께하고 있다는 점에서 자본주의적

근대를 비판하고 극복하려 애쓴다. 그렇게 근대 밖을 꿈꾼다.

졸시집 『길은 당나귀를 타고』(실천문학사, 2005)에는 대강 이러한 정도의 운산이 담겨 있다. 이 시집의 맨 마지막에 실려 있는 시 「무인도」를 함께 읽으며 글을 맺기로 한다. (2005)

무인도는 밤새 이글대는 불덩어리로 앓았다
너무 뜨거워 그만 바닷물 속으로
제 몸 담가버리고 싶었다 눈감고 편안히
잠들어버리고 싶었다 처음 제 몸
물 밖으로 밀어 올렸을 때는
자신이 일구는 풀과 나무가
신의 축복인 줄 알았다 그런 마음으로
제 몸 가득 숲을 키우며 무인도는
새와 짐승들 불러들였다 天命을 아는
시간을 살고 나서야 무인도는
제 몸이 싫어지기 시작했다 이마며 목덜미를 덮는
괭이갈매기들의 저 더러운 똥들이라니?
사람들이 살고 있지 않으니 누구 하나
씻어 주지를 않았다 냄새나는 제 마음이 싫어
무인도는 밤새 이글대는 불덩어리로 앓았다.

　　　　　　　　　　　　　　　　　—「무인도」 전문

# 죽음의 정서들 밖으로 내는 쬐그만 창
## —제7시집 『책바위』에 대해

### 1

시를 분류하는 방식에는 여러 가지 기준이 있을 수 있다. 창작의 태도 및 심리와 관련해 '써지는 시'와 '쓰는 시'로 분류하는 것도 그 한 예이다. '써지는 시'는 자연스럽게 가슴에서 우러나오는 시를 가리키고, '쓰는 시'는 의도를 갖고 제작되는 시를 가리킨다.

얼마 전까지만 하더라도 자연스럽게 가슴에서 우러나오는 시, 즉 써지는 시가 대세였고, 상대적으로 훨씬 높이 평가되었다. 그동안은 의도를 갖고 제작되는 시, 즉 쓰는 시는 암암리에 폄하되거나 소홀히 여겨져 온 것이 사실이다. 하지만 2008년 지금에 이르러서도 이를 기준으로 시의 감동 여부나 효용 여부, 미의식 여부 등을 따지는 사람은 거의 없다. '써지는 시'와 '쓰는 시'를 기준으로 시에 대한 의미나 가치를 논의하는 것은 이미 촌스러운 일이 되어 있다.

'써지는 시', 자연스럽게 가슴에서 우러나오는 시를 좋아하는 사람은 대체로 낭만주의적 경향의 시에 호의를 갖고 있다. '쓰는 시', 의도를 갖고 제작되는 시를 좋아하는 사람은 대체로 모더니즘적 경향의 시에 호의를 갖고 있다. 따라서 '써지는 시'는 낭만주의 경향의 시라고 해도 무방하고, '쓰는 시'는 모더니즘 경향의 시라고 해도 무방하다.

자본주의적 근대가 심화되고 확장됨에 따라 '써지는 시', 가슴에서 우러나오는 시보다는 '쓰는 시', 의도를 갖고 제작되는 시가 좀 더 대세를 이루고 있다. 워즈워스 식으로 말해 흘러넘치는 감정을 담아내는 낭만주의 시는 이제 현철이나 설운도의 뽕짝만큼이나 낡은 것이 되어 있다. 오늘날 크게 히트를 하는 대중음악은 대부분 가수와 매니저, 제작자에 의해 철저하게 기획, 생산되고 있는 것들이다. 대중음악계가 그렇다고 해서 시단에서도 매 편의 시가 명확하게 기획, 생산되고 있다는 것은 아니다. 다만 이제는 시단에서도 의도를 갖고 제작되는 시, 곧 '쓰는 시'가 상대적으로 좀 더 큰 흐름을 형성하고 있다는 것을 말하려 하는 것일 따름이다.

낭만주의 경향의 시와 모더니즘 경향의 시 사이에 리얼리즘 경향의 시가 있다. 리얼리즘 경향의 시 역시 흘러넘치는 감정을 자연스럽게 담아내기보다는 의도를 갖고 제작되는 경우가 많다. 물론 한때는 혁명적 낭만주의 경향의 시가 시의 리얼리즘을 구현하는 대표적인 예로 거론된 적이 있다. 정작 중요한 것은 최근 들어 우리 시단에 리얼리즘 경향의 시라고 할 만한 것이 별로 눈에 띄지 않는다는 점이다.

의도를 갖고 시를 제작하는 사람이라면 의도를 갖고 시집도 제작하기 마련이다. 의도를 갖고 시집을 제작한다는 것에 대해 특별한 의미를 부여할 필요는 없다. 그것이 시를 고르고, 배치하고, 순서를 잡는데, 다시 말해 편집을 하는 데 일정한 가치와 기준을 적용하는 것 이상을 뜻하는 것은 아니기 때문이다.

이번에 간행한 제7시집 『책바위』를 편집하면서 나도 몇 가지 의도를 반영한 바 있다. 일단은 시집을 여는 첫 시로 「서산 마애불」을, 시집을 닫는 끝 시로 「연탄재」를 배치한 점이 그 한 예라고 할 수 있다. 「서산 마애불」은 깨달음의 환희, 해탈의 기쁨을 담으려 한 시이고, 「연탄재」
는 완벽한 희생, 소신공양의 정신을 담으려 한 시이다. 처음과 끝을
장식하고 있는 두 편의 시가 모두 불교적이니만큼 이 시집을 이루는
기본정신이 불교적이리라는 것은 불문가지이다.

제1부의 끝에 수록한 시가 「불타는 나무」이고, 제2부의 끝에 수록한
시가 「접는의자」이며, 제3부의 끝에 수록한 시가 「개미들의 집」, 제4부
의 끝에 수록한 시가 「연탄재」라는 점에도 의도는 숨어 있다. 각 부의
끝을 이루는 이들 네 편의 시가 공히 불교적 이상을 담고 있기 때문이다.

아무데나 불쑥 제 푹신한 엉덩이를 내밀어
사람들의 엉덩이를 편안하게 들어앉히는 접는의자!

사람들의 엉덩이가 앉았다 떠날 때마다
접는의자의 엉덩이는 반질반질 닦여진다

사람들이 다 돌아가고 나면 엉덩이를 들이밀고
사무실 한 구석에 우두커니 기대 서 있는 접는의자!

더는 아무데나 불쑥 제 푹신한 엉덩이를 내밀 수 없어
세상 어디에도 그에게는 제자리가 없다

제자리가 없어 더욱 마음 편한 접는의자!
엉덩이를 폈다 접으며 그는 하늘에 가 닿는다.

―「접는의자」 전문

제2부의 맨 끝에 수록되어 있는 시 「접는의자」이다. 이 시 「접는의자」와 제4부의 맨 끝에 수록되어 있는 「연탄재」에서 말하려는 것은 다르지 않다. 이들 시에서 "하늘에 닿는" '접는의자'와 "부처님 마음"을 갖고 있는 '연탄재'의 정신경지는 끊임없는 희생이 제공하는 일종의 선물이라고 해야 마땅하다. 이처럼 이들 시는 '접는의자'와 '연탄재'의 정신경지, 곧 부처님의 경지에 이르는 사람이 보여주는 지속적인 희생의 가치를 선양하려는 데 초점을 두고 있다.

지속적인 희생은 자신의 내면에 지나치게 큰 '나'를 갖고 있으면 실현이 거의 불가능하다. 타자에게로 내가 전이되는 것이 희생의 기본구조이기 때문이다. 타자의 아픔으로부터 나의 아픔을 발견하고, 내가 점차 타자에게로 옮겨 가는 형식을 취하는 것이 희생의 기본구조라는 것을 기억해야 한다.

근대의 초기와 중기까지는 모든 사람들이 '나'를 발견하고 '나'를 실현하는 데 급급했던 것이 사실이다. 하지만 지금의 이 시대, 곧 자본주의 후기(근대 후기)는 자아가 과잉 조장되고 있는 시대라고 해도 과언이 아니다. 건강한 뜻에서의 개성의 시대를 지나 과도할 정도로 흘러넘치는 '나(자아)'로 인해 많은 타자(세계)가 억압되거나 무시되고 있는 것이 오늘 지금의 현실이다.

'나'라는 것이 무엇인지도 모르는 채 과잉 조장된 '나'를 타락시키거나 부패시키기 위해 안달복달하는 것이 지금 이 시대의 인간들이다. 이 시집에 수록되어 있는 시 「고등어」, 「매화원에서」 등을 통해 불교에서 말하는 무자기無自己 혹은 무자성無自性을 노래하려 한 것도 근대적 자아가 지니고 있는 이러한 현존과 무관하지 않다. "나는 없네 나를 털어 바친 / 매화원, 꽃송이들만 앞 다투어 피고 있네 // 보게나 꽃송이들로 / 피어나는 나일세"(「매화원에서」) 등의 구절을 통해 무자기 혹은 무자성의 실재를 드러내려 했다는 뜻이다.

불교에서 무자기 혹은 무자성이라고 할 때의 자기<sup>自己</sup>나 자성<sup>自性</sup>의 바탕은 마음, 즉 심<sup>心</sup>이다. 물론 여기서의 심은 일체유심조<sup>一切唯心造</sup>의 심을 뜻한다. 자기나 자성은 심의 주체를 가리키기도 하지만 심의 내용을 가리키기도 한다. 자성을 개성<sup>個性</sup>과 관련시켜 이해하지 않을 수 없는 까닭이 바로 여기에 있다. 개성이 발현되는 바탕 또한 심, 곧 마음이기 때문이다.

이러한 논의는 무엇보다 '나'를 찾는 일과 깊이 관련되어 있다. 이때의 '나'를 찾는 일이 단순하지 않으리라는 것은 불문가지이다. 하지만 뒤죽박죽 얽혀 있을지라도 '나'와 관련해 이런저런 의문을 갖는 것은 중요하다. 의문에 대한 대답들이 모이고 쌓이다 보면 어느 날 한꺼번에 문득 갑자기 그것이 꿰뚫어질 수도 있기 때문이다. 이러한 이유에서라도 '나'와 관련된, 곧 '심<sup>心</sup>'과 관련된 다양한 논의에 깊이 주목할 필요가 있다.

많은 사람들이 칸트의 생각에 보태어 심을 구성하는 자질, 곧 마음을 구성하는 자질을 본성<sup>本性</sup>, 감성<sup>感性</sup>, 감정<sup>感情</sup>, 오성<sup>悟性</sup>, 이성<sup>理性</sup>, 영성<sup>靈性</sup>, 신성<sup>神性</sup> 등으로 나누어 이해한다. 그런가 하면 『觀 십이연기와 천부경』의 저자인 구선 스님은 이를 좀 더 간추려 본성<sup>本性</sup>, 감정<sup>感情</sup>, 감성<sup>感性</sup>, 의식<sup>意識</sup>, 의지<sup>意志</sup>로 나누어 받아들이기도 한다. 그러나 본성은 미처 실현되지 않은 무극<sup>無極</sup>이니만큼, 곧 성리학에서 말하는 성<sup>性</sup>이니만큼 논의의 대상에서 제외해야 하지 않을까 싶기도 하다.

따라서 마음을 구성하는 핵심요소는 일단 감정(감성)과 의식과 의지라고 할 수 있다. 의식과 의지는 이성의 변형된 형태이니만큼 정작 마음을 구성하는 중심요소는 감정(감성)과 이성이라고 해야 옳다. 그러고 보면 보통 사람의 마음은 본성과 감정(감성)과 이성을 주요 자질로 하고 있는 것이 된다.

맹자의 사단칠정론을 통해서도 알 수 있듯이 이성은 이理를 바탕으로 하고, 감정(감성)은 기氣를 바탕으로 한다. 이성은 상대적으로 변화와 무관無關하고, 감정感情, 감성感性은 상대적으로 변화와 유관有關하다. 기氣의 구체적인 현현이니만큼 감정(감성)이 변화를 특성으로 하는 것은 당연하다.

무자기無自己 혹은 무자성無自性이 진실인 까닭도 마음이 지니고 있는 이러한 특성과 무관하지 않다. 이때의 자기 혹은 자성이 쉽게 변화하는 감정(감성)을 바탕으로 하고 있다는 점을 유념하지 않으면 안 된다. 앞에 인용한 시에서 내가 "나는 없네 나를 털어 바친 / 매화원, 꽃송이들만 앞 다투어 피고 있네"(「매화원에서」)라고 노래하는 것도 바로 이 때문이다. 이로 미루어 보더라도 인간의 감정(감성)에 대해서는 좀 더 많은 논의가 요구되지 않을 수 없다.

## 2

어쩌다 보니 벌써 불혹不惑의 나이도 지나고, 지천명知天命의 나이도 지나고 있다. 몇 년 만 더 있으면 이순耳順의 나이에 이르게 된다. 이순耳順의 나이에 이르면 귀가 순해져, 즉 귀로 대표되는 모든 감각기관이 순해져 당연히 세계와의 관계에서 갈등이 무화無化되어야 한다. 그뿐만 아니라 조만간 '나'라는 자아 자체도 사라져야 한다. 그렇게 된 다음에야 종심從心의 나이에 이르러 나도 공자처럼 세계와 하나가 될 수 있을 것 아닌가.

물론 이러한 논의는 공자가 말한 '칠십이종심소욕불유구七十而從心所欲不踰矩'에 근거한다. '종심소욕불유구'라는 말이 내포하는 의미를 압축해 표현하면 물심일여物心一如라고 할 수 있다. 물심일여라는 말은 세계인 외물外物과 심心인 자아가, 곧 세계인 물질物質과 자아인 정신精神이 하나라는 뜻을 갖는다. 그렇다면 '마음이 하고자 하는 대로 좇아도 법도에 어긋나'지 않는 경지, 곧 '종심소욕불유구'의 경지는 세계인 '물질'과 나인 '정신'이 하나를 이루는 경지를 가리키게 된다. 공자는 개개의 주체가 다름 아닌 이러한 정신차원에 이르렀을 때를 가리켜 성聖이라고 부른다.

내 시에서의 정신차원은 당연히 이러한 경지, 곧 성聖의 경지를 목표로 한다. 그럼에도 불구하고 시인으로서 나는 아직도 온갖 의혹에 쫓기며 살고 있다. 늘 세상일에 대한 이런저런 회의가, 궁금증이 그치지를 않고 있다. 무엇보다 이는 내가 나로부터 완전히 해방되어 있지 못하고 있기 때문이다. 세상일에 의혹이 없어야, 회의가 없어야, 궁금증이 없어야 나를 버리고 도道에, 성聖에 이를 수 있는데, 여태도 나는 그렇게 하지 못하고 있는 것이다. 내가 아직도 나와 관계하는 오늘의 인간과 삶에 대해 묻고 대답하기를 멈추지 않고 있는 것도 물론 이와 무관하지 않다.

낱낱의 내 시는 이처럼 묻고 대답하는 과정에 태어난다. 시인으로서 내 마음에는 아직까지도 수많은 의혹이, 수많은 회의가, 수많은 궁금증이 가득 차 있다. 들끓는 화두와 호기심으로 쩔쩔매고 있는 것이 오늘의 '나'이다. 그리하여 오늘의 '나'는 또다시 묻고 대답한다.

인간은 정신활동을 하는 존재이다. 인간의 정신활동은 이성의 형태로 존재하기도 하고 감성(감정)의 형태로 존재하기도 한다. 정신활동을 하는 존재로서 인간은 이성을 지니고 있는 존재이기도 하지만 감성(감정)을 지니고 있는 존재이기도 하다. 감성이 구체적으로 발현되면 사람들은 흔히 그것을 감정이라고 부른다. 인간은 이처럼 이성적인 존재이기도 하지만 감정(감성)적인 존재이기도 하다. 당연히 감정(감성)은 주관과 좀 더 깊이 관련되어 있고, 이성은 객관과 좀 더 깊이 관련되어 있다.

이러한 논의는 얼핏 보편적인 인간의 정신활동 자체를 탐구하고 있는 것처럼 보인다. 하지만 실제로는 '나'라는 주관적 존재, 감정(감성)적 존재를 탐구하는 것에 지나지 않는다. 사람들은 대부분 '나'를 주관적 존재, 곧 감정(감성)적 존재라고 생각한다. 하지만 나 자신을 탐구하는 순간, 곧 나 자신을 찾고 아는 순간 나는 이미 감성(감정)적 존재가 아니라 이성적 존재가 된다. 주관적 존재가 아니라 객관적 존재가 된다. 내가 남이 될 때, 내가 타자가 될 때, 곧 내가 객관화될 때, 나는 제대로 된 나를 보고, 찾고, 알기 마련이다. 내가 타자라는 사실을 지각할 때 나는 내게 바르고 옳게 자각되는 법이라는 뜻이다. 랭보가 '나는 타자다'라고 말한 것도 바로 이러한 이유에서이다.

이 시집에서 나는 이러한 형식으로, 아니 이러한 내용으로 '나'를 탐구하고 있다. 이처럼 나는 형식이면서 내용이고, 내용이면서 형식이다. 나는 방법이면서 대상이고, 대상이면서 방법이다. 그뿐만 아니라 나는 주체이면서 객체이고, 객체이면서 주체이다. 이와 마찬가지로 나는 있으면서도 없고, 없으면서도 있다. 무심無心이면서 무상無相인 것이고, 무상無相이면서 무심無心인 것이, 즉 공즉시색空卽是色 색즉시공色卽是空인 것이 존재의 법칙이라는 것을 잊어서는 안 된다. 물론 이는 에너지와 물질과 파동이 상호 순환하는 관계에 있다는 아인슈타인의 주장과도 깊이 연결되어 있다.

그렇기는 하지만 상즉리相卽理, 심즉정心卽情이라고 할 때의 정情, 즉 감정感情에 대한 탐구는 좀 더 필요하다. 앞에서도 말했듯이 감정(감성)과 이성은 '나'라고 하는 인간의 정신활동을 구성하는 두 개의 중심축이다. 이때의 이성과 감정(감성)을 성리학적 용어로 바꾸면 이理와 기氣가 된다. 이理는 사단四端이라고도 부르고, 기氣는 칠정七情이라고도 부른다. 사단四端은 인의예지仁義禮智이고, 칠정七情은 희노애락애오욕喜怒哀樂愛惡欲이다.

인간은 사단으로 살아가는가, 칠정으로 살아가는가. 인간은 이성으로 살아가는가, 감정(감성)으로 살아가는가. 인간은 이理로 살아가는가, 기氣로 살아가는가. 인간은 인의예지로 살아가는가, 희노애락애오욕으로 살아가는가.

말할 것도 없이 인간은 이성과 감정(이성)을 동시적으로 작동시키며 살아간다. 사단과 칠정을 동시적으로 작동시키며 살아가는 것이 인간이라는 뜻이다. 그렇다. 인간은 인의예지로 살아가면서 희노애락애오욕으로 살아간다. 이는 바로 앞의 논리에 따르면 이즉기理卽氣이고, 물즉심物卽心이지 않은가.

계몽주의 이후 대부분 유럽의 지식인들은 자본주의적 근대를 이성의 시대, 합리성의 시대, 과학의 시대로 받아들인 바 있다. 자본주의적 근대에 이르러 인간의 행위가 감정(감성)보다는 이성에 의해 결정되기 시작했다고 이해해온 것이 그들이다. 심지어 하버마스는 '도구적 이성'이라는 개념까지 만들어 이성 중심의 현대사회를 비판적으로 성찰한 바 있다. 물론 하버마스의 '도구적 이성'에 대한 비판이 이성 자체를 포기하자고 하는 것은 아니다. '의사소통의 이성'이라는 개념을 만들어 여전히 이성의 가치를 존중하고 있는 것이 그이기 때문이다.

의사소통의 이성? 의사소통의 이성이라는 개념 속에는 말할 것도 없이 하버마스의 기대와 희망이 들어 있다. 그것은 삶의 실재를 현현하고 있는 개념이라기보다는 삶의 실재에 대한 기대와 희망을 담아내고 있는 개념이라는 뜻이다.

내가 보기에는 자본주의적 근대에 이르러서도 여전히 이성보다는 감정(감성)에 의지해 세상을 살아가고 있는 것이 인간이다. 자본주의적 근대의 후기에 이를수록 인간은 오히려 혼몽하고 몽롱한 감정으로 자기 자신의 복잡한 행위를 북돋우고 있지 않나 싶다. 인간은 이성보다는 감정에 의지해 살아가도록 구조화되어 있는지도 모른다. 이성에 의지해 있는 인간의 행위가 감정(성)에 의지해 있는 인간의 행위에 비해 훨씬 분량이 적기 때문이다.

인간의 마음 가운데 이성理性, 이理, 사단四端, 인의예지仁義禮智는 본래 변하지 않는 것, 즉 상수常數이다. 인간의 마음 가운데 감정感情, 기氣, 칠정七情, 희노애락애오욕喜怒哀樂愛惡欲은 본래 변화하는 것, 즉 변수變數이다. 끊임없이 변화하는 인간의 감정(감성), 즉 희노애락애오욕은 이미 자본주의적 근대의 이전에 명명된 이름이다. 따라서 여기서 말하는 칠정은 인간이 지니고 있는 감정의 원형이라고 해도 무방하다. 인간이 지니고 있는 본원적이고 근원적인 감정이 다름 아닌 칠정, 곧 맹자가 말하는 희노애락애오욕이라는 뜻이다.

감정의 원형인 칠정, 곧 희노애락애오욕은 크게 플러스의 정서와 마이너스의 정서로 나누어진다. 플러스 정서는 생명의 정서이고, 마이너스 정서는 죽음의 정서이다. 생명의 정서는 통합의 정서이고, 죽음의 정서는 분리의 정서이다. 통합의 정서, 생명의 정서, 플러스의 정서는 희喜, 락樂, 애愛이고, 분리의 정서, 마이너스의 정서, 죽음의 정서는 노怒, 애哀, 오惡이다. 그러면 욕欲은 무엇인가. 욕欲은 플러스 정서(생명의 정서, 통합의 정서)도 아니고, 마이너스 정서(죽음의 정서, 분리의 정서)도 아니다. 욕欲은 중도의 정서이다. 중도의 정서라는 것은 그것이 플러스 정서와 마이너스 정서에 걸쳐 있다는 뜻이다.

이처럼 욕欲에는 예의 대립되는 두 정서가 뒤섞여 있다. 그러니만큼 욕은 상황과 조건에 따라 생명의 정서(플러스 정서, 통합의 정서)로 발현될 수도 있고, 죽음의 정서(마이너스 정서, 분리의 정서)로 발현될 수도 있다. 욕이 생명의 정서(플러스 정서, 통합의 정서), 즉 밝은 품성에 바탕을 둘 때 희喜, 락樂, 애愛는 활기를 얻는다. 구체적인 삶에서 생명의 정서(플러스 정서, 통합의 정서)를 살기 위해서는 노怒, 애哀, 오惡의 정서보다는 희喜, 락樂, 애愛의 정서가 중심이 되어야 한다.

생명의 정서는 삶을 들어 올리고, 죽음의 정서는 삶을 주저앉힌다. 생명의 정서는 삶을 심화, 확장시키고, 죽음의 정서는 삶을 소외, 폐쇄시킨다. 생명의 정서는 삶을 상승시키고, 죽음의 정서는 삶을 하강시킨다. 그렇다. 생명의 정서는 밝고 환한 빛의 기氣인데 비해, 죽음의 정서는 어둡고 탁한 빛의 기氣다.

그래서일까. 자본주의적 근대 이전에 명명된 원형의 감정인 희노애락애오욕喜怒哀樂愛惡欲이 과도할 정도로 간단하고 소박하게 느껴지는 것은 사실이다. 희노애락애오욕이라니! 자본주의적 근대 이전인 맹자 시대에 명명된 본원적이고 근원적인 감정은 이처럼 단순하고 소박하다.

자본주의 근대에 이르면 이들 원형의 감정은 당연히 좀 더 섬세하게 분화되고 확장될 수밖에 없다. 자본주의적 근대에 이르러 이처럼 단순하고 소박하게 희노애락애오욕의 모습으로 존재하는 인간의 감정은 거의 찾아보기 힘들다. 좀 더 혼몽하고 몽롱하게, 마구 뒤엉킨 채로 존재하는 것이 오늘을 살아가는 인간이 지니고 있는 감정이다. 혼몽하고 몽롱한 모습으로, 복잡하게 분열되고 해체되어 있는 것이 자본주의적 근대 이후의 인간이 갖고 있는 감정인 것이다.

분열되고 해체된 감정, 곧 자본주의적 근대에 이르러 좀 더 불거진 정서는 정신의 플러스에 기여하기보다는 정신의 마이너스에 기여한다. 자본주의적 근대를 풍미하고 있는 감정은 통합의 정서(생명의 정서, 플러스의 정서)이기보다는 분리의 정서(죽음의 정서, 마이너스의 정서)이다. 정신의 플러스에 기여한다는 것은 상승하는 생명의식에 기여한다는 것이고, 정신의 마이너스에 기여한다는 것은 하강하는 죽음의식에 기여한다는 것이다.

자본주의적 근대에 이르러 주조를 이루고 있는 감정은 분리의 정서(마이너스의 정서)로 하강하는 죽음의식에 기여한다. 하강하는 죽음의식에 기여하는 까닭은 그것이 생명의 정서가 아니라 죽음의 정서이기 때문이다. 이 시집 『책바위』에서 마이너스 정서, 죽음의 정서, 분리의 정서를 문제로 삼은 까닭이 바로 여기에 있다.

다음은 죽음의 정서 가운데 설움을 중심 대상으로 포착해 쓴 시이다.

검게 물들인 군용 잠바 따위나 즐겨 입고 다니는 설움, 덥수룩이
수염을 기른 채 너저분하게 목걸이 귀걸이 따위나 하고 다니는 설움,
아무데서나 흘러간 유행가 따위나 흥얼대는 설움

이놈한테서는 항상 찌든 술 냄새가 난다 싸구려 여인숙 냄새가
난다 역한 담배 냄새가 난다

어디서나 목청 높여 사람들 마구 윽박질러대는 설움, 5월 그때 너는
어디 있었지…… 벌써 20년이 훨씬 넘은 그때를 잊지 못하는 설움

싫다 이놈의 눈빛도, 목소리도, 옷차림도

걸핏하면 네가 뭘 안다고 떠드니? 주둥이 못 닥쳐!

제멋대로 지껄여대는 설움, 지껄여대며 논두렁 건달처럼 한쪽 다리
나 흔들어대는 설움, 오른쪽 손으로는 담뱃불 타악 튕겨버리고, 왼쪽
주둥이로는 침 찌익 뱉어내는 설움

이놈의 짓거리를 볼 때마다 욱하니 비위가 뒤틀린다

끝내 참지 못하고, 주둥이 못 닥쳐! 네가 뭘 안다고 떠들어?

버럭 소리라도 질러대고 싶은 설움, 와락 엉덩이라도 꼬집어대고
싶은 설움, 탁탁 종아리라도 때려주고 싶은 설움, 아직도 붉은 얼굴로
붉은 가슴이나 자랑하는 설움, 면소재지 버스 정류장 근처의 낡은
리어카 바퀴처럼 삐걱대는 설움

싫다 오늘도 술에 취해 한숨 따위나 쉬고 있는 놈!

싫다 울먹이는 목소리로 땅바닥 따위나 치고 있는 놈!

이놈에게는 미래가 없다 언제나 과거를 살고 있기 때문이다
더러는 내 가슴까지 미어터지게 하는 설움, 철렁 가라앉게 하는
설움……

언제나 이놈은 물가에 내놓은 어린애처럼 불안하다.
                                          ―「설움」 전문


설움은 전통적인 감정인 슬픔, 즉 애哀가 근대에 들어 심화, 확장되면
서 불거진 정서라고 할 수 있다. 설움이 플러스 정서가 아니라 마이너스
정서인 까닭이 바로 여기에 있다. 이처럼 설움은 생명의 감정이 아니라
죽음의 감정이다. 생명의 감정이 행복, 충만, 기쁨 등 충족의 정서라면
죽음의 감정은 불행, 축소, 슬픔 등 결핍의 정서이다.
　생명의 감정은 좋고 죽음의 감정은 나쁜 것이 아니다. 충족의 감정은
선하고 결핍의 감정은 악한 것이 아니다. 생명의 감정은 낮의 정서이고,
죽음의 감정은 밤의 정서일 따름이다. 밤과 낮이 서로 맞물린 채 순환하
며 존재하듯이 죽음의 감정과 생명의 감정도 서로 맞물린 채 순환하며
존재한다.
　따라서 이들 감정, 곧 낮과 밤의 정서는 어느 것도 영원하지 않다.
말 그대로 무상無常한 것이 이들 감정이다. 기본적으로 이들 감정은
끊임없이 상호 순환하는 관계에 있다. 생명의 감정에서 죽음의 감정으
로, 죽음의 감정에서 생명의 감정으로…… 낮의 감정에서 밤의 감정으
로, 밤의 감정에서 낮의 감정으로…… 인간이라는 생명체는 이처럼

매순간 순환하는, 변화하는 감정에 기투된 채 존재하게 되어 있다.

변화하는 감정은 변화하는 마음을 뜻한다. 마음을 구성하는 핵심 자질이 이성과 감정이라는 것은 불문가지이다. 이성은 고정불변固定不變하는 마음, 즉 상수常數의 마음이다. 상수의 마음인 이성은 훈련과 수련을 해도 쉽게 바뀌지 않는다. 이에 비해 감정은 훈련이나 수련에 따라 바뀔 수 있다. 상황이나 조건이 바뀌면 바뀌는 것이 감정이다. 따라서 감정은 변화하는 마음, 즉 변수變數의 마음이라고 해야 마땅하다. 불가佛家에서 일체유심조一切唯心造라고 할 때의 심心, 곧 마음이 이성보다 감정에 가까운 것도 이에서 연유한다.

구체적인 나날의 삶에서는 감정의 주인이 되는 것만큼 중요한 것이 없다. 감정의 주인이 된다는 것은 의지대로 감정을 변화시킬 수 있다는 것을 뜻한다. 감정의 주인은 감정의 노예와 달리 밤의 정서를 낮의 정서로, 죽음의 감정을 생명의 감정으로 전환시킨다.

생명의 감정, 곧 충족의 정서를 갖게 되면 누구라도 행복을, 충만을, 기쁨을 살기 마련이다. 하지만 그가 영원히 생명의 감정, 곧 충족의 정서를 향유할 수 있는 것은 아니다. 밀물이 썰물을 거느리듯이 생명의 감정은 죽음의 감정을 거느리고, 죽음의 감정은 생명의 감정을 거느린다. 충족의 감정과 결핍의 감정이 이루는 관계도 마찬가지이다.

생명의 감정, 곧 충족의 정서는 하나됨의 감정, 곧 일치의 정서이다. 실제로는 이들 감정도 하나이면서 둘인 형태로, 둘이면서 하나인 형태로 존재한다. 물론 그것은 죽음의 감정, 곧 결핍의 정서라고 해서 다르지 않다. 이처럼 하나이면서 둘인 감정, 둘이면서 하나인 감정이므로 이들 감정을 두고 불일이불이不一而不二의 감정, 곧 불이不二의 정서라고 불러도 좋다. 하나됨의 감정, 즉 일치의 감정은 본래 이처럼 역설적이다.

다음은 둘이면서 하나인 정서, 곧 하나이면서 둘인 진실을 다루고 있는 시의 예이다.

불타는 나무리!
허공 떠도는 바람들 불러 모아
반야심경 외게 하누나

나무는 불타리!
공중 헤매는 제비들 불러 모아
천수경 외게 하누나

머리칼 풀어헤친 채
온몸 가득, 푸른 하늘 빨아들이고 있는 나무여

그대 이미 불타거늘!
땅에 내린 뿌리 너무 얕아
여태 절 믿지 못하누나.

— 「불타는 나무」 전문

이 시에서 '불타'나 '나무'는 공히 이중적인 내포를 지니고 있다. 하나이면서 둘인 의미를 거느리고 있다는 뜻이다. '불타'는 佛陀이면서 '불타고 있는'이라는 내포를 지니고 있고, '나무'는 나무木이면서 귀의 처南無라는 내포를 지니고 있다. 둘이지만 하나인 존재는 다음의 시를 통해서도 익히 살펴볼 수 있다.

유리병 속에 흙 넣고 개미들 기른다
개미들, 이내 굴 파고 집 짓는다

개미들이 짓는 집, 모두 똑같다
사람들이 짓는 아파트 같다

개미들 잘도 제 집 찾아간다
사람들 잘도 제 아파트 찾아간다

겉으로 보면 똑같은 아파트들!
안으로 들어가면 집집마다 죄 다르다.

—「개미들의 집」 전문

하나이면서 둘인 존재, 곧 둘이면서 하나인 존재는 항용 같으면서 다른 존재, 다르면서 같은 존재로 현현되고는 한다. 물론 그것은 이 시에서도 마찬가지이다. 삶의 현실이 지니고 있는 이러한 비의를 탐구하고 있는 것이 이 시이다. 모든 존재는 이처럼 둘이면서 하나로 현현되거니와, 바로 그렇기 때문에 나날의 삶이 모순으로 인식되는 것이다. 不二의 감정이 不一의 감정으로, 나아가 일치의 감정으로 존재하는 까닭이 바로 여기에 있다.

不二의 감정, 곧 하나됨의 감정, 즉 일치의 감정은 '순간'의 감정일 수밖에 없다. 일치의 감정이 순간의 감정인 것은 감정이 본래 영원히 지속되지 않는 것과도 무관하지 않다. 본래 인간이라는 존재가 자연으로부터, 나아가 에덴으로부터 분리된 존재라는 점을 간과해서는 안 된다. 이때의 자연이나 에덴이 감성(감정)에서 이성이 불거져 나오기 이전의 좀 더 본원적인 세계라는 점도 잊어서는 안 된다.

일치의 감정은 상대적으로 훨씬 더 많은 에너지를 요구한다. 대부분의 일치의 감정이 순간의 감정인 것도 이와 무관하지 않다. 일치의 감정이 지속적인 감정이 되기 위해서는 이성의 개입을 저지시킬 수 있는 폭발하는 에너지가 필요하다. 에너지가 폭발하는 동안만큼만 강력하게 일치가 유지되어 이성의 틈입을 막아낼 수 있다. 한번 폭발한 에너지가 차츰 가라앉게 되면, 그리하여 명확히 이성이 개입하게 되면 이내 분리의 정서가 찾아오기 마련이다. 분리의 정서는 대상과의 거리를 만들고, 대상과의 거리는 의식과 의지를 만들기 마련이다.

하나됨의 감정, 곧 일치의 감정은 압축된 에너지를 바탕으로 태어난다. 일치의 순간에 발휘되는 에너지는 굉장히 크고 엄청나다. 하지만 인간은 일치의 감정을 지속적으로 유지시킬 수 있을 만큼 굉장하게 크고 엄청난 에너지를 갖고 있지 못하다. 각각의 주체가 지니고 있는 에너지, 곧 물질을 이용해 새 생명의 애액을 만들어내는 것이 일치의 정열情熱이라는 점을 기억해야 한다.


3

죽음의 감정, 결핍의 정서도 최소한의 에너지는 필요하다. 죽음의 감정, 결핍의 정서는 일치의 정서가 아니라 분리의 정서이다. 분리의 정서 또한 인간의 정신이 지니고 있는 근원적인 특징인 것은 사실이다. 인간이 본래 자연으로부터, 곧 에덴으로부터 분리된 존재라는 것은 앞에서도 강조한 바 있다. 자연으로부터, 곧 에덴으로부터 분리되면서 오늘의 존재로 태어난 것이 인간이라는 점을 깊이 유의해야 한다.

분리의 정서에 따르는 에너지는 일치의 정서에 따르는 에너지보다 상대적으로 약한 것이 보통이다. 뜨거워지는 데 기여하기보다는 차가워지는 데 기여하는 것이 분리의 정서이다. 물론 분리의 정서 중에도 노怒의 정서와 오惡의 정서, 곧 분노의 정서와 증오의 정서가 급격하게 발휘되면 엄청난 에너지가 요구되는 것이 사실이다. 분노의 정서와 증오의 정서에 사로잡혀 있는 사람들의 정신과 육체가 무참하게 망가지는 것도 얼마간은 이와 무관하지 않다.

따라서 분리의 정서는 이성의 개입과 관계되어 있을 수밖에 없다. 일치의 정서가 이성의 개입 밖에 존재한다면 분리의 정서는 이성의 개입 안에 존재한다. 이성의 개입 안에 존재한다고 하더라도 분리의 정서가 완벽한 질서와 체계, 곧 냉정한 거리를 갖고 존재하는 것은 아니다. 이들 정서 역시 일그러져 있고 찌그러져 있기는 마찬가지이다.

자본주의적 근대에 이르러 좀 더 보편화된 감정은 생명의 정서가 아니라 죽음의 정서, 충족의 정서가 아니라 결핍의 정서이다. 이들 죽음의 정서, 곧 결핍의 정서는 상대적으로 이성을 향해 열려져 있는 만큼 좀 더 차갑게 느껴지는 것이 사실이다. 하지만 이때의 차가움을 정작의 차가움으로 받아들여서는 안 된다. 자본주의적 근대를 대표하는 결핍의 정서는 기본적으로 생명의 정서인 희喜, 락樂, 애愛를 분화시키고 확산시키는 가운데 태어나기보다는 죽음의 정서인 노怒, 애哀, 오惡를 분화시키고 확산시키는 가운데 태어나기 때문이다. 죽음의 정서인 노怒, 애哀, 오惡는 자본주의적 근대의 한복판에 이를수록 훨씬 혼몽하고 몽롱한 모습으로 복잡하게 분열되고 해체되고 있다.

이렇게 분열되고 해체된 채로 존재하는 죽음의 정서, 곧 자본주의적 근대에 이르러 특화된 정서는 실제로 어떠한 모습을 보여주는가. 내가 보기에 그것은 고독, 소외, 상실, 환멸, 염증, 피곤, 절망, 불안, 초조, 공포, 설움, 우울, 침통, 싫증, 짜증, 권태, 나태 등의 형태를 취한다. 물론 이들 정서는 자본주의적 근대에 이르러 원형의 감정인 노怒, 애哀, 오惡가 부쩍 심화되고 확대되면서 구체화된 것들이라고 할 수 있다.

자본주의적 근대의 나날에서 노怒, 애哀, 오惡의 감정이 원형 그대로 표출되는 예는 거의 찾아보기 힘들다. 대부분 일그러지고 찌그러진 채로 고독, 소외, 상실, 환멸, 염증, 피곤, 절망, 불안, 초조, 공포, 설움, 우울, 침통, 싫증, 짜증, 권태, 나태 등의 모습으로 변형되고 왜곡되어 나타나기 때문이다.

다음의 시는 이들 가운데 '싫증'의 감정을 문제로 삼고 있는 예이다.

싫증은 저 자신을 아이들이 가지고 놀다가 버린
양배추 인형이라고 생각했다 쓰레기통에 함부로 버린
싫증이 저 자신이라고 생각하는
양배추 인형은 너무 살이 쪄 아예 허리가 없었다
양배추처럼 뚱뚱한 양배추 인형은
팔다리마저 한쪽씩 떨어져 나가
그냥 쓰레기일 따름이었다 싫증은
쓰레기의 몰골을 하고 있는 저 자신이 싫었다
그래서일까 싫증은 아무렇게나 망가져버린
저 자신을 쓰레기통에 처넣었다 이라크에 처박혀 있는
미군 병사들처럼 쓰레기통에 처박혀 있는

양배추 인형에게는 하루의 시간이

너무도 지루했다 지루한 시간이 만든 것일까

쓰레기통에 처박혀 있는 싫증은

제 몸을 썩혀 거름을 만들기 시작했다

제 몸을 거름 삼아 새롭게 초록빛 싹을 틔우는

기쁨이 되고 싶었다 온통 지구를 뒤흔드는 환희가

문득 싫증의 미래가 밝고 환하게 세상을 비추어댔다.

—「싫증」 전문

이 시는 예의 정서들 가운데 '싫증'을 의인화해 자본주의적 근대의
정서 일반에 대해 문제를 제기한다. 정서의 문제야말로 마음의 문제라
는 점을 잊어서는 안 된다. 현현되는 실제의 마음을 구성하는 가장
핵심적인 자질이 감정이라는 것은 앞에서도 이미 누차 강조한 바
있다.

예의 부정적인 근대적 정서에 감염되게 되면, 이들 정서에 빠지게
되면 나날의 삶은 죽음 속에 던져진 채 영위되기 마련이다. 이렇게
영위되는 나날의 삶이 활기 있는 생명의 정서를 갖기는, 충족의 정서를
갖기는 어렵다. 죽음 속에 내던져지게 되면 어떠한 삶이라도 죽음의
정서, 곧 결핍의 정서에 빠져 허우적거릴 수밖에 없다.

이러한 삶은 늘 밤에 빠져 있어 낮이 와도 낮인지 모른다. 이러한
삶은 늘 죽음에 빠져 있어 생명이 와도 생명인지 모른다. 이러한 삶은
늘 결핍에 빠져 있어 충족이 와도 충족인지 모른다. 이러한 삶은 늘
불행, 슬픔에 빠져 있어 행복, 기쁨이 와도 행복, 기쁨의 정서를 살지
못한다.

이들 정서의 악순환을 극복하는 일이야말로 자본주의적 근대가 갖고 있는 부정적인 정서를 극복하는 일이다. 이들 정서의 악순환을 극복하지 않고 자본주의적 근대가 갖고 있는 부정적인 정서를 극복하기는 어렵다. 자본주의적 근대의 한계를 돌파하는 데 이들 부정적인 정서를 돌파하는 일만큼 중요한 것은 없다. 그렇다. 자본주의적 근대가 갖고 있는 부정적인 정서를 극복하는 것은 자본주의적 근대 밖을 사는 일이다. 고독, 소외, 상실, 환멸, 염증, 피곤, 절망, 불안, 초조, 공포, 설움, 우울, 침통, 싫증, 짜증, 권태, 나태 등 자본주의적 근대의 부정적인 감정에서 해방되는 일, 즉 이들 감정의 밖을 사는 일, 그것이야말로 자본주의적 근대를 극복하는 일이라는 것이다. 자본주의적 근대를 극복하는 일, 곧 자본주의적 근대가 갖고 있는 부정적인 정서 밖을 사는 일이야말로 대자유를 실현하는 일이다. 대자유를 실현하는 일은 도道를 사는 일이고, 도道를 사는 일은 성聖을 사는 일이다. 그것이 이른바 성불이고 해탈이다.

자본주의적 근대가 갖고 있는 부정적인 정서 밖을 주목하는 것이 오직 도道를 살고 성聖을 살기 위한 것은 아니다. 자본주의적 근대가 갖고 있는 부정적인 정서 밖을 주목하는 것은 이들 정서, 곧 죽음의 정서가 오늘의 삶을 진전시켜 내일의 삶에 이르도록 하는 데 가장 큰 장애물이라고 생각되기 때문이다. 고독, 소외, 상실, 환멸, 염증, 피곤, 절망, 불안, 초조, 공포, 설움, 우울, 침통, 싫증, 짜증, 권태, 나태 등 죽음의 정서를 극복하지 못하면 진정한 의미에서의 인간해방을 실현하기가 불가능하다.

아래의 시에서 이들 자본주의적 근대를 대표하는 정서인 '우울'을 의인관화하는 가운데 형상의 언어를 부여해 오늘의 문제로 제기하고

있는 것도 바로 그 때문이다. 물론 내가 이 시집 『책바위』에서 우울의
정서만을 문제로 삼은 것은 아니다. 그 밖의 정서, 즉 환멸, 피곤,
절망, 불안, 초조, 공포, 설움, 싫증, 짜증 등의 정서 역시 오늘 지금의
문제로 삼고 있다는 것이다. 이처럼 나는 이들 정서에게도 생생하고
구체적인 시의 언어를 부여해 오늘 지금의 문제로 드러내려 하고
있다. 나는 이들 시를 '죽음의 정서들 밖으로 내는 쬐그만 창'이라고
부른다. 독자 여러분도 이 쬐그만 창을 통해 다소나마 자본주의적
근대가 갖고 있는 부정적인 정서 밖을 엿볼 수 있기 바란다. (2008년)


　　우울은 지금 제 가슴 좌악, 찢어대고 있다
　　책상 위에는 복잡한 서류들 마구 흩어져 있거늘, 그것들 무어라
자꾸 지껄여대고 있거늘,
　　거기 엇갈려 포개져 있는 두 손 위, 우울은 제 머리 칵, 처박고
있다


　　21층 드높은 사무실
　　어쩌다 보니 저 혼자 내팽개쳐져 있는 우울은 시방 이빨 앙다물고,
아그그 신음소리 내고 있다
　　얼굴 찡그린 채 눈물 흘리고 있다


　　참을성 없는 놈이라니!
　　우울은 잔주접이나 떨고 있는 저 자신이 싫다 까짓것 청명과 한식
사이거늘, 도갑사 산벚꽃처럼 타오르면 그만이거늘,
　　화르르 흩날리면 그만이거늘……

우울은 지금 제 팔다리 좌악, 찢어대고 있다

책상 위에는 금방 터질 듯한 은행의 통장들 함부로 흩어져 있거늘,
통장들 뭐라고 거듭거듭 지껄여대고 있거늘

거기 엇갈려 포개진 두 손 위, 우울은 제 얼굴 칵, 처박고 있다


앙다문 이빨 사이로 흘러나오는 신음소리,

우울은 너무 싫다 그만 세상 하직하고 싶다 산벚꽃처럼 가볍게
몸 흩날리고 싶다

바람은 그걸 알고, 숨소리조차 크게 내지 않거늘!

—「우울」 전문

# 생활과 자연과 시의 서정들

— 제8시집 『첫눈 아침』에 대해

수많은 문예지들이 간행되고 있고, 수많은 시들이 생산되고 있다. 이들 문예지 중의 한 권을 펴들고 습관적으로 그곳에 실려 있는 시를 읽는다. 열 편의 시를 읽고 스무 편의 시를 읽어도 아무런 감흥이 없다. 어떤 시는 끝내 다 읽지 못하고 중간에 포기하고 만다. 도무지 느낌이 없기 때문이다.

왜 시가 읽히지 않을까. 시인들이 독자들을 무시하기 때문일까. 알 수 없는 일이다. 물론 계속 읽어 내려가다 보면 조금 알 만한 시들을 만날 때도 있다. 삼십 편쯤 읽고, 오십 편쯤 읽다 보면 간혹 가슴이 덜컥 내려앉는 시를 만날 때도 있다. 하지만 이러한 시를 만나기까지 쉬지 않고 계속 시를 읽어내기는 쉽지 않다. 한 편의 좋은 시를 읽기 위해 오십 편의 나쁜 시를 읽는 고통을 감내하기는 어렵다.

이러한 일이 반복되기 때문일까. 이제는 수많은 문예지에 수록되어 있는 수많은 시에 손이 잘 가지 않는다. 일종의 선입관이 작동하기 때문일 수도 있다. 요즘의 시들은 뻔하지. 수학문제를 풀듯 암호를 풀어야 하지. 기발한 재미도 주지 않고, 가슴을 저미는 감동도 주지 않는 것이 요즈음의 시이지. 나도 모르게 이러한 생각에 빠져 자꾸만 시 읽기를 소홀히 하게 된다. 그래서는 안 되는데……

습관적으로 나는 다시 질문한다. 왜 이러한 일이 거듭되는 것일까. 왜 이러한 시들이 계속해서 생산되는 것일까. 아직도 사람들이 시의 정체를 제대로 알지 못하기 때문일까. 아니 시의 정체라는 것이 있기는 할까. 그래도 시적인 것, 시라고 할 수 있는 것은 있지 않을까. 서정적인 것이라고 할 수 있는 것 말이다. 변하면서도 변하지 않는 서정적인 것!

다시 나는 내게 강조한다. 시를 직업으로 삼은 사람이니만큼 시 읽기를 소홀히 해서는 안 된다고, 좋은 시를 골라 정전으로 만드는 일도 시를 직업으로 삼는 내가 해야 할 너무나 중요한 일이라고! 이러한 생각 끝에, 이러한 반문 끝에 나는 다시 문예지를 펴들고 그곳에 실려 있는 시를 읽기 시작한다.

이러한 생각과 반문이 거듭되다 보니 이제 나는 시라는 것 자체에 대해 제법 초연해진다. 그렇기 때문일까. 이제는 가슴이 덜컥 내려앉는 시는 바라지도 않는다. 시를 읽으며 제발 기발한 재미라도 얻을 수 있으면 좋겠다. 기존의 시와 변별되는 신선한 발상이라도 얻을 수 있으면 좋겠다. 하지만 이러한 시를 얻기는 쉽지 않다.

어떻게 하면 이러한 '좋은' 시와 마주할 수 있을까. 아니 어떻게 하면 이러한 '좋은' 시를 쓸 수 있을까. 정작은 나도 시인이 아닌가. 나는 다시 내게 묻는다. 무엇이 '좋은' 시를 만드는가. '좋은' 시는 어디서 오는가. 이러한 물음이라도 거듭해야 기존의 시와 변별되는 신선한 발상을 담을 수 있지 않을까. 나는 시를 읽는 사람이기도 하지만 시를 쓰는 사람이기도 하다. 하지만 나만이 아니라 다른 많은 시인들도 자기 자신을 향해 좋은 시에 대한 질문을 하는 것이 사실이다. 시란 무엇인가라는 질문만큼이나 절실한 것이 좋은 시에 대한 질문이기 때문이다.

다시 물어보자. 무엇이 '좋은' 시를 만드는가. '좋은' 시는 어디서 어떻게 오는가.

어떤 사람은 그날그날 겪는 생활에서, 삶에서 시를 얻는다. 나도 그럴 때가 있다. 나날의 일상이 나도 모르게 내 안에서 시를 밀어낼 때가 있다. 이러한 시는 어쩔 수 없이 생활이 토해내는 징그러운 분비물일 수밖에 없다. 이러한 시를 읽으면 아무래도 몸서리를 칠 수밖에 없다. 나는 이러한 시가 싫다. 싫기는 하지만 자꾸 끌린다. 다른 도리가 없다.

어떤 사람은 그날그날 만나는 자연에서, 숲에서 시를 얻는다. 나도 그럴 때가 있다. 여행 중의 자연이, 산책 중의 숲이 내 속을 건드려 시를 불러낼 때가 있다. 이러한 시는 어쩔 수 없이 자연이 뱉어내는 낯선 분비물일 수밖에 없다. 이러한 시를 읽으면 온몸이 떨린다. 이러한 시는 나를 아프게 한다. 아프게 하는 데도 자꾸 끌린다. 다른 길이 없다.

어떤 사람들은 그날그날 읽는 글에서, 시에서 시를 얻는다. 나도 그럴 때가 있다. 늦은 밤 홀로 읽는 소설에서, 시에서 영매가 빠져나와 한 편의 시를 불러줄 때가 있다. 이러한 시는 어쩔 수 없이 기존의 시가 뱉어내는 괴기스러운 분비물일 수밖에 없다. 이러한 시를 읽으면 귀신에 홀린 것처럼 몽롱해진다. 이러한 시는 나를 어지럽게 한다. 어지럽게 하지만 자꾸 끌린다. 다른 방법이 없다.

이렇게 내 안에서 불거져 나온 시를 '좋은' 시라고 해야 하지 않을까. 내가 감동할 때 남도 감동하기 때문이다. 내가 재미있을 때 남도 재미있기 때문이다. 내가 신선할 때 남도 신선하기 때문이다. 내가 괴로울 때 남도 괴롭기 때문이다.

감동은 감동을 부르고, 재미는 재미를 부른다. 좋은 시인은 좋은 시인을 부르고, 좋은 시는 좋은 시를 부른다. 때로는 이처럼 시가 시를 부른다. 삶이 시를 부르고, 자연이 시를 부르는 것처럼 시가 시를 부른다. 그러니 시를 부르는 것에는 무엇이든 귀를 기울이지 않을 수 없다.

혼자 있다가 보면 슬금슬금 이런저런 생각이 마음속을 돌아다닌다. 이내 생각은 생각을 낳는다. 생각은 다산의 여자인가. 꼬리에 꼬리를 무는 한심한 생각이라니! 생각이 싫고 무서운 데는 이러한 까닭도 있다. 생각의 연쇄처럼 고통스러운 것은 없다. 하지만 어쩔 것인가.

이번에 간행한 시집 『첫눈 아침』에 나는 적어도 이러한 시들을 담고 있다. 이번에 출간한 시집 『첫눈 아침』에는 생활이 토해낸 시들, 자연이 토해낸 시들, 시가 토해낸 시들이 수록되어 있다는 것이다. 생활과 자연과 시가 뱉어낸 저 징그러운 분비물들!

이들 시에는 늘 이들 시가 태어난 구체적인 현장과 사연이 담겨 있다. 이들 시는 언제나 이들 시가 태어난 구체적인 현장과 사연을 기억하게 한다. 생각해 보면 늘 나를 괴롭게 하고, 고통스럽게 하는 것이 이들 현장과 사연을 담고 있는 시이다. 이들 시가 좋은 시라고 하더라도 내가 이들 시를 마땅치 않아 하는 까닭이 바로 여기에 있다. 때로는 너무도 징그럽게, 너무도 낯설게, 너무도 괴기스럽게 다가오는 것이 이들 시이다.

다음의 시가 그 대표적인 예이다.


24시간 편의점이 아니다 24시간 밥집이다 백반천국이다 천국처럼

언제나 불빛 환한 식당이다

　자정이 넘은 시간, 죽음을 넘어서기 위해, 죽음과 친해지기 위해,
죽음을 먹기 위해 천국의 밥상 앞에 앉는다 또다시 독상이다

　아무도 살지 않는 천국, 달그락거리는 젓가락질 소리만 들린다 가끔
은 묵은 신문 뒤적이는 소리도 들린다

　어제에서 오늘로 넘어가기 위해 먹어치우는 한 공기의 밥, 두 접시의
나물, 한 대접의 국…… 밥상 위의 반찬들 주둥이 삐쭉대며 웃는다

　꾸역꾸역 저희들을 처먹는 모습이 저희들 보기에도 우스운 거다
우스워도 천국은 천국인 거다

　혼자 먹어도 밥은 하늘이다 하늘을 사는 밑천이다 24시간 편의점이
아니다 24시간 밥집이다 백반천국이다.

—「백반천국」 전문

　이 시는 가족과 떨어져 광주에서 혼자 살고 있는 화자, 곧 나의
체험을 담고 있다. 생활의 구체적인 현장과 사연을 바탕으로 하고
있는 것이, 말하자면 '백반천국'이라고 하는 밥집에서 혼자 밥을 먹고
있는 화자인 내가 거듭해 삶과 죽음의 의미를 되묻고 있는 것이 이
시이다. 삶과 죽음이라는 것이 언제나 진정한 천국의 의미를 되묻기
마련이라는 점을 생각하면 이 시에서 화자인 내가 처해 있는 삶의

현장과 사연은 매우 절실하다.

이처럼 이번 시집 『첫눈 아침』에 수록되어 있는 시들이 보여주는 세계는 매우 적나라하다. 미처 감추지 못한 것들이 많기 때문이다. 특히 소시민적 감상이 노출되어 있는 시가 없지 않아 어색하기 짝이 없다. 장면이나 풍경이 지나칠 정도로 세세해 정작의 내면을 포착하지 못한 점도 안타깝게 생각된다. 이것이 내가 생각하고 있는 이번 시집 『첫눈 아침』의 한계이다. 그래서일까. 벌거벗고 광장에 서 있는 것 같아 부끄럽기도 하고 쑥스럽기도 하다. 하지만 어쩔 것인가. 모든 장점은 단점을 거느리는 것 아닌가. 모든 좋은 것은 나쁜 것을 거느리는 것 아닌가.

이처럼 이번 시집 『첫눈 아침』은 단점이 많다. 하지만 역설적으로 단점이 많은 만큼 장점도 많은 것이 이번 시집 『첫눈 아침』이다. 이번 시집의 특징은 어쩌면 바로 이러한 역설에 있는지도 모르겠다.

모든 시집은 탄생의 경로가 각기 다르다. 이번 시집 『첫눈 아침』의 탄생 경로는 주로 생활과 자연과 시에 있다. 여기서 말하는 생활은 하루하루 겪는 나날의 삶을 가리키고, 자연은 그날그날 마주치는 초목을 가리킨다. 그리고 시는 하루하루 읽는 기존의 문학을 가리킨다. 따라서 이번 시집에 수록된 시는 관념과 의식보다는 사물과 물질로부터 비롯되었다고 해야 옳다.

사물과 물질은 주체에 가깝다기보다는 객체에 가깝다. 그뿐만 아니라 그것은 추상이나 보편보다는 형상이나 구체에 가깝다. 요컨대 주체의 의식을 포기하지는 않지만 객체의 물물을 좀 더 고려하고 있는 것이 이번 시집에 실려 있는 시들이라는 것이다.

다음의 시가 그 하나의 예라고 할 수 있다.

첫눈 아침, 바윗돌처럼 단단한 한기 품고
시리게 얼어붙은 웅덩이 속 헤매고 있다

아침 첫눈, 하얗게 번져오는 햇살 품고
막 눈 뜨는 시냇가 버들개지 위 떠돌고 있다

너무 추워 큰 귀때기 쫑긋대는 산노루의 걸음으로
첫눈 아침은 내일 아침에나 온다

너무 시려 빨간 코끝 벌룽대는 꽃사슴의 걸음으로
아침 첫눈은 모레 아침에나 온다

내일 모레, 내일 모레, 내일 모레……
반야심경처럼 외워 보는 꿈

모레 글피, 모레 글피, 모레 글피……
법구경처럼 외워 보는 희망

버석대는 명아주의 꽃대궁을 밟으며
느릿느릿 걸어오는 첫눈 아침이 있다

뽀얗게 껍질 벗는 버짐나무의 줄기를 걷어차며
터벅터벅 걸어오는 아침 첫눈이 있다

그것들, 오늘 여기 있지 않아 마음 환하다

그것들, 지금 여기 있지 않아 가슴 벅차다.

—「첫눈 아침」 전문

　이 시가 '첫눈'과 '아침'이라는 구체적인 대상, 곧 실질적인 객체로부터 발상된 것은 사실이다. 대상이 지니고 있지 않은 막연한 상념 혹은 막연한 관념을 무의식적으로 기술한 시가 아니라는 것이다. 그렇기는 해도 이 시의 구체적인 대상인 '첫눈'과 '아침'이 그 자체에 머물지 않고 주체를 자극해 자아의 의식을 작동시키는 것은 의심할 바 없다.

　따라서 개개의 물물物로부터 촉발된 주체의 의식이 의지로 작동되고 있는 것이 이 시라고 할 수 있다. 물론 이 시는 주체의 의식을 직접적으로 진술하기보다는 물물로부터 비롯된 의식을 간접적으로 묘사하고 있다. 주체의 의식이 작동되고 있다고 하더라도 물물의 객관성을 잃지 않고 있는 것이 이 시에서의 구체적인 대상인 '첫눈'과 '아침'이다.

　여기서 말하는 물물物은 늘 인간의 감각과 함께하기 마련인 이미지와 무관하지 않다. 본래 이미지가 객체, 곧 객관적인 사물이기 때문이다. 언제나 거기 존재하는 객체로부터 감각을 타고 인식되는 것이 이미지다. 이때의 이미지는 이미저리를 만들고, 이미저리는 장면을 만들고, 장면은 풍경을 만들기 마련이다. 여기서 말하는 풍경을 가리켜 형상이라고 불러도 좋다.

　이번 시집의 시에서 나는 이들 풍경, 곧 형상이 일종의 상징으로 존재하기를 바란다. 상징으로 존재하지는 않더라도 내가 그것에 이런저런 어떤 의미를 담아내고 싶은 것은 사실이다. 물론 이때의 의미는 나 스스로 깨닫고 있는 진실을 가리킨다.

이 시집의 시들에서 상징으로 존재하기를 바라는 것은 이들 이미지만이 아니다. 나로서는 이야기도, 정서도, 상징으로 존재하기를 바란다. 시에서는 이미지만이 아니라 이야기나 정서도 물물物物로 존재한다는 것을 잊어서는 안 된다. 물물로 존재하기 때문에 이미지와 마찬가지로 이야기나 정서도 유의미한 진실을 함유할 수 있는 상징으로 존재하게 되는 것이다.

이러한 점에서 생각하면 이 시에서의 "첫눈 아침"이나 "아침 첫눈"이 상징하는 유의미한 진실은 분명하다. 흔히 희망이나 꿈이라고 말하는 진정한 '바람'을 가리키기 때문이다. 그렇다. 이 시에서 "느릿느릿 걸어오는 첫눈 아침"이나 "터벅터벅 걸어오는 첫눈 아침"의 이미지가 뜻하는 유의미한 진실은 쉽게 이루어지지 않는 희망이나 꿈, 진정한 '바람'이다. 그렇다. 오랜 희망이나 꿈 등 진정한 바람은 본래 좀 늦게 이루어지기 마련이라는 유의미한 진실을 담고 있는 것이 이 시이다.

다음의 시는 '나날의 생활'에서 비롯된 작은 깨달음을 유의미한 진실로 받아들이고 있는 하나의 예이다.

오랫동안 외지를 떠돌다가 돌아온 밤이다
긴 장마의 끝, 가슴까지 눅눅해진 밤이다

유리창에 매달려 있는 물방울들!
저도 외로워 동그랗게 몸 오므리며 떨고 있다

담배 연기로 만드는 따뜻한 도넛들!
하얗게 피어오르며 식욕을 돋우고 있다

몸보다 먼저 침대 위에 눕는 마음들!
자갈더미라도 밟은 듯 서걱대는 소리를 낸다

가슴속 붉은 해당화 열매 저 혼자 붉는 밤이다
버리지 못하는 것들 너무 많은 밤이다.

　　　　　　　　　　　　　　　　　—「떠돌이의 밤」 전문


　이 시는 나날의 내 생활, 곧 일상의 내 삶을 소재로 하고 있다.
일상의 내 생활에서 비롯되는 화폭, 곧 구체적인 풍경을 제시하고
있는 것이 이 시이다. "오랫동안 외지를 떠돌다가 돌아온" 내가 "긴
장마의 끝, 가슴까지 눅눅해진 밤"에 느끼는 형편을 객관적으로 묘사하
고 있는 것이 이 시에서의 구체적인 풍경이기 때문이다.
　물론 이때의 구체적인 풍경에 나는 몇 가지 유의미한 진실을 담으려
했다. 유의미한 진실이라고는 했지만 실제의 그것은 나날의 삶에서
내가 얻은 소박한 깨달음, 곧 작은 소식小識에 지나지 않는지도 모른다.
이 시에서도 그것이 떠돌이라고 명명되어 있는 화자, 곧 시인인 내가
획득하고 있는 '순환' 혹은 '윤회'라고 말할 수 있는 생명의 진실,
생명의 가치 이상의 것이 아니기 때문이다.
　'순환' 혹은 '윤회'라고 하는 생명의 진실이나 생명의 가치는 첫
행의 "외지를 떠돌다가 돌아온"이라는 구절에서부터 시작된다. 물론
이들 진실은 이어지는 행에서 "동그랗게 몸 오므리"고 있는 유리창의

"물방울", "담배 연기로 만드는 따뜻한 도넛", "가슴속 붉은 해당화 열매" 등의 이미지로 전이되어 드러나기도 한다. 이들 이미지에서 어쩌면 나는 독자들이 불교에서 말하는 연기緣起의 진실을 발견하기를 기대하고 있는지도 모른다.

　　다음의 시에서도 알 수 있듯이 내 나름으로 깨닫고 있는 이러한 유의미한 진실은 자연의 풍경을 통해 표현되기도 한다.

　　　　삼베빛 저녁별, 자꾸만 뒷덜미 잡아당긴다
　　　　어지럽다 아랫도리 갑자기 후들거린다
　　　　종아리에 힘 모으고 겨우겨우 버티고 선 채
　　　　흐르는 강물, 물끄러미 내려다본다
　　　　산언덕을 덮고 있는 조팝꽃처럼
　　　　마음 몽롱해진다 낡은 철다리조차
　　　　꽃무더기 함부로 토해 놓는 곳
　　　　간이매점 대나무 평상 위 털썩 주저앉는다
　　　　싸구려 비스킷 조각조각 떼어먹으며
　　　　따스한 캔 커피 질금질금 잘라 마신다
　　　　초록 잎새들, 팔랑대는 저 아기 손바닥들
　　　　바람 데려와 코끝 문질러댄다
　　　　쿨룩쿨룩 삼베빛 저녁별 잔기침하는 사이
　　　　강마을 가득 들뜬 발자국들 일어선다
　　　　싸하게 몸 흔들며 피어오르는 철쭉꽃들
　　　　벌써 물속의 제 그림자 까맣게 지우고 있다.

　　　　　　　　　　　　　　　　　　　—「삼베빛 저녁별」 전문

이 시와 함께하는 자연의 풍경에는 두 개의 이미지가 상호 뒤섞여 있다. 하나는 "자꾸만 뒷덜미 잡아당"기는 "삼베빛 저녁볕"의 이미지, 곧 죽음의 이미지이다. 이 시의 화자인 나는 이들 죽음의 이미지와 함께하면서 "간이매점 대나무 평상 위 털썩 주저앉는" 등 하강의 이미지를 보여준다. "산언덕을 덮고 있는 조팝꽃처럼" "몽롱"한 마음을 갖고 있는 것이 "삼베빛 저녁볕"의 이미지와 함께하고 있는 이 시의 화자인 나이다.

이 시의 풍경 속에는 그와 반대되는 이미지로 존재하는 것들도 있다. 구체적으로 말하면 "함부로 토해 놓는" 꽃무더기, "바람 데려와 코끝 문질러"대는 "초록 잎새들", "강마을 가득" 일어서는 "들뜬 발자국들", "싸하게 몸 흔들며 피어오르는 철쭉꽃들" 등이 그 예이다. 이들 이미지는 무엇보다 신생과 활기의 내포를 갖고 있다. 더불어 상승의 이미지와 함께하고 있는 것이 이들 생명의 이미지이다.

이들 생명의 이미지가 갖는 내포에는 죽음의 이미지가 겹쳐 있다. "낡은 철다리"가 "함부로 토해 놓는" 것이 꽃무더기이고, "벌써 물속의 제 그림자 까맣게 지우고 있"는 것이 "철쭉꽃들"이라는 것을 잊어서는 안 된다. 이를테면 "삼베빛 저녁볕"으로 상징되는 죽음의 세계에서 "초록 잎새들"로 상징되는 생명의 세계를 깨닫고, "초록 잎새들"로 상징되는 생명의 세계에서 "삼베빛 저녁볕"으로 상징되는 죽음의 세계를 깨닫는 것이 이 시에서의 화자이다. 죽음으로부터 생명을 깨닫고, 생명으로부터 죽음을 깨닫고 있는 것이 이 시에서의 시인 것이다.

생명이 죽음을 거느리고 죽음이 생명을 거느리는 것은 모든 존재의 비의이기도 하다. 이를 가리켜 하나의 존재가 지니고 있는 양면성 혹은 양가성이라고 해도 좋다. 이러한 존재의 양면성 혹은 양가성은 시가 낳은 시, 이른바 메타시라고도 할 수 있는 「짜샤, 시라는 놈」에서도 확인이 된다. 창조와 신생의 내포를 갖고 있는 시라는 존재가 "항상 피곤과 함께 온다"는, "몽롱한 가슴 뚫고 온다"는 자각을 담고 있는 것이 이 시이다. 말하자면 "쉰쉰 나이를 먹어도, 스물스물 날랜 발걸음으로" 찾아오는 것이 시라는 것이다.

이처럼 이번 시집 『첫눈 아침』에서 나는 생활의 시이든, 자연의 시이든, 시의 시이든 구체적인 풍경과 함께하고 있는 진실을 탐구하고 있다. 물론 이때의 진실은 오늘 지금의 내 보잘것없는 정신 수준으로 깨닫는 자잘한 소식小識에 불과하다. 다음의 시에서처럼 말이다. (2011)

더는 뜻 세우지 못하리 더는 어리석어지지 못하리 더는 천박해지지 못하리 더는 사랑에 빠지지 못하리

더는 술 취해 길바닥에 나뒹굴지 못하리 더는 비 맞은 초상집 강아지 노릇 못하리

가을이 오면 호박잎 죄 마르는 거지 늙어빠진 알몸 절로 붉어지는 거지 담장 위 누런 호박덩어리 따위 되는 거지

그렇게 가부좌 틀고 앉아 유유히 세상 내려다보는 거지 가난한 마음 더욱 가난해지는 거지.

—「쉰」 전문

# 생태환경의 현실, 그리고 우주와의 연대
## ─제9시집 『걸레옷을 입은 구름』

### 1. 생태환경 의식의 두 차원

생명을 얻는 일과 생명을 잃는 일만큼, 생사生死의 일만큼 인간의 마음을 사로잡는 것은 없다. 생명을 얻는 일은 태어나는 일이고, 생명을 잃는 일은 죽는 일이다. 그렇다. 생명을 얻는 일은 신생이고, 생명을 잃는 일은 사망이다. 모든 유기체의 존재과정이 생명을 얻고 생명을 잃는 절차인 까닭이 바로 여기에 있다. 태어나고, 성장하고, 늙고, 병들고, 죽기 마련인 것이 모든 유기체의 존재과정이라는 것이다.

유기체로서의 생명이 갖는 이러한 존재과정, 곧 생로병사生老病死의 순환과정을 바로 깨달으려는 일은 석가모니 이래 수많은 부처님들이 끊임없이 되풀이해 탐구해온 화두이다. 최근에 들어서는 생태환경의 관점에서 흔히 연기의 단계라고 부르는 생로병사生老病死의 순환과정에 대한 관심이 더욱 고조되고 있어 주목이 된다.

대한민국 사회에서는 특히 2000년대에 들어 생태환경의 모순에 대한 논의가 매우 집중적으로 펼쳐진 바 있다. 생태환경의 모순은 말할 것도 없이 자본주의적 근대의 대두와 더불어 보편화된 모순, 곧 산업사회가 안고 있는 모순 중의 하나이다. 이는 당연히 생태환경의 모순이 산업사회의 대두에 따라 일반화된 민족모순(제국주의 모순)

및 계급모순과 서로 뒤얽혀 있다는 것을 뜻한다. 바로 이러한 이유에서 근대적 자본주의 사회를 구성하는 3대 모순을 계급모순, 민족모순, 생태환경모순이라고 부르는 것이리라.

2013년 6월에 간행된 내 시집 『걸레옷을 입은 구름』(실천문학사)은 자연, 생명, 생태, 서정, 환경, 상처, 나, 욕망, 죽음 등의 키워드를 거느리고 있다. 이들 키워드에서도 알 수 있듯이 이번 시집 『걸레옷을 입은 구름』은 2002년 3월에 간행된 내 시집 『내 몸에는 달이 살고 있다』(창비)의 문제의식을 좀 더 많이 계승하고 있다. 『내 몸에는 달이 살고 있다』를 간행한 2002년 3월과 『걸레옷을 입은 구름』을 간행한 2013년 6월 사이에 나는 모두 세 권의 시집을 발간했다. 『길은 당나귀를 타고』(실천문학사, 2005. 2), 『책바위』(천년의시작, 2008. 2), 『첫눈 아침』(푸른사상, 2010. 12)이 바로 그것이다.

2002년 3월에 간행한 내 시집 『내 몸에는 달이 살고 있다』에 담겨 있는 문제의식은 지금 이곳의 생태환경에 대한 나 나름의 근심과 걱정을 바탕으로 하고 있다. 그것은 얼마 전인 2013년 6월에 간행한 내 시집 『걸레옷을 입은 구름』에서도 마찬가지이다. 『내 몸에는 달이 살고 있다』 이후 10여 년을 두고 계속되어온 지금 이곳의 생태환경의 문제에 관한 이런저런 고민을 담고 있는 것이 이번 시집 『걸레옷을 입은 구름』이다.

생태환경의 문제에 관한 이런저런 내 고민은 오늘 지금의 시대, 곧 자본주의적 근대에 대한 비판적 성찰과 무관하지 않다. 생태환경과 관련해 발생하는 모든 문제가 자본주의적 근대의 대두와 깊이 관련되어 있다는 것은 불문가지이다. 따라서 생태환경 문제에 관련한 이런저런 내 고민은 지금의 이 시대, 곧 자본주의적 근대를 극복하고 좀 더 진전된 시대를 맞이하기 위한 오랜 열망을 반영하고 있다고 해도 좋다.

물론 이때의 생태환경에 대한 이런저런 내 고민은 이번 시집의 시들에 발견이나 깨달음의 형태로 스며들어 있다. 지금의 현실이 안고 있는 생태환경의 문제, 대지 자연의 문제와 관련해서 그동안 내가 발견하고 깨달아온 이런저런 생각을 담고 있는 것이 이번 시집의 시들이라는 것이다. 이번 시집의 시들에 『시경』에서 운위云謂되고 있는 조수초목지명鳥獸草木之名이라고 불러도 좋을 만큼 많은 자연물의 이름, 사물의 이름이 등장하고 있는 것도 실제로는 이에서 비롯된다.

오늘 지금의 이 시대, 곧 자본주의적 근대가 직면해 있는 생태환경의 문제에 대해서는 일찍이 「시와 생태적 상상력」(『시와 생태적 상상력』, 소명, 2000)이라는 글에서 그 대강의 윤곽을 밝힌 바가 있다. 물론 이번 시집의 시들이 이 글 「시와 생태적 상상력」에 담겨 있는 문제의식으로부터 좀 더 앞으로 나아가 있는 것은 사실이다. 하지만 이번 시집의 시들이 이 글에서 제기하고 있는 문제의식의 밖에 따로 존재하는 것은 아니다.

백낙청의 견해를 바탕으로 하고 있는 이 글 「시와 생태적 상상력」에 의하면 생태환경에 관한 이 시대의 문제의식의 경우 단기적이고 미시적인 차원의 공해나 오염에 관한 것이 있을 수 있고, 근원적이고 거시적인 차원의 자연 혹은 우주와의 조화에 관한 것이 있을 수 있다. 오늘의 생태환경에 대한 이러한 장단기적인 문제의식은 이번 시집에 수록되어 있는 시들의 경우에도 별로 다를 바 없다.

다음의 시는 겉으로는 단기적이고 미시적인 차원의 생태환경 의식을 담으려 하면서도 속으로는 장기적이고 근본적인 생태환경 의식을 담으려 한 예이다.

돌 속에서 엉금엉금 기어 나온 후 너무 오랫동안 돌을 잊고 살았다

쭈글쭈글 속이 빈 돌의 껍데기가 어머니의 뱃가죽이라는 걸 알았을 때는 세상의 시간이 이미 허옇게 늙어 있었다

돌도 벌써 불그죽죽 녹슬어 있었다 수은 납 카드뮴 따위가 스며들어 늦가을 두엄더미 위로 나뒹구는 썩은 밤송이만큼이나 몰골이 지저분했다

저 돌이 언젠가는 내가 되돌아가야 할 집이라니…… 아무 생각 없이 세상을 걷어차 온 아랫도리가 싫었다 미웠다 역겨웠다

시간의 회초리에 종아리를 맞다 보면 늦었어, 늦었어 혀를 차는 소리나 겨우 알아들을 수 있었다

미처 악수를 청하기 전이지만 이 모든 일이 내 거친 아랫도리에서 비롯되는 일이라는 것을 안 것은 그나마 다행이었다

쭈글쭈글 껍데기뿐인 돌은 그래도 반갑게 내 손을 잡아주었다 돌의 손은 어머니의 젖가슴만큼이나 따뜻해 찔끔찔끔 눈물이 흘러나왔다

아직도 모래알로 잘게 부서져 내리고 있는 저 돌의 껍데기이라니

더는 돌 속의 집으로 돌아가지 못할 것 같아 아예 온몸을 바람에게

맡기고 싶을 때도 있었다.

—「돌 속의 집」 전문

이 시는 돌이 부서져 모래가 되고, 모래가 부서져 흙이 되는 자연현상을 전제로 하고 있다. 돌과 모래와 흙은 하나의 존재가 지니고 있는 각각의 다른 현상이다. 이번의 시집 『걸레옷을 입은 구름』의 시들은 바로 그러한 맥락에서 흙을 '생명의 집'이라고 발상하고 있다. 다른 시 「생명의 집」에서 노래하고 있듯이 "부서져 흙이 되는 돌"의 문을 열고 나오는 것이, 다시 말해 땅에서, 흙에서 태어나는 것이 생명이다. 이 시 「생명의 집」의 표현을 빌리면 "마늘과 양파를 키우는" 것이, "벼와 보리를 키우는" 것이, "암탉과 칠면조를 키우는" 것이, "소와 돼지를 키우는" 것이 다름 아닌 돌이고, 모래이고, 흙이다. 이를테면 흙(돌, 모래)에서 생명이 태어난다는 것인데, 또 다른 시 「강아지풀」에서 내가 "밭두둑의 흙"을 "강아지풀의 집"이라고 노래하고 있는 것도 동일한 이유에서이다.

정작 중요한 것은 이때의 '돌'이 앞의 시 「돌 속의 집」에서도 노래하고 있듯이 "불그죽죽 녹슬어 있"다는 점이다. "수은 납 카드뮴 따위가 스며들어 늦가을 두엄더미 위로 나뒹구는 썩은 밤송이만큼이나 몰골이 지저분"해진 것이 지금 이곳의 돌이라는 것이다. 따라서 내가 이 시에서 이러한 "돌이 언젠가는 내가 되돌아가야 할 집이라니"라고 하며 한탄하는 것은 너무도 당연하다. 이처럼 겉으로는 토양오염의 현실을 문제로 삼으면서도 속으로는 오늘 이 시대가 처해 있는 생태환경의 문제

일반에 대한 근원적인 질문을 던지고 있는 것이 이 시이다.

이 시집에는 당연히 공해나 오염의 실태를 증언하고 있는 시들, 즉 "생태환경의 문제에 대한 단기적이고 미시적인 접근을 시도하고 있는 시들"도 실려 있다. 물론 "생태환경의 문제 일반에 관한 장기적이고 거시적인 접근을 시도하고 있는 시들"(졸저, 『시와 생태적 상상력』, 62면)이 좀 더 많은 비중을 이루고 있기는 하지만 말이다. 그렇다. 이번 시집에는 생태환경의 문제에 대한 단기적이고 미시적인 접근을 시도하는 시들보다 근원적이고 거시적인 접근을 꾀하는 시들, 자연 혹은 우주와의 연대를 시도하는 시들이 훨씬 더 많은 비중을 차지하고 있다. 그렇다고 해도 이번 시집에서 내가 지구의 생태환경이 직면하고 있는 문제들과 관련해, 곧 자연 혹은 우주가 처해 있는 문제들과 관련해 앞에서 말한 미시적인 차원과 거시적인 차원을 동시에 밀고 나아가려 한 것은 분명한 사실이다. 물론 이러한 내 의도에는 지금의 이 시대, 곧 자본주의적 근대가 자신의 안에 감추고 있는 생태환경의 문제를 바르게 지양해가고 극복해가는 좀 더 나은 사회, 다시 말해 자본주의적 근대 밖으로 나아가기 위한 내 오랜 의지와 열정이 담겨 있다.

## 2. 자연의 시공時空과 인간의 시공時空

인간과 자연은 항상 주체와 객체로 존재하며 상호 대립하고 조화한다. 이는 자아와 세계가 늘 주체와 객체로 존재하며 상호 대립하고 조화하는 것과 다르지 않다. 객체로부터, 곧 어머니 대지, 다시 말해 자연으로부터 분리되면서 인간은 자신의 퍼스낼리티personality를 갖게 된 바 있다. 하지만 인류의 역사 속에서 주체와 객체, 자아와 세계를 바라보는 태도가 항상 똑같았던 것은 아니다.

석가모니가 천상천하 유아독존天上天下 唯我獨尊이라고 할 때의 '아我'와 데카르트가 "나는 생각한다, 고로 존재한다"고 할 때의 '나'는 같지 않다. 석가모니의 '나'는 곧 '너'이고, '너'는 곧 '그'이니만큼 석가모니에게는 주체와 객체, 자아와 세계의 관계가 비의적이라고 할 만큼 착종되어 있다고 해야 옳다. 석가모니의 '나'는 물심일여의 '나', 주객일체의 '나'인 것이다.

하지만 데카르트의 '나'는 세계를 대상으로 객관화시키면서 존재하는 '나'이다. 따라서 데카르트의 '나'는 대상으로부터 분리되어 있는 '나', 세계로부터 유리되어 있는 '나'일 수밖에 없다. 물론 데카르트의 '나'가 자본주의적 근대를 성립시킨 역사적인 '나'이기는 하다. 그렇다고는 하더라도 데카르트의 역사적인 '나'가 석가모니가 말하는 무자기無自己 혹은 무자성無自性을 미처 깨닫고 있지 못한 '나'인 것은 사실이다. 무자기無自己 혹은 무자성無自性을 깨닫고 있지 못한 '나'는 인간과 자연이 이루는 근원적인 상호관계를 바로 알기가 어렵다. 무자기無自己 혹은 무자성無自性을 깨닫고 있지 못한 '나'는 언제나 세계, 곧 자연이나 우주와 분리된 채, 고립된 채 존재하기 쉽기 때문이다.

세계, 곧 자연이나 우주와 분리된 채로 존재하는 '나'가 근대적 주체라는 것은 불문가지이다. 근대적 주체로서의 '나'의 눈으로는 세계라고 하는 자연이나 우주라는 객체를 바로 깨닫기가 어렵다. 인간과 자연, 곧 주체와 객체가 불이不二의 관계, 이이일二而一의 관계로 존재할 수밖에 없다는 것을 바로 알기가 힘들기 때문이다.

주체와 객체, 자아와 세계의 관계를 바르게 알고 있다고 하더라도 시가 구체적으로 서술되다 보면 주체이든 객체이든, 자아이든 세계이든 어느 하나를 좀 더 중점적으로 취할 수밖에 없다. 이는 시가 주체의

'진술'을 중심으로 서술되느냐, 객체의 '묘사'를 중심으로 서술되느냐 하는 문제이기도 하다. 주체의 '진술'을 중심으로 서술되는 시는 아무래도 '나', 즉 주체를 드러내는 일이 중심이 되기 쉽고, 객체의 묘사를 중심으로 서술되는 시는 아무래도 '그', 즉 객체를 드러내는 일이 중심이 되기 쉽다. 어떤 경우에는 이들 각각의 태도가 서로 뒤섞인 채로 서술되지만 말이다.

물론 이번 시집 『걸레옷을 입은 구름』에 실려 있는 시들은 좀 더 '그'에, 다시 말해 객체에 중심이 놓여 있다. 무엇보다 이는 이번의 시집에서 내가 세계를 자연의 사물들 자체의 존엄성을 바탕으로 받아들이려 하기 때문이다. 이를테면 물권의 가치 자체를 좀 더 널리 선양하려는 의지를 바탕으로 하고 있는 것이 이번 시집의 기본의도라는 것이다. 당연히 이에는 '주객일치主客一致'의 차원보다는 '물심일여物心一如'의 차원에 이르려는 정신이 담겨 있다. 이러한 논의는 '나'를 좀 더 중심적으로 받아들이는 것이 '주객일치主客一致'의 차원이고, '그'를 좀 더 중심적으로 받아들이는 것이 '물심일여物心一如'의 차원이라는 것을 전제로 한다. '주객일치主客一致'의 차원과 '물심일여物心一如'의 차원이 이루는 차이를 이처럼 손쉽게 변별하기는 어렵지만 말이다.

버려진 폐타이어는 검다
검게 저무는 지장보살이다

반쯤 땅속에 묻힌 채
세상의 질병 온몸으로 앓고 있는
지장보살은 둥글다

둥근 마음으로 그는 시방
아스팔트 위를 달리며 만든
피고름 죄 삭이고 있다

지장보살이 아프니
땅도 아프다 검게
저무는 것은 다 아프다

아픈 몸으로 그는 다시
거름을 만들고 있다 샐비어 몇 송이
빨갛게 꽃피울 꿈꾸고 있다.

—「폐타이어」 전문

이 시는 토양오염을 일으키기 쉬운 '폐타이어'를 소재로 하고 있다.
"반쯤 땅속에 묻힌 채 / 세상의 질병 온몸으로 앓고 있는" 것이 이
시에서의 폐타이어이다. 이제는 "둥근 마음으로" "아스팔트 위를 달리
며 만든 / 피고름 죄 삭이고 있"는 것이 이 시에서의 폐타이어라는
것이다. 이처럼 이 시의 화자인 '나'는 이 시에서 무생물인 폐타이어에게
뜨거운 생명을 부여하고 있다. 그뿐만 아니라 '나'는 폐타이어를 "검게
저무는 지장보살"로 은유해 "아픈 몸으로" 그가 지금 "거름을 만들고
있다"고 노래한다. 버려진 폐타이어에게 인격을 부여해 그가 자신의
한계를 극복하고 지공무사한 삶을 살아가기를 바라고 있는 것이다.
이처럼 이 시에서 '나'는 버려진 폐타이어의 물권을 십분 긍정할

뿐만 아니라 십분 선양하고 있다. 물론 폐타이어의 "샐비어 몇 송이 / 빨갛게 꽃피울 꿈"에는 창작자인 내 바람도 들어 있다. 시에서 '풍경의 선택'은 '세계관의 선택'이라고 하거니와, 나로서는 이들 풍경의 선택을 통해 나 나름의 의지를 담아내고 싶었던 것이다.

이 시에서 폐타이어가 그러한 의미를 갖는 것은 그것이 단지 폐타이어만을 뜻하지는 않기 때문이다. 오랜 시간을 정신없이 달려왔지만 저 자신의 역할을 다하고 버려지는 것이 폐타이어만은 아니다. 일상의 삶에서 폐타이어처럼 버려지기는 했지만 버려지기를 거부하며 자신의 역할을 되찾기 위해 최선을 다하고 있는 사람을 발견하기란 별로 어렵지 않다. 나로서는 폐타이어의 의미망에 그러한 현실까지도 담으려 했던 것이다. 따라서 자연 혹은 우주와의 조화를 추구하는 시가 좀 더 객관적인 존재, 곧 사물 자체를 중심으로 형상화되는 것은 당연하다.

자연 혹은 우주와의 조화를 꾀하는 시는 그것이 이루는 질서나 시공時空에 대해서도 깊은 관심을 갖기 마련이다. 자연 혹은 우주가 갖는 질서나 시공時空은 언뜻 변하지 않는 원리를 내포하고 있는 것처럼 보인다. 하지만 정작의 자연 혹은 우주의 질서가 인간이 만들어가는 나날의 현실과 전혀 무관하게 존재하는 것은 아니다. 오늘의 인간이 자연 혹은 우주에 대하는 행위나 태도에 따라 얼마든지 저 자신의 질서나 시공을 바꾸는 것이 자연 혹은 우주이기 때문이다.

'도구적 이성'의 산물이겠지만 오늘의 인간에게 자연 혹은 우주는 한갓 이용후생의 대상일 따름이다. 이와 관련해서는 지구를 구성하고 있는 수많은 나라의 수많은 도시를 살펴볼 필요가 있다. 모든 도시가 개발과 건설의 미덕을 바탕으로 만들어지기 때문이다. 하지만 개발과 건설이 정말 미덕일까. 다른 한편으로 개발과 건설은 파괴와 해체의 다른 이름일 수도 있다. 그렇다면 이 땅의 수많은 도시는 지구의 자연을 파괴하고 건설한 디스토피아에 지나지 않는다. 개발과 건설이라는 미명으로 지금도 이 땅에는 대단위의 신도시가 세워지고 있고, 그에 따라 엄청난 자연 혹은 우주가 파괴되고 있다.

자연 혹은 우주를 파괴하는 것은 수많은 신도시의 개발과 건설만이 아니다. 끝없이 세워지는 산업단지도 자연 혹은 우주를 파괴하고 있는 것이 사실이다. 이들 산업단지가 토해 놓는 엄청난 폐기물, 곧 공해물질의 폐해에 대해서는 따로 언급할 필요조차 없다. 자본주의적 근대를 구성하는 수많은 산업현장이 모두 공해물질을 배출해 자연 혹은 우주를 망가뜨리는 중심기제라는 것을 알아야 한다. 그렇다. 자연 혹은 우주를 형편없이 파괴하고 있는 것이 개발과 건설이라는 것을 기억해야 한다. 개발과 건설이 모두 좋은 것이 아닌 까닭이 바로 여기에 있다.

개발과 건설은 자본주의적 근대를 사는 오늘의 인간이 지니고 있는 시공의 겉모습이다. 이는 개발과 건설을 가리켜 문화나 문명이라고 부르더라도 마찬가지이다. 자본주의적 근대 이후 인간의 시공은 자연 혹은 우주의 시공과 비교할 때 엄청나게 달라진 것이 사실이다. 자본주의적 근대 이후의 인간의 시공은 언제나 자연 혹은 우주의 시공과 대립, 갈등하며 존재해왔기 때문이다.

자본주의적 근대 이후 자연 혹은 우주의 시공이 언제나 과학의 대상이 되어 왔다는 것도 기억해야 한다. 과학의 대상으로 존재하는 자연 혹은 우주의 시공은 기본적으로 인간의 인식의 대상일 수밖에 없다. 인간의 인식이라는 것이 본래 대상을 객관화하는 과정의, 대상과 거리를 확보하는 과정의 정신작용이라는 것을 잊어서는 안 된다. 대상과 거리를 확보하는 과정에 언어를 매개로 해서 획득하는 인간의 인식이 과학의 출발점이라는 것을 항상 염두에 두어야 한다.

과학이 개입되지 않은 자연 혹은 우주 그 자체의 시공은 본래 치유와 복원의 미덕을 갖고 있다. 자연 혹은 우주는 항상 순환이라는 이름으로 불리는 치유와 복원의 미덕을 바탕으로 운동한다. 이렇게 운동하는 가운데 언제나 개발과 건설의 욕망에 취해 있는 인간들에게 항거하고 저항하는 것이 자연 혹은 우주의 시공이다.

> 바람이 제 작은 부리로 물어다 놓은 깃털들이다
> 바람의 부푼 자궁이 오밀조밀 낳은 자식들이다
>
> 산비탈 절개지, 붉게 상처 난 사타구니 한 구석
> 오조조, 씨앗털들 모여 구름묘지 만들고 있다
>
> 반짝이는 햇살들, 은쟁반 두드리며 짤랑대는 시간들
> 밤꽃향기 밀려와 그것들의 가슴 후끈 달아오른다
>
> 바람이 제 작은 부리로 쪼아 쌓은 깃털들이다
> 바람의 잘 익은 젖을 먹고 자란 솜사탕 어린 아기들이다.
>
> —「구름 묘지」 전문

이 시는 개발과 건설의 이름으로 파괴된 "산비탈 절개지"를 대상으로 하고 있다. "붉게 상처 난 사타구니"라고 명명된 "산비탈 절개지"는 지금 "바람이 제 작은 부리로 물어다 놓은 깃털들", 곧 씨앗털들로 덮여 있다. 그런데 이들 오밀조밀 몰려 있는 "씨앗털들"은 이 시에서 "구름묘지"로 인식되고 있다. 이들 씨앗털은 동시에 여기서 "바람의 잘 익은 젖을 먹고 자란 솜사탕 어린 아기들"로 받아들여지고 있다. 죽음의 실재로도 보이는가 하면 생명의 실재로도 보이는 것이 이들 "붉게 상처 난" "산비탈 절개지"를 덮고 있는 씨앗털들이다. "붉게 상처 난" "산비탈 절개지"에 대한 씨앗털들의 사랑은 어머니 대지가 지니고 있는 근원적인 모성과 다르지 않다.

어머니 대지의 근원적인 모성이 갖고 있는 시간과, 함부로 파괴를 일삼는 인간의 우발적 욕망이 갖고 있는 시간은 다르다. 자연의 시간은 굳건하고 건강하게 자신의 질서를 운용하며 순환하고 전진하지만 인간의 시간은 저 자신과 자연을 파괴해 상처를 만들며 제자리걸음을 한다. 제자리걸음? 어쩌면 뒷걸음질을 하는 것이 지금 이곳의 인간의 시간인지도 모른다. 따라서 나로서는 인간의 시간이 만드는 이러한 반동의 현실에 대해 우려를 하지 않을 수 없다. 인간의 시간이 축적되면서 만들어온 자본주의적 근대의 너절하고 추악한 모습을 보면 이러한 우려는 더욱 커진다.

자연의 시간과 인간의 시간이 손을 맞잡고 동일한 궤적을 만드는 일은 이제 원천적으로 불가능하다. 욕망으로 가득 차 있는 인간의 시간은 급기야 지구라는 이름의 대지 자연의 시간은 물론 우주, 곧 달이며 별의 시간까지 멋대로 파괴하고 있다. 달과의 관계는 더욱 일그러져 있어 지구 생태계의 운명을 아주 불안하게 한다. 이는 이번의 시집 『걸레옷을 입은 구름』에 '달'의 이미지가 유난히 많이 나오는 것을 통해서도 확인이 된다.

## 3. '나'와 달의 호흡

지구 생태계의 모든 생명은 달과의 호흡을 통해 자신의 존재를 재생산한다. 자신의 짝인 달과 주고받는 특별한 호흡 및 운기運氣 속에서 탄생, 성장, 소멸의 과정을 반복하고 있는 것이 지구 생태계의 생명들이다. 하지만 지금은 달과 주고받아온 호흡 및 운기運氣에 이상이 생겨 지구 생태계 전체가 위협을 받고 있다. 지구 생태계를 보호하고, 지구 생태계와 지구 생태계 밖의 우주 생태계를 잇는 것이 구름이고 오존층이거니와, 이제는 그것들조차 함부로 파괴되고 오염되어 있기 때문이다. 지금의 구름은 납과 수은, 카드뮴 등 중금속으로 뒤범벅이 된 걸레옷을 입고 있어 입을 다물지 못하게 할 정도이다. 물론 이는 모두 지구 공동체 안의 인간이 저지른 죄악에서 비롯된다. 그러니 지구 생태계 안의 생명들이 제대로 된 생식의 과정을 밟을 리 만무하다. 지구 생태계 안의 적잖은 생명들이 지금 온전한 몸을 지니고 있지 못한 것도 이와 무관하지 않다.

물론 지구 생태계 안의 생명들이 재생산되는 데에 오직 달과의 호흡만 요구되는 것은 아니다. 태양계 안팎의 무수한 행성들과도 깊은 호흡을 하는 가운데 자기 존재를 재생산해나가는 것이 지구 생태계의 생명들이다. 이처럼 지구 생태계를 이루는 존재들은 우주 생태계를 이루는 존재들과 깊이 연결되어 있다. 특히 태양 생태계 안의 별들과는 겹으로 뒤얽혀 있는 것이 지구 생태계 안의 존재들이다. 태양 생태계 안의 화성, 수성, 목성, 금성, 토성, 태양 자체와 이런저런 인력과 기운을 주고받으며 자신의 생명을 운용해가는 것이 지구 생태계 안의 존재들이라는 것이다. 이번 시집에서 내가 달을 비롯한 우주 생태계와의 조화를 꾀하고 있는 시들을 여러 편 수록하고 있는 것도 바로 이 때문이다. 「生의 알」, 「꾀꼬리 달」, 「안마사」, 「기상대」, 「날이 흐려서」, 「달의 가출」, 「걸레옷을 입은 구름」 등의 시가 그 구체적인 예이다.

달은 너무 멀리 있다 아득히 구름 뒤에 숨어

보이지 않는다 그래도 달은

내 몸을 잘 알고 있다 몸의 구석구석

긴 손가락을 뻗어 어루만진다

달은 안마사다 구름이 낮아져

기압이라도 오르면 저도 힘들어

심장의 박동, 가로막는다

흐르는 피의 속도, 무너뜨린다

그러면 너무 어지러워

마음 갈피를 잃는다 그녀도 그걸

잘 알고 있다 다가올 때보다는 멀어질 때

몸이 훨씬 가벼워진다는 것도

떠오를 때보다는 질 때

발걸음 더욱 힘차다는 것도

잘 알고 있다 달은 지금도

몸속 주춤주춤 흐르고 있다

괜한 욕심에 쫓겨 과식을 하기라도 하면

그녀는 잠시 황당해 흐르기를 늦춘다

그러면 그만 어지러워져

아무데나 주저앉아야 한다

그녀는 아득히 멀리 있다 구름 뒤에 숨어

내 몸의 구석구석 잘도 밟고 다닌다.

―「안마사」 전문

이 시 「안마사」는 구름을 사이에 두고 일어나는 '나'와 달의 상호관계를 그리고 있다. 달은 "아득히 멀리" "구름 뒤에 숨어" 있으면서도 내 "몸의 구석구석 잘도 밟고 다"니며 상호 소통한다. 하지만 구름이 낮게 내려와 기압이 오르기라도 하면 '나'는 달과의 관계가 헝클어져 고통을 겪게 된다. "구름이 낮아져 / 기압이라도 오르면" 달 "저도 힘들어 / 심장의 박동, 가로막"기 때문이다. 그렇게 되면 '나'는 "너무 어지러워 / 마음 갈피를 잃"을 수밖에 없다. 이번 시집의 표제시인 「걸레옷을 입은 구름」에서 내가 "구름이 이리저리 몰려다니며 자꾸 나와 달 사이의 교신을 끊는다 걸레옷을 입은 구름…… / 교신이 끊기면 나는 달에 살고 있는 잠의 여신을 부르지 못한다 옛날 구름은 그냥 수증기, (…중략…) 오늘 구름은 고름덩어리, 걸레옷을 입은 구름은 제 뱃속 가득 납과 수은과 카드뮴을 감추고 있다 / 이제 내 숨결은 달에게로 가지 못한다 달의 숨결도 내게로 오지 못한다"라고 노래하고 있는 것도 이러한 인식과 무관하지 않다.

이처럼 '나'의 몸은 달을 비롯한 태양계 내외의 행성들과 깊이 연결되어 있다. 태양의 흑점활동이 강화되면 X선, 고에너지 입자, 코로나 등이 과도하게 방출되어 지구에 도달하게 되는데 이때는 단파방송이나 통신이 일시적으로 장애를 일으킨다고 한다. 장애를 일으키는 것은 단파방송이나 통신만이 아니라 내 몸이기도 하다. 달을 비롯한 우주의 여러 행성들과 깊이 연결되어 있는 것이 내 몸이고, 이러한 내 몸에서 잉태되는 것이 내 마음이라는 것이다. 제5시집 『내 몸에는 달이 살고 있다』에 실려 있는 시 「휘파람 부는 저녁」에서 내가 "몇 억 광년을 두고 날아왔으면서도, 타는 제 가슴 미처 식히지 못하는" 별을 노래했던 것도 바로 이러한 이유에서이다.

## 4. 불이의 생과 사

앞에서 나는 이번 시집의 시들이 좀 더 많은 부분에서 근원적이고 거시적인 측면의 생태환경에 대한 문제의식을 담고 있다고 말한 바 있다. 물론 이번 시집의 시들에 실려 있는 근원적이고 거시적인 측면에서의 생태환경에 대한 문제의식이 내가 우주와 맺는 관계에만 그쳐 있는 것은 아니다. 생태환경의 실재에 대한 지칠 줄 모르는 호기심을 지니고 있는 내가 생로병사生老病死의 바른 연기緣起의 과정을 깨달아가면서 얻는 일련의 질문이나 소식小識 등도 들어 있는 것이 이번 시집의 시들이다. 그렇다. 이번 시집의 시들은 생명 그 자체에 대한 호기심, 나아가 생명의 기원에 대한 질문과 소식 등도 중요한 내용으로 받아들이고 있다. 그뿐만 아니라 생명과 서로 대척되면서도 서로 보완되는 죽음의 문제도 이번 시집의 시들에는 깊이 천착되어 있다.

생명의 문제에 대한 자각과, 그에 따른 죽음의 문제에 대한 자각을 담지 않고서는 생로병사生老病死의 연기緣起 과정을 바로 형상화하기가 어렵다. 생로병사의 연기 과정이라고 했지만 그것은 결국 생生과 사死가 얼마나, 어떻게 상호 혼재되어 있고, 상호 착종되어 있는가를 깨닫는 것에 지나지 않는다. 이를테면 이번 시집의 시들에는 생生과 사死가 이루는 불이不二의 모습 또한 중요하게 취급되어 있다는 것이다.

이와 더불어 이번 시집의 시들에 중요하게 취급되어 있는 것 중의 하나는 생과 사의 상호 혼재와 상호 착종을 구체적인 삶의 과정을 통해 드러내려 한 점이다. 생과 사의 상호 침투와 상호 혼종을 실제로 영위되는 나날의 삶에서 발견하고, 그것을 생생한 시의 언어로 드러내는 일 또한 중요하게 다루려 했다는 뜻이다. 졸시 「生의 알」, 「생명의 집」, 「살아 있는 것들의 집」, 「시체창고」, 「살아 있는 죽음」, 「죽음들」, 「오늘치의 죽음」 등이 다름 아닌 그러한 시의 예이다. 일상의 나날에서 생과 사가 어떻게 혼재되어 있고 착종되어 있는가를 실감 있게 보여주려 한 것은 다음의 시 「오늘치의 죽음」에서도 마찬가지이다.

손톱을 깎는다 내 안에서
자라는 죽음을 깎는다
수염을 깎는다 내 속에서
자라는 어제를 깎는다

뽀쪽뽀쪽 밀어올리는
오늘치의 죽음

오늘도 나는 오늘치의
어제를 키운다 내일도 나는
내일치의 죽음을 키운다

덥수룩이 자라오르는
내일치의 머리카락

내 안에는 뭇 죽음을 먹고

뭇 생명이 크고 있다
내 속에는 뭇 생명을 먹고
뭇 죽음이 자라고 있다.

—「오늘치의 죽음」 전문

이 시에서 다루고 있는 손톱이나 수염, 머리카락 등은 화자인 '나'의 '살아 있는' 몸을 구성하는 매우 중요한 자질들이다. 하지만 심장이나 췌장 등과는 달리 이것들을 두고 살아 있는 것들이라고 하기에는 곤란하다. 이것들 모두가 이미 '나'의 '살아 있는' 몸이 뱉어내는 주검들이기 때문이다. 손톱이나 수염, 머리카락이나 살비듬 등이야말로 내 속에서 "뭇 생명을 먹고" 자라고 있는 "뭇 죽음"의 구체적인 모습이라고 할 수 있다. '나'의 몸이 매일 이러한 생사의 소통을 거듭하고 있어 이 시에서 화자인 '나'는 지금 "내 안에는 뭇 죽음을 먹고 / 뭇 생명이 크고 있다"라고 노래하고 있는지도 모른다. 여기서 말하는 "뭇 생명"이 내 몸과 함께하는 것이라는 점은 불문가지이다. 내가 나 자신의 몸에 대해 깊은 관심을 갖지 않을 수 없는 소이가 바로 여기에 있다. 몸에 대해 관심을 갖는 것이야말로 생生과 사死에 대해 관심을 갖는 것이기 때문이다.

몸을 토대로 하고 있는 생과 사는 본래 하나이면서 둘이고, 둘이면서 하나이다. 생과 사가 지니고 있는 이러한 불이성不二性은 인간과 사물(자연) 사이에도 동일하게 존재한다. 인간과 사물(자연)의 사이에도 불이의 관계가 똑같이 존재한다는 것인데, 이번 시집의 시들에서 나는 이들 가치에 대해서도 적극적인 탐구를 보여주려 했다. 민들레꽃과 낮빛 뽀얀 계집애(「민들레꽃」), 봄꽃들과 책(「봄꽃들」), 사람들과 봄꽃들(「나바위성당」) 등의 관계가 바로 그러한 뜻에서 추구해온 불이의 존재, 즉 양가적 존재를 구체화한 예이다. 물론 이는 색즉시공 공즉시색 色卽是空 空卽是色의 가치가 지니고 있는 불이성不二性을 있는 그대로 드러내려 한 결과라고 할 수 있다. 이들 중의적 가치는 오늘의 이 시대를 살아가는 사람이라면 누구나 쉽게 체험하는 보편적인 진리라고 해도 지나치지 않다.

## 5. 볕과 빛의 촉기

개성이 있는 시인은 누구나 다 저 나름의 정서적 특징을 갖고 있다. 그동안 내가 써온 시도 나 나름의 정서적 특징이 충분히 투사되어 있기를 바란다. 이때의 정서적 특징을 가리켜 심미적 아우라 혹은 예술적 분위기라고 해도 좋다.

이번의 시집 『걸레옷을 입은 구름』의 시들이 보여주는 정서적 특징, 곧 심미적 아우라에도 내 마음과 함께하는 심미적 정서가 반영되어 있을 것은 분명하다. 물론 이때의 심미적 정서는 내가 만든 '시'라는 언어조직의 산물일 것이 확실하지만 말이다. 내가 만든 시라는 언어조직에는 나 나름의 심미적 언어의식이 들어 있다. 여기서 말하는 나 나름의 심미적 언어의식은 당연히 나도 모르게 선택하는 ㄴ, ㄹ, ㅁ, ㅇ 등의 유성자음 및 모음 지향성 등을 가리킨다. 말소리의 울림에 대한 자각이 없이 심미적 언어의식을 제대로 지니기는 어렵다.

이번 시집의 시들이 함유하고 있는 심미적 언어의식에는 마땅히 나 나름의 심미적 정서가 반영되어 있다. 나 나름의 심미적 정서는 지금까지 내가 살아온 삶의 과정과 결코 무관하지 않다. 내가 살아온 삶의 과정은 내가 경험해온 공간의 특징, 곧 자연의 특징도 중요한 영역을 차지하고 있다. 그렇다. 내 시의 배경이 되는 공간, 곧 지금 내가 살고 있는 광주 전남의 산천이 지니고 있는 볕과 빛으로부터 결코 유리되어 있지 않은 것이 이번 시집의 시들이 지니고 있는 정서적 특징이다. 지금까지의 삶의 과정에 내가 겪은 산천의 볕과 빛이 중요한 바탕으로 작용하고 있는 것이 이번 시집의 시들이 이루는 정서적 특징이라는 것이다.

내가 태어나고 자란 고향은 충청남도 공주군 장기면 당암리 막은골이다. 지금의 행정지명으로는 세종특별자치시의 다정동이다. 한때는 공주, 대전, 서울 등지로 떠돌며 살다가 요즈음에는 광주 전남을 중심으로 대전, 세종, 서울 등을 오가며 살고 있는 것이 나이다. 내가 흔히 빛고을이라고 불리는 광주 전남을 중심으로 전국을 떠돌며 살기 시작한 지도 벌써 20여 년이나 된다. 그래서일까. 내 마음에는 대전 충남의 산천이 지니고 있는 볕과 빛만이 아니라 광주 전남의 산천이 지니고 있는 볕과 빛도 한껏 들어와 있다. 그것은 내가 써온 시에도 십분 반영이 되어 있다. 그렇다. 이번 시집에 실려 있는 시들은 거개의 경우 광주 전남의 볕과 빛을 정서적 질료로 삼아 창작된 것들이다. 광주 전남 주변의 자연과 풍경을 중심 자양분으로 하고 있는 것이 이번 시집의 대부분의 시들이라고 할 수 있다.

시를 쓰든 시를 쓰지 않든 사람들의 정서적 특징은 각기 다 다르다. 사람들 중에는 볕과 빛의 밝기와 온기에 특별히 민감한 사람이 있는 법이다. 나도 그러한 편에 속하는 사람이다. 서울에서 고속버스나 승용차를 타고 광주나 여수, 목포를 향해 가다 보면 전주 부근의 비산비야를 지나면서 볕과 빛의 촉기가 현저하게 달라지는 것을 알 수 있다. 나는 그렇게 달라지는 볕과 빛의 촉기가 이른바 남도의 정서를 만드는

데 매우 중요한 자질로 작용하고 있다고 받아들인다. 남도의 정서는 기본적으로 밝고 환하다. 밝고 환하면서도 어둡다. 이때의 밝고 환하고 어두운 남도의 정서를 빛고을이라고도 불리는 광주의 심미적 분위기가 모두 다 대변하는 것은 아니다. 이곳에는 빛고을 광주만이 아니라 특별히 볕과 빛을 강조하는 광산, 담양, 춘양, 이양, 광양, 화양 등의 지명을 갖고 있는 지역도 있다는 것을 염두에 둘 필요가 있다.

더는 참을 수 없어
오월에는 고인돌도 꽃을 피우지
고인돌이 제 가슴에
남몰래 피워 올리는
연보랏빛 제비꽃 따라
춘양 가는 길

봄볕 너무 밝아
오월에는 꾀꼬리도 꽃을 피우지
꾀꼬리가 산골짜기에
은근히 감춰 피우는
병아리빛 붓꽃 따라
춘양 가는 길

길 위에 서면
꽃들의 보조개 너무 어지러워
가슴 활짝 열고

숨 고르고 다듬어야 하지
문득 이 세상
텅, 비어 올지라도

초록 잎새들 아주 환해
이 봄에는 당신의 마음
자꾸만 들떠 오르지
걸음걸음 고인돌 밟고
불어오는 바람 따라
춘양 가는 길.

　　　　　　　　　　　—「춘양 가는 길」 전문

　밝고 환한 남도의 정서, 곧 밝고 환한 광주 전남의 빛과 볕은 항상
일정한 어둠을 거느리고 있다. 일정한 어둠을 거느리고 있는 것은
이 시에서도 마찬가지이다. 여기서 말하는 어둠은 '그늘'의 다른 말이기
도 하다. 이때의 그늘은 서럽고 슬프면서도 밝고 환하다. 이때의 그늘은
밝고 환하면서도 서럽고 슬프다. 밝고 환한 볕과 빛이 감추고 있는
그윽한 어둠, 그윽한 어둠을 감추고 있는 밝고 환한 볕과 빛이야말로
남도의 정서를 구성하는 가장 중요한 자질이다.

　이를 두고 판소리의 미학에서는 '흰그늘'이라고 부른다. 흰그늘의
정서를 아주 잘 보여주는 것이 송강과 고산의 시이고, 영랑의 시이다.
내 시에 이들의 시가 지니고 있는 양가적 정서, 이른바 남도의 정서가
깊이 스미어 있으면 좋겠다. 광주 전남에서 오래 살다 보니 나도 모르게
이곳의 불이不二의 정서가 몸에 스미기를 바라는 것이다.

앞에서도 말했듯이 내가 태어나고 자란 곳은 충남 공주(세종)이다. 따라서 내 시의 정서적인 기저에는 충남 공주(세종)의 지리적 특징과 함께하는 심미적 정서가 깊이 배어 있다. 새삼스러운 이야기이지만 내 시에는 얼마간 고향의 선배들, 곧 정지용, 신동엽, 박용래, 나태주 등의 시가 지니고 있는 정서적 특징도 상당히 들어 있는 듯하다. 또한 이제는 광주, 전남의 정서적 특징, 특히 영랑의 시의 정서적 특징이 덧씌워져 있지 않나 하는 생각이 들기도 한다. 그뿐만 아니라 학부 때의 스승인 김현승의 시, 학부와 석사 때에 골몰한 김수영의 시, 박사 때에 골몰한 백석, 이용악, 오장환의 시의 정서적 특징도 십분 받아들이고 있으리라.

이러한 영향관계를 고려한다고 하더라도 내 시의 정서적 특징에 밝고 환한 것들이 숨기고 있는 서럽고 슬픈 것들, 서럽고 슬픈 것들이 숨기고 있는 밝고 환한 것들이 상존하고 있는 것은 분명하다. 이를 가리켜 기쁨과 슬픔, 즐거움과 서러움이 상호 착종되어 있다고 해도 좋다. 이들 양가적 정서가 가능한 것은 내가 서러움과 슬픔에 처해 있더라도 늘 밝은 순수와 환한 무구를 잃지 않으려 해왔기 때문이리라. 바른 것을 추구하는 의義 마음을 잃지 않으면서도 세상의 모든 존재들을 궁휼히 여기는 마음, 곧 측은지심, 다시 말해 인仁의 마음을 잃지 않으려 해왔기 때문이리라는 것이다.

이들 정서, 이들 마음을 담아내고 있는 이번 시집의 시들이 이루는 풍경, 곧 이미지, 이야기, 정서가 내가 경험해온 형상을 있는 그대로 반영하고 있는 것은 아니다. 거개의 풍경은 이런저런 언어를 매개로, 언어가 지니고 있는 이미지, 이야기, 정서를 매개로 내가 만들어낸, 내가 꾸며낸 것들이다. 그것이 다 내가 경험해온 형상을 질료로 하고 있기는 하지만 말이다. 이는 언어 자체가 허구이기도 하지만 이들 풍경을 만들어내는 과정에, 꾸며내는 과정에 수많은 허구를 응용했다는 뜻이기도 하다. 물론 이번 시집의 시들이 펼쳐내는 풍경을 꾸며낸, 만들어낸 '나'(주체, 자아, 화자)도 있는 그대로의 '나'가 아니라 내가 꾸며낸, 곧 만들어낸 '나'이기는 하다. 좀 더 면밀히 따져보면 시 쓰기의 과정에서 "있는 그대로"의 '나'라고 하는 것은 없다. 그렇다. 본래 나는 없다. 불변의 '나'라는 것은 있지도 않지만, 있다고 하더라도 시에서의 '나'는 시를 쓰는 과정에 그때그때 시의 언어를 통해 잠시 허구적으로 만들어지고 꾸며지는 것일 따름이다. (2013년)

# 언어 혹은 바람에 대한 몇 가지 상념
## — 제10시집 『봄바람, 은여우』*

## 1. 언어

언어는 형식이다. 아니, 언어는 형식이 내용보다 선행한다. 언어의 형식은 소리로 발현된다. 소리에 따라 뜻이 달라지는 것이 언어이다. 그렇다. 언어의 뜻을 만드는 것은 소리이다.

소리는 늘 어떤 틀을 만든다. 이때의 틀은 발화의 호흡 및 가락과 깊이 관련되어 있다. 언어가 만드는 호흡 및 가락은 이내 언어 결, 곧 말 결을 이룬다. 말 결은 촐랑촐랑, 출렁출렁 정서를 포함한 뜻을 만든다.

촐랑촐랑, 출렁출렁 소리(리듬)를 쫓아다니도록 되어 있는 것이 언어에서 정서를 포함한 뜻이다. 어떤 소리는 미처 뜻이 쫓아오지 못해 독자(청자)들을 어지럽게 한다. 뜻이 쫓아오지 못한 채 발화되는 소리는 난해하다. 이는 절반의 언어에 지나지 않기 때문이다. 뜻을 형성시키지 못하는 소리는 미처, 아직 언어가 아니다.

* * * * *
* 이 글은 『시선』 2005년 여름호에 발표한 초고를 전면적으로 수정, 개고한 것이다. 이 글에서 논의의 대상으로 삼는 졸시집 『봄바람, 은여우』에는 세 개의 기표층위가 함유되어 있다. 본고에서는 주로 '바람'의 층위, 바람이라는 기표층위를 중심으로 논의가 전개된다.

언어 겉의 소리를 기표라고 하고, 언어 안의 뜻(정서를 포함하는)을 기의라고 한다. 기표와 기의의 결합관계는 필연적이지 않다. 기본적으로 방자放恣한 것이 기표와 기의의 결합관계이다.

모든 기표가 언제나, 늘, 항상 기의를 거느리고 있는 것은 아니다. 어떤 기표는 미처 기의를 생성시키지 못한 채 발화되기도 한다.

기의를 생성시키지 못한 채 기표만으로 발화되는 언어는 제대로 된 언어가 아니다. 이러한 언어는 한갓 소음에 그치기 쉽다. 무잡한 기표의 연쇄만으로 현현되기 쉬운 것이 이러한 언어이다.

독자(청자) 일반은 언어와 접할 때 기표보다 기의를 먼저 떠올린다. 기표보다는 기의를 좀 더 많이 의식하는 것이 독자 일반이다.

미처 기의를 생성시키지 못한 채 발화된 기표가 언제나, 늘, 항상 기의를 생성시키지 못한 채 존재하는 것은 아니다. 아주 느리게, 아주 천천히 스멀스멀 기의가 따라붙는 기표도 없지 않다. 조금은 늦게, 조금은 엉성하게 기의가 쫓아오는 기표도 충분히 있다.

기표와 함께하는 기의는 기본적으로 다의적이다. 어떤 기표도 일의적인 기의만을 갖지는 않는다. 이때의 다양하고 다기한 기의가 독자(청자)의 인지영역에 한꺼번에 일시에 현현되는 것은 아니다. 동일한 기표가 갖고 있는 기의 중에도 어떤 기의는 빠르게 실현되고, 어떤 기의는 늦게 실현된다.

이번에 간행한 시집 『봄바람, 은여우』의 중심 언어인 '바람'의 기표도 마찬가지이다. 처음 읽었을 때는 미처 기의가 따라붙지 못하는 경우도 없지 않다. 하지만 두세 번 읽다 보면 '바람'의 기표는 독자의 무릎을 치도록 하며 '바람'의 기의를 만들기도 한다. 물론 이때의 기의는 시간이 지나면서 점차 제 영역을 넓혀가기 일쑤이다.

이때 정작 기의를 만드는 것은 기표가 아니라 독자(청자)인지도 모른다. 독자(청자)가 만드는 기의는 일종의 짐작이라고 해야 마땅하다. 짐작이라고 하는 까닭은 많은 독자(청자)가 자신의 상상력을 바탕으로 유추한 결과를 기의라고 받아들이고 있기 때문이다.

모든 짐작은 다의적이다. 거듭 망설이는 가운데, 여러 개의 의미 가운데 오직 하나의 의미만을 확정하기는 쉽지 않다. 기표가 생성하는 기의와 관련해 모든 독자(청자)는 이처럼 불투명한 선택에 처할 수밖에 없다.

다의적인 기표, 곧 여러 개의 기의를 갖는 기표는 이처럼 항상 독자(청자)의 인지영역을 혼란시킨다. 이들 다양한 기의 가운데 어떤 하나의 기의만을 선택하기는 쉽지 않다. 소리기표 자체가 불완전한 속성을 갖고 있다는 것을 알아야 한다. 본래 일정한 소리기표는 다른 소리기표와의 경계를 모호하게 유지하려는 경향이 있다.

단일하지 않은 것은 기의만이 아니다. 실제로는 기표도 단일하지 않다. 하나의 기의가 하나의 기표만으로 실현되는 것은 아니다. 하나의 기의가 여러 개의 기표, 곧 다성적인 기표로 드러나는 경우도 없지 않다. 다성적이라는 것은 하나의 기의가 여러 개의 기표로 드러날 수 있다는 것을 가리킨다. 다성적인 기표로 실현되는 기의는 자칫 모호해지기 쉽다. 기표 자체가 정확한 자모체계子母體系를 통해 유전流轉되는 것은 아니라는 것을 기억해야 한다. 정확한 자모체계子母體系를 통해 발화되지 못하는 기표는 제대로 된 기의를 형성시키지 못한다. 기표의 변별성에 의해 기의의 변별성이 태어난다는 것을 잊어서는 안 된다.

독자(청자)의 인지영역에 기표보다 기의가 늦게 실현되는 이유는 다양하다. 더러는 독자(청자)의 인지능력이 갖는 편차 때문에 기표보다 기의가 늦게 형성되는 경우도 있다. 독자(청자)의 언어의식, 언어능력은 기본적으로 층위와 차원을 갖기 마련이다.

기표와 기의가 만드는 혼란은 때로 독자들에게 재미와 즐거움을 주기도 한다. 그것들의 혼란에 따른 판단보류의 정직한 불투명성이 곧잘 독자들의 인지영역을 긴장緊張시키기 때문이다. 긴장은 경이驚異를 만들기도 하거니와, 이때의 경이가 독자들에게 시의 즐거움을 주기도 한다는 것이다.

이러한 이유로 시의 언어에서는 의도적으로 기의와 기표가 어울리며 만드는 혼란을 부추기기도 한다. 시의 언어가 이때의 혼란이 만드는 긴장과 경이를 소중하게 여기기 때문이다. 시의 언어에서 긴장과 경이는 재미와 즐거움의 전제조건이다. 여기서 말하는 긴장과 경이가 미적美的 통전統全으로 승화될 때 시의 재미와 즐거움, 나아가 감동은 태어난다.

시의 언어에서 긴장과 경이는 시의 모호성이 태어나는 방식이기도 하다. 이때의 모호성을 양가성이나 다의성이라는 이름으로 불러도 좋다. 양가성이나 다의성, 즉 모호성 등은 판단을 보류시키는 가운데 태어나는 불투명한 정신기제이다.

시라는 언어예술의 아름다움, 재미, 맛, 즐거움은 이렇게 모호하게, 아니 묘오妙悟하게 생성되고 존재한다.


## 2. 돌과 바람

한때 나와 함께 시를 공부하던 제자 중에 '충'이라는 기표로 불리던 녀석이 있었다. 어느 날 '충'이 내게 찾아와 인터넷 홈페이지를 만들자고 청했다. 문인들 사이에 한참 인터넷 홈페이지를 만드는 바람이 불고 있던 무렵이었다. 잠시 망설이는 척하다가 좋지, 하고 말했다.

그런데……, 홈페이지의 이름을 무엇으로 하지? 홈페이지의 기표를 무엇이라고 하지? 홈페이지의 상징을 무엇이라고 하지?

내가 내게 거듭 되묻던 때였다. 문득, 갑자기, 우발적으로 '돌과 바람의 詩'라는 이름이 가슴을 탁, 쳤다. 오래지 않아 '충'에 의해 인터넷 홈페이지 '돌과 바람의 詩'가 태어났다.

한참 뒤 이 인터넷 홈페이지는 포털 사이트인 '다음'의 카페로 그 공간이 옮겨졌다. 홈페이지를 관리하는 회사가 망해 어쩔 수 없이 그렇게 해야 한다는 것이 '충'의 이야기였다.

처음 홈페이지가 만들어질 무렵 나는 '돌'을 소재로 몇 편의 시를 쓰고 있었다. 그때 돌은 단지 시의 '소재'였을 따름이다. 사물인 '돌'에서 생명인 시를 꺼내려 했던 것이다.

시간이 지나면서 사물인 돌은 정말 슬금슬금 생명을, 의미를 만들기 시작했다. 점차 비유로, 상징으로 작용하는 것이 '돌'이었다.

그렇게 시간이 흘렀다. 오래지 않아 점차 시의 안에서 '돌'이라는 기표가 '돌'이라는 기의를 데리고 다니기 시작했다. 그러는 가운데 몇 편 '돌'의 시가 태어났다.

주춤주춤 세월이 갔다. 돌은 있는데 바람은 없잖아, 하는 소리가 자꾸 들려왔다. 서서히 그 소리가 마음을 채워갔다.

저 혼자라 돌도 외로움을 타는 것일까. 돌은 자꾸 바람을 불러댔다. 돌이 만드는 의미는 그렇게 바람이 만드는 의미를 찾았다.

정말 바람에 관한 시는 없나? 바람의 이미지는 없나? 바람의 의미는 없나? 바람이 없는 '돌과 바람의 詩'라니!

아무렇게 쌓아두었던 시의 창고를 뒤져보니 '바람'을 소재로 한 시가 아주 없지는 않았다. 하지만 창고 속의 시에서 바람은 주연이 아니라 조연이거나 엑스트라였다. '돌과 바람의 시'가 되려면 바람이 주연인 시가 필요했다.

처음에는 바람이 낯설었다. 쉽게 의미가 만들어지지 않았다. 그러던 어느 날이었다. 문득, 별안간, 갑자기 바람이 사람으로 다가왔다. 그렇게 사람은 바람이 되었다. 바람은 세상이 되었다. 세상은 바람이 되었다. 세상은 나를 포함한 역사와 사회, 현실······.

이제 세상은 그 자체로 바람이었다. 세상 자체, 삶 자체가 바람이었다. 바람의 나날을 살고 있는 것이 나였다.

이내 바람은 상념의 대상이 되었다. 탐구의 대상이 되었다. 나아가 바람은 화두가 되었다. 상징이 되었다. 머잖아 바람은 스멀스멀 의미를 불러왔다.

언제부터인가 물도, 불도 좋아지기 시작했다. 물도, 불도 자주 의미를 불러오기를 바랐다. 하지만 아직 그것은 내게 벅찼다.

물도, 불도 언젠가는 내게 지금보다 훨씬 더 적극적인 상념의 대상으로, 화두로 다가올는지 모른다. 그때를 기다린다.


## 3. 다른 바람

바람은 무엇인가. 바람은 누구인가. 바람은 어디서 살고 있나. 바람은 몇 살인가. 질문으로, 상념으로, 화두로, 상징으로 존재하는 것이 바람이다.

바람은 사람이다. 사람은 바람이다. 바람은 세상이다. 세상은 바람이다. 바람은 역사다. 역사는 바람이다. 바람의 역사를 살고 있는 것이 사람이다.

바람은 공기이고, 돌은 흙이다. 공기인 바람도 물, 불, 흙과 함께 4원소 중의 하나다. 지구를 구성하는 기본질료이다.

바람은 소리다. 바람은 뜻이 아니다. 뜻보다는 소리가 선행하는 것이 바람이다.

바람은 언어다, 기표다. 기의언어가 아니라 기표언어다.

이때의 기표언어, 곧 소리가, 바람이 귓가를 스치는 사물로 오해되어서는 안 된다. 이미 바람은 사물과 분리된 지 오래이다. 이제 바람은 사물이 아니라 언어일 따름이다. 바람이 사물이 아니라 언어라는 것은 바람(기표)과 바람(기의)이 곧바로 일치하지 않는다는 것을 가리킨다. 바람(기표)과 바람(기의)은 이미 분리된 지 오래이다. 분리되어 갈등하고 길항한 지 오래이다.

기표바람은 기의바람보다 선행한다. 기표바람은 기의바람을 데리고 다닌다, 아니 끌고 다닌다. 아니, 실제로는 기의바람이 기표바람을 쫓아다닌다.

기의바람을 만드는 것은 기표바람이다. 움직이고 바뀌는 기표바람을 따라 기의바람은 상황과 문맥 속에서 그때그때 살짝 나타났다가 사라진다. 기표바람을 따라 잠자리처럼 포르르 날아다니는 기의바람! 이렇게 기의바람은 기표바람에 의해 잠시 태어난다. 끊임없이 바뀌고 변화하는 것이 기의바람이다.

기표바람이 기의바람을 만드는 곳은 상황과 문맥, 곧 기표바람이 선택되고 배열되는 관계이다. 선택되고 배열되면서 기표바람은 기의바람을 만든다.

이렇게 기의바람은 기표바람이 이루는 선택과 배열의 과정에 생성된다. 각각의 상황과 문맥에 의해 각각의 기표바람은 각각의 기의바람을 만든다. 이들 과정에 각각의 기표바람은 제각기 '마음'이라는 기의바람을 만들기도 하고, '자유'라는 기의바람을 만들기도 하고, '운동'이라는 기의바람을 만들기도 한다. 노숙자나 실업자, 포식자, 자취생, 시인, 독재 등의 기의바람을 불러일으키는 기표바람도 있다.

기표바람은 기의바람의 상징으로 존재하기도 한다. 기표바람은 그때 이미지가 된다. 모든 상징은 본래 이미지로 현현되기 마련이다. 당신도 상황, 즉 문맥을 빌려 이런저런 바람의 기의를 떠올려 보라.

바람은 변화하고 운동한다. 변화하고 운동하는 바람⋯⋯. 그렇다. 변화하고 운동하는 것이 바람이다. 바뀌고 움직이는 바람!

움직이는 바람은 기氣다. 운동하는 기氣 말이다. 운기運氣! 활동하고 운동하는 기氣!

기氣는 이理가 아니다. 기氣는 이理와 다르다.

기氣가 이理와 다르다고? 정말 그런가? 기氣가 이理와 다르다는 것은 무엇을 뜻하는가? 기氣는 이理가 아니라는 것을 뜻한다.

이理는 추상적이고, 보편적이고, 개념적이고, 논리적이고, 비가시적이고, 관념적이고, 이성적인 무엇이다. 그렇게 이理는 무無이다. 따라서 이理는 공즉시색空卽是色의 공空과 다르지 않다. 공空은 추상적이고, 보편적이고, 개념적이고, 논리적이고, 비가시적이고, 관념적이고, 이성적인 무엇이다. 이렇게 이理는 무無이고 공空이다. 공즉시색空卽是色의 공空 말이다.

기氣는 구체적이고, 가시적이고, 감각적이고, 감정적이고, 형상적이고, 직관적인 무엇이다. 그렇게 기氣는 유有이다. 따라서 기氣는 공즉시색空卽是色의 색色과 다르지 않다. 색色도 또한 구체적이고, 가시적이고, 감각적이고, 감정적이고, 형상적이고, 직관적인 무엇이다. 그렇다면 당연히 기즉색氣卽色이 된다. 공즉시색空卽是色의 색色 말이다. 이렇게 기氣는 유有이고 색色이다.

기氣가 공즉시색空卽是色의 색色이라니? 불가佛家의 『반야심경』에서는 색즉시공色卽是空, 공즉시색空卽是色이라고 한다. 색色이 공空이라면 당연히 기氣는 이理가 될 수도 있다. 기즉이氣卽理의 이理, 이즉기理卽氣의 이理 말이다. 따라서 기즉색氣卽色이라는 말은 이내 이즉공理卽空이라는 말을 불러온다.

색色과 공空이 그렇듯이 기氣와 이理, 유有와 무無도 서로 같으면서 다르고, 다르면서 같다. 요컨대 기즉이氣卽理, 이즉기理卽氣이고, 유즉무有卽無, 무즉유無卽有이다. 이처럼 이理와 기氣, 유有와 무無는 상호 포용의 관계에 있다. 상호 포용의 관계에 있다는 말은 불이不二의 관계에 있다는 뜻이다.

불이不二라고 하지만 이들 관계에도 선후는 있다. 기즉이氣卽理, 이즉기理卽氣라고 하더라도 나는 이理보다는 기氣를 선행시킨다, 이理보다는 기氣를 우선시킨다. 말을 바꿔 본질보다 현상을 앞세운다고 해도 좋다. '선행시킨다', '우선시킨다', '앞세운다'는 말을 '좋아한다'라는 말로 바꿔도 좋다. 강조하건대, 이理는 보이지 않는 무엇, 추상이지만 기氣는 보이는 무엇, 구상이다. 이理는 공空이고, 무無이고, 기氣는 색色이고, 유有인 것이다.

겉色과 속空, 속空과 겉色은 동전의 양면처럼, 현상과 본질, 본질과 현상처럼 불이不二의 관계에 있다. 그것은 기氣에서 나온 것이 이理이고 이理에서 나온 것이 기氣라고 하더라도 마찬가지이다.

시는 본래 보이는 것氣, 有, 色을 통해 보이지 않는 것理, 無, 空을 드러내는 언어예술이다. 기氣, 유有, 색色을 통해 이理, 무無, 공空을 드러내는 언어예

254

술이 시라는 것이다. 이를 두고 이미지, 곧 오감五感, 곧 오온五蘊을 통해 의미, 곧 법法을 드러내는 방식이 시라고 해도 좋다.

기氣는 본질이 아니라 현상이다. 기氣는 속이 아니라 겉이다. 모든 현상, 모든 겉은 변화한다.

본질은 어떤가. 본질도 변화하는가. 변화하면 본질이 아니다. 내가 보기에는 현상이 변화하면 본질도 변화한다.

본질도 변화한다니? 변화하는 것이 어떻게 본질인가. 변화하지 않아야 본질이 아닌가.

모든 것은 다 변화한다. 겉이 변화하면 속도 변화한다. 변화하지 않는 것은 없다. 변화하지 않는 것은 없다라는 진리만이 변화하지 않는 진리이다.

변화에는 속도가 있다. 빨리 변화하는 것도 있고, 늦게 변화하는 것도 있다. 변화한다는 것은 운동한다는 것이다. 운동에는 진동進動도 있고, 반동反動도 있다. 모든 것은 터지기도 하고, 막히기도 한다.

양면적이고도 양가적인 것이 기氣다. 살다 보면 기氣가 막힐 때가 얼마나 많은가. 기氣는 고이기도 하고, 흐르기도 한다. 막히기도 하고 터지기도 한다.

어디로 흐르는가? 앞으로도 흐르지만 뒤로도 흐른다. 뒤로 흐르면 아프다. 위로도 흐르지만 아래로도 흐른다. 아래로 흐르는 것이 편하고 쉽다. 아래로 흐르는 것이 순리順理다.


## 4. 또 다른 바람

바람은 '바라다'라는 동사의 명사이다. 따라서 바람은 희망이기도 하고, 꿈이기도 하다.

희망이나 꿈처럼 바람은 이루어지기도 하고, 이루어지지 않기도 한다. 때로는 저 혼자 봇도랑에 처박혀 있기도 하는 것이 바람이다.

사람들은 말한다, 모든 바람은, 모든 꿈은, 모든 희망은 이루어진다고.

바람이, 꿈이, 희망이 모두 이루어진다면 얼마나 좋을까. 바람이 있다는 것은 내일이 있다는 것이다. 내일이 없는 사람에게는 바람도 없다.

다시 또 물어보자. 바람은 어디서 오는 누구인가. 바람은 하단전下丹田에서 솟구쳐 오르는 욕망의 기표다. 그렇다. 바람은 리비도의 기표다. 리비도의 기표라는 말은 무의식의 기표라는 말이다. 욕망이나 리비도나 무의식은 규정할 수 없다는 점에서, 즉 무규정적이라는 점에서 동일하다.

바람이 욕망의 기표이고, 리비도의 기표이고, 무의식의 기표라는 것은 바람이 생명이고, 자유라는 것을 가리킨다. 생명과 자유는 무규정적이고, 불완전하고 변덕이 심하다. 바람도 무규정적이고, 불완전하고 변덕이 심하다.

이처럼 끊임없이 움직이고 변화하는 것이 바람이다. 충동적이면서도 발작적인 것이 바람이다. 빈 곳을, 구멍을 좋아하는 것이 바람이다. 느닷없이 휘몰아치는 바람, 갑자기 고요하게 떠 흐르는 바람……

바람의 모습은 일정치 않다. 늘 변덕이 심하다. 바람은 저 자신이 누구이고 무엇인지 모른다. 계속해 저 자신을 찾아가는 것이, 저 자신을 바꿔가는 것이 바람이다.

자유이든, 생명이든, 욕망이든, 리비도이든, 무의식이든 이 시집 『봄바람, 은여우』 속의 '바람'은 대부분 작고 조그맣고 아련하다. 거개의 바람은 붕새처럼 하늘로 솟구쳐 오르지 못하고 텃새처럼 산기슭의 초가집 주변이나 맴돌고 있다.

이 시집에서 바람은 오대양 육대주를 나는 붕새처럼 큰 생명이고, 큰 자유이고, 큰 욕망이고 싶을 때도 있다. 호연지기가 넘치는 웅혼하고, 장엄하고, 숭고한 기운이 넘치는 바람 말이다.

바람은 자칫 추상이나 관념으로 이해되기 쉽다. 그렇게 받아들여지기 쉽다.

바람은 추상이나 관념이 아니라 구상이다. 보이는 바람……. 바람은 끊임없이 형상이다. 바람이 형상이라는 것은 바람이 언어이기 전에 사물이라는 것을 가리킨다.

바람은 사물이 아니다. 바람은 형상이 아니다. 형상이 아니라는 것은 비가시적이라는 것이다. 바람이 비가시적이라는 것은 바람이 추상이라는 것을 뜻한다. 그렇다. 바람은 나뭇잎을 흔들거나 비닐봉지 따위를 흩날려 형상을, 사물을 만든다. 그렇게 형상에, 사물에 봉사하는 것이 바람이다.

정말 그런가, 그러면서 그렇지 않다. 추상이면서 형상(구상)인 바람, 사물이면서 정신인 바람……. 그렇게 불이不二인 바람!

이때의 사물, 이때의 형상을 누구나 다 곧바로 읽어내는 것은 아니다. 읽어낸다는 것은 의미를, 추상을 발견한다는 것이다.

형상은 쉽게 바로 의미를, 추상을 거느리지 않을 때가 있다. 어떤 형상은 조금 느리게, 조금 천천히 의미를, 추상을 만든다.

형상의 가장 중요한 자질은 이미지이다. 이미지는 이야기, 정서와 더불어 형상을 만드는 가장 원초적인 자질이다.

바람이 만드는 형상도 이미지이다. 아니, 바람 자체가 이미지이다.

바람이 이미지인 것은 바람이 사물, 곧 물질이기 때문이다.

언어도, 문자도 이미지이다. 언어도, 문자도 비유이고 상징이다. 비유와 상징은 늘 이미지를 만든다.

바람이 만드는 저 많은 언어를, 문자를, 이미지를 누가 다 읽어낼 것인가. 나는 겨우 몇 십 개를 골라 시로, 이미지로, 풍경으로 해독해 볼 따름이다. 이 시집 『봄바람, 은여우』에는 그럴 때의 재미가 가득 들어 있다.

'바람'은 늘 미지未知이다. 본래 이미지는 미지로부터 온다. 이미지인 바람이라는 언어로 만든 시! 여기 그 물질이, 사물이 살짝 있다.

이 시집에서 이미지인 '바람'이라는 언어를, 문자를 나는 시라는 예술형식으로 얼마나 잘 아름답고, 재미있고, 예쁘게 만들어내고 있을 까. 내가 이 시집 『봄바람, 은여우』와 함께하는 '바람'이 늘 활동活動하고 운기運氣하는 존재이기를 바라는 것도 이러한 질문으로부터 비롯된다.

(2016년)

# 지구와 달을 모시고 사는 생명의 길

　시는 감성의 산물이다. 이때의 감성은 이성이 미분화되어 있는 감성, 곧 이성이 포함되어 있는 감성이다. 따라서 시에서의 감성은 감성인 동시에 이성이고, 이성인 동시에 감성이라고 해야 옳다. 시에서는 적어도 불이(不二)의 관계에 있는 것이 감성과 이성이기 때문이다. 물론 이성보다는 감성이 선행하기는 하지만 말이다.

　감성은 주관의 산물이고, 이성은 객관의 산물이다. 감성은 자아에 가깝고, 이성은 세계에 가깝다. 상대적으로 주관적인 것이 자아와 감성이고, 상대적으로 객관적인 것이 세계와 이성이다. 주관과 감성은 자아와 관계하고, 객관과 이성은 세계와 관계한다. 그러나 시에서의 주관과 객관은 서로 착종되어 있기 쉽다. 시에서는 감성과 이성이 그렇듯이 주관과 객관도, 자아와 세계도 서로 불이(不二)의 관계에 있다. 이처럼 자아와 감성과 주관은 언제나 세계와 이성과 객관과 상호 뒤얽혀 있는 채로 존재한다.

　시를 쓰기 시작하면서 내가 좀 더 먼저 발견한 것은 세계와 이성과 객관보다 자아와 감성과 주관이다. 내가 세계와 이성과 객관을 발견하게 된 것은 자아와 감성과 주관을 발견한 뒤의 일이다. 맨 처음 내가 시를 쓰기 시작한 것은 나 자신의 주관적 감정을 제대로 다스리지 못해서이다. 분노를, 미움을, 슬픔을, 부끄러움을 이기지 못해 시를 쓰기 시작한 것이다. 아직도 내 기쁨과 사랑과 욕망은 자주 벽에 부딪쳐 산산조각이 나고, 따라서 내 가슴은 자주 분노와 미움과 슬픔과 부끄러움으로 들끓는다.

연륜年輪이 쌓이자 이들 감정은 더욱 분화되기 시작했다. 고독, 소외, 상실, 환멸, 염증, 피곤, 절망, 불안, 초조, 공포, 설움, 우울, 침통, 싫증, 짜증, 권태, 나태 등의 감정이 다름 아닌 그것이다. 시간이 지나면서 점차 나는 이들 감정이 내 가슴에 자리 잡게 된 원인에 대해 따져보기 시작했다.

그러는 과정에 자연스럽게 나는 자아, 감성, 주관과 짝을 이루고 있는 세계, 이성, 객관도 발견하게 되었다. 타자라는 기표로 요약되는 내 안의 세계, 이성, 객관에 대한 발견은 1970년대 중반에 이르러 대학생이 되면서 역사, 사회, 경제에 대한 발견으로 나아갔다. 곧이어 나는 뜻이 맞는 친구들과 함께 조그만 모임을 만들었고, 그에 '창과벽'이라는 이름을 붙였다.

'창과벽'은 문학과, 사회와, 역사와, 경제가 이루는 상호관계를 토론하는 스터디 그룹이기도 했지만, 다른 한편으로는 시와 소설 등을 쓰는 문예창작의 동인이기도 했다. 그렇다. 당시 창과벽의 동인들은 시를 쓰기도 했고, 소설을 쓰기도 했고, 평론을 쓰기도 했다. 이 창과벽 동인들은 1970년대 말과 1980년대 초 몇 권의 동인지를 간행해 얼마간 주목을 받았다.

광주항쟁과 더불어 개막된 1980년대는 나와 친구들을 좀 더 객관 쪽으로, 좀 더 세계 쪽으로, 좀 더 현실 쪽으로 밀어붙였다. 나와 친구들이 무자비한 폭력을 통해 등장한 군부정권과 맞서 싸우는 과정에 세계 쪽에서, 현실 쪽에서 일단 먼저 발견한 것은 민족과 민중이었다. 아니, 민족과 민중의 시각이었다. 민족과 민중의 시각을 강화하기 위해 우리가 가장 서두른 일은 문예창작 동인지인 『창과벽』을 종합문예 무크지인 『삶의문학』으로 바꾸는 일이었다. 친구들 중에서도 나는 특히 『삶의문학』을 만드는 한편 '자유실천문인협의회'를 재건하는 일에도 앞장을 섰다.

1984년 초겨울에 재건된 '자유실천문인협의회'의 운동은 1987년 6월 시민항쟁의 도화선이 되면서 꽃을 피웠다. 6월 시민항쟁은 '자유실천문인협의회'에서 주도한 서명운동으로부터 비롯되었다고 해도 과언이 아니다. 6월 시민항쟁이 마무리 되자 7, 8월 노동자 대투쟁이 일어났다. 7, 8월 노동자 대투쟁은 6월 시민항쟁과 성격이 좀 달랐다. 예의 대투쟁을 주도한 사람들이 대부분 직접 생산계층인 노동자들이었기 때문이다.

1987년 가을이 되자 자유실천문인협의회는 곧바로 '민족문학작가회의'로 간판을 바꿔 달았다. 간판을 바꿔 단 만큼 운동의 이념이나 방식도 바뀌었다. 문학 밖의 사회운동, 곧 민족·민중 운동의 이념과 방식도 이 무렵에는 빠르게 분화되어 갔다. 운동의 이념과 방법이 분화되어 가자 그에 참여한 사람들도, 사람들의 마음도 분화되어 갔다. 그것은 자유실천문인협의회의 친구들도 마찬가지였다.

이렇게 운동의 노선이, 사람이, 사람의 마음이 분화되기 시작하자 나는 나와 함께 일하던 친구들과 차츰 멀어지게 되었다. 소비에트가 붕괴되기 이전이지만 나는 사회주의적 전망을 온전하게 받아들이지 못했다. 개인의 자유가 존재하지 않는 세상이 내게는 이상향으로 받아들여지지 않았던 것이다.

당시 나는 이성보다는 감성을, 감성보다는 본성을 먼저 앞세우는 것이 인간이라는 생각을 많이 했다. 본성을, 욕망을 이기지 못해 쩔쩔매고 있는 것이 인간이라고 말이다! 끊임없이 자기를 갈고 닦지 않고서는 어느 누구도 본성보다 감성을, 감성보다 이성을 앞세우기 어려워 보였다.

인간이 지니고 있는 이러한 한계를 극복하기 위해 그때 나는 집단보다 개인이 앞장을 서야 한다고 생각했다. 개별 인간 자신이 높은 정신의 경지에 이르겠다는 의지 없이 세상을 구원하겠다고 나서는 것은 공염불이 되기 쉬웠다. 이러한 연유로 나는 다시 나 개인에게로 돌아와 질문하기 시작했다. 자아는, 개인은, 주관은, 감성은 무엇인가. 이러한 질문을 통해 내가 우선 먼저 깨달은 것은 그것들이 각기 떨어져 혼자서는 존재하지 못한다는 점이다. 자아는 언제나 세계의 자아이고, 개인은 언제나 사회의 개인이고, 주관은 언제나 객관의 주관이고, 감성은 언제나 이성의 감성이기 때문이다. 실제로는 '나', 자아, 개인, 주관, 감성은 없는 것 아닌가. 변화하고 운동하는 세계와, 사회와, 객관과, 이성과 불이(不二)의 관계로 존재하는 것이 '나', 자아, 개인, 주관, 감성이라는 생각을 한 것이다.

어느덧 역사가 1990년대에 이르게 되었다. 이 시대에 이르는 동안 내가 관계해온 세계, 사회, 객관, 이성에는 거의 대부분 민족과 민중이 자리해 있었다. 따라서 당시에는 늘 민족모순과 계급모순이 나를, 인간을 억압하고 핍박하는 중심기제라고 생각했다. 그러나 이내 인간을 억압하고 핍박하는 중심기제가 민족모순과 계급모순만은 아니라는 것을 깨닫게 되었다. 생태모순 또한 민족모순 및 계급모순 못지않게 인간을 억압하는 중심기제라는 것을 알게 된 것이다. 그에 따라 마땅히 몇 가지 상념이 이어졌다.

요약하면 다음과 같다.

생태모순을 해결하는 데는 집단적인 노력이 무엇보다 중요하다. 그렇지만 집단적인 노력은 생태모순 자체를 깨닫도록 하는 데 그치기 쉽다. 정작 중요한 것은 생태모순을 극복하기 위한 구체적인 실천이다. 이때의 실천은 개인의 낱낱의 행위를 통해 이루어질 수밖에 없다. 모든 개인의 행위는 생명 전체에 대한 질 높은 깨달음을 바탕으로 할 때 빛을 발하게 마련이다. 질 높은 깨달음은 기본적으로 끊임없이 자기를 갈고 닦는 가운데 획득되는 법이다. 바로 나 자신이 구체적인 일상의 삶을 생태적으로 사는 일이, 그렇게 살 수 있도록 생생하게 나 자신을 갈고 닦는 일이 생태모순을 개선하는 첫걸음이라는 뜻이다.

다음은 이러한 상념의 과정에 태어난 시이다.


무릎을 꿇자 가부좌를 틀어도 좋다
마음 깎고 다듬어
내어던지자 저 장엄한
산 무더기 위로 계룡산 연천봉 위로
하얗게 날아오르는
송이눈들, 저 벅찬 나비 떼들 향해
절망들 향해
내어던지고 나면
거기 없다 아무것도 없다

오직 숨소리만이

환희의 이 지구 하얗게 끌고 나간다

점점이 바람 소리만이⋯⋯

—「계룡산 폭설」 전문

이 시는 1996년에 발간된 제4시집 『무엇이 너를 키우니』(실천문학사, 1996)에 실려 있다. 하지만 이 시를 실제로 쓴 것은 훨씬 이전인 1990년대 초의 일이었다. 명확하지 않는 미래에 대한 전망으로 노심초사하면서도 호연지기를 잃지 않으려는 의지 속에서 튀어나온 것이 이 시였다. 이 시에서 나는 "마음 깎고 다듬어" "내어 던지고 나면" 내 "숨소리만이" "환희의 이 지구"를 "하얗게 끌고 나"가리라는 작은 소망을 담으려 했다. 아니, 그보다는 깎고 다듬은 마음을 다 내어던진 뒤 텅 빈 가슴을 울리는 숨소리만이 이 지구를 끌고 나가는 정신체험, 그렇게 나와 지구가 상호 조응하는 정신체험을 드러내려 했다.

이 시를 쓸 무렵 내 생태적 사유는 그다지 잘 다듬어져 있지 않았다. 지금도 마찬가지이지만 당시의 내 사유에는 이른바 지구적 상상력이라고 할 만한 것이 제대로 자리해 있지 못했다. 민족모순 및 계급모순과 더불어 생태모순도 자본주의적 근대의 매우 중요한 모순이라는 것 정도가 자리해 있지 않았을까. 그즈음의 내 생태적 상상력의 경우 공해와 오염의 차원을 크게 벗어나 있지 못한 것이다.

내가 자아계를 중심으로 지구계를, 지구계를 중심으로 태양계를 사유하기 시작한 것은 1990년대 중반에 이르면서부터이다. 그 무렵부터 나는 점차 달과 태양의 운행에서 비롯된 음양의 논리에 대해서도, 수성과 금성과 화성과 목성과 토성의 운행에서 비롯된 오행의 논리에 대해서도 관심을 갖기 시작했다. 하지만 나와 지구의 관계, 나와 달의 관계, 나와 태양의 관계에 대한 내 이해는 아직 직관적 통찰에 의지해 있을 따름이다.

당시 나는 이러한 상상력을 서양의 점성학이나 동양의 명리학과는 무관한 쪽으로 이끌어 가려 했다. 점성학이나 명리학을 받아들이다 보면 상상력 일반이 자칫 비의적 운명론으로 발전할 수 있었기 때문이다. 이러한 이유에서 지금도 나는 나와 지구, 나와 달, 나와 태양, 나와 기타 행성들이 이루는 관계를 가능한 한 생태적 상상력의 차원으로 접근하려 한다. 생태적 상상력도 상상력이니만큼 기본적으로는 서정적일 수밖에 없다. 서정적 직관은 생태적 상상력을 펼치는 데에도 여전히 유효하다.

하늘에 떠 있어라 구족구족 땅에 척, 박혀 있어라 너무도 멀어라
달과 돌 사이, 나 사이 어지러워라

……둥글기는 하여라 오래오래

그것들 부처님 얼굴처럼, 空히…… 두어라 不立文字로, 그냥 그대로
저만치 하늘과 땅 사이, 나 사이.
—「달과 돌 사이」 전문

이 시를 발상하게 된 계기는 '달'과 '돌'이라는 기표가 갖는 음가<sup>音價</sup>의 유사성을 자각하게 되면서부터이다. 기표의 면에서는 '아'와 '오'의 차이일 뿐이지만 기의의 면에서는 '하늘'과 '땅'의 차이를 보여주는 것이 나를 의아하게 했던 것이다. 하지만 '둥글다'는 점에서는 별

차이가 없는 것이 '달'과 '돌'이기도 하다. 기표의 면은 물론 기의의 면에서도 그것은 마찬가지이다. '달'과 '돌'이 다르면서도 같은 어떤 무엇을 상징하는 것으로 내게 다가온 것은 바로 그 때문이다.

'달과 돌'에 대한 이러한 관심은 내게 '달'이 하늘을, '돌'이 땅(지구)을 상징한다는 사실을 떠올렸다. 그뿐만 아니라 그것은 하늘과 땅 사이에 내가, 다시 말해 인간이 바로 서 있어야 한다는 깨달음을 갖게 했다. '달'과 '돌'과 '나'의 관계는 이내 '하늘'과 '땅'과 '인간'의 관계로 전이되고, 그와 더불어 하늘과 땅과 인간이 이루는 바른 관계를 회복하는 일이야말로 가장 생태적이라는 소식<sup>小識</sup>도 갖게 했다. 이 소식은 동시에 내게 '巫'라는 한자어의 형상적 의미를 연상시키기도 했다.

나와 돌과 달의 관계, 즉 인간과 지구(땅)와 하늘의 관계를 완성된 시로 상상해내는 데 어떤 특별한 전문지식이 필요치는 않았다. 하지만 이들 모두가 상호 뒤얽혀 있다는 인식을 갖는 것만은 필요했다. 그러한 연유로 나와 지구와 달의 관계를 바르게 상상해내기 위해 따로 어떤 특별한 전문지식을 공부하지는 않았다. 그보다는 문명에 의해 파괴되어 가는 나와 지구의 관계, 나와 달의 관계, 나와 기타 행성과의 관계를 좀 더 섬세한 시의 언어로 상상해내는 것이 중요하다는 생각을 했다.

내가 보기에 정작의 생태적 상상력은 나와 자연의 관계, 나와 지구의 관계, 나와 달의 관계, 나와 태양의 관계 등을 따져 보는 일과 무관하지 않았다. 한 개인의 사소한 나날도 지구 전체의 운행뿐만이 아니라 달과 태양, 기타 행성의 운행과 깊이 연결되어 있다고 이해되었기 때문이다. 하지만 이들 관계 중에서 가장 나를 사로잡은 것은 '나'와 '달'의 관계였다. 나와 달의 관계는 언제나 나와 지구의 관계를 전제로 했다. 나와 지구의 바른 관계를 전제로 하면서 나와 달의 바른 관계를 모색하려 한 것이 다음의 시이다.

　　내 몸에는 달이 살고 있다 옥토끼의 달, 계수나무의 달, 때 되면
　　옥토끼는 아직 절구질을 한다 계수나무 그늘 아래 떡방아를 찧는다 인절
　　미며 쑥절편, 백설기며 시루떡 함께 나눠먹는 달은 지금 아프다

　　……홍건히 피 흘리는 달, 아랫도리 절룩이는 달, 내 몸의 물관부를
　　따라 출렁출렁 뛰어다니는 달……

　　뚜벅뚜벅 대보름이 다가오고, 마침내 몸 가득 채우는 달, 때로 달은
　　흘러넘치기도 한다 밖으로 빠져나가기도 한다 그러면 달빛 너무 지쳐
　　핏빛으로 붉으죽죽하다 그 달빛, 세상 향해 촉촉이 내려앉는 모습,
　　보고 싶다 아름답게.

　　　　　　　　　　　　　　　　　　　　　　　　　　　—「달」 전문

　이 시 「달」을 발상하게 된 것은 김달진의 시 「눈」에 대한 김윤식
교수의 강의를 들으면서부터였다. 진해에서 개최되는 '김달진문학제'
에 참석했던 어느 해 가을의 오전이었다. 김윤식 교수는 김달진 시인의
생가 앞에서 예의 시 「눈」을 중심으로 매우 인상적인 강의를 했다.
김윤식 교수의 강의를 들으며 나는 문득 함부로 착종된 채 나뒹구는
달과 피의 이미지를 얻게 되었다. 하지만 이들 이미지가 「달」이라는
제목의 한 편의 시로 불거져 나오기까지는 상당한 시간이 걸렸다.
이들 이미지로부터 내가 가장 먼저 떠올린 것은 "내 몸에는 달이
살고 있다"라는 구절이었다. 이 구절에서 비롯된 내 몸과 달이 이루는

상호관계를 생태적 상상력으로 종합해내기까지는 적잖은 고뇌가 요구되었다. 내 몸과 달의 이미지가 함유하고 있는 상징이 생각만큼 쉽게 영글지 않았기 때문이다.

그 무렵 나는 자주 내 몸과 달의 이미지를 중심으로 이런저런 상징적 의미를 떠올리고는 했다. 우선 달의 이미지만 하더라도 칼 융이 말하는 '아니마'의 내포를 함유하는 것만으로는 아무래도 좀 부족했다. 당시의 운산運算으로는 달에 관한 설화는 설화대로 살리면서 달빛과 핏빛의 이미지를 병치시켜 모든 여성성이 갖고 있는 순결한 고통까지 나타내고 싶었던 것이다. 내 몸의 이미지도 남성성이나 지구의 의미를 담아내는 것만으로는 만족되지 않았다. 좀 더 심층적인 의미를 갖도록 하기 위해 이 시에 내가 다소 복잡한 장치를 한 까닭도 바로 그 때문이다.

물론 이 시의 기본 발상은 지구와 달의, 인간과 자연의, 남성성과 여성성의 참된 조화가 깨지는 것에 대한 안타까움에서 비롯되었다. 이 시에 달과 지구가 지금까지 만들어온 생태적 질서가 깨지는 것에 대한 우려가 담겨 있는 것도 그러한 이유에서이다. 이러한 발상으로 쓴 시는 위의 「달」 외에도 적잖다. 이들 시에서 내가 가장 주목한 것은 나와 지구와 달이 이루는 관계를 통해 인간의 생태적 현존을 따져 보는 일이었다.

　　　지구 밖에서 지구 보네
　　　시간 밖에서 시간 보네


　　아침저녁 풀피리를 불며 열리고 닫히는 저 큰 진흙덩어리, 봄에는
　파랗게 태어나 겨울에는 검게 죽는 저 큰 설움덩어리, 이제는 식어빠진

불길로 아픈 목숨 겨우 이어가고 있구나 죄 많은 도시의 불빛들, 어지럽게 키우고 있구나 급기야 제 몸 황황히 태우고 있는, 서서히 무너뜨리고 있는 저 큰 잿더미……

지구 밖에서 지구 보네
역사 밖에서 역사 보네.
　　　　　　　　　　　　—「지구 밖에서」 전문

날이 흐려서 몸이 아프다
몸이 아파서 날이 흐리다

옆구리가 결린다 머리가 먹먹하다 귓속에서 총소리가 난다 가슴에서 먼지가 인다 가자 종아리 속에서 쥐 떼들이 기어다닌다

구름이 몸 가까이 내려왔다는 거다 달이 코앞으로 다가왔다는 거다 해는 보이지 않는다 가자 해는 없다 가자 언제 내게 해가 있었던가

애초부터 해는 없다 가자 개뼈다귀처럼 거리를 굴러다니는 해, 발길마다 걷어차이는 진흙탕의 해, 가자 해는 늘 마음속에서나 뒹굴고 있다

하늘 길로 들어설 때까지, 하늘과 몸 섞을 때까지, 가자 한 점 먼지로 흩날릴 때까지, 해가 되어 가자 곱게 풍화되어 나부끼며 가자

몸이 아파서 날이 흐리다
날이 흐려서 몸이 아프다.

—「날이 흐려서」 전문

앞의 시 「지구 밖에서」에서는 말 그대로 "지구 밖에서" 지구의 미래를 살펴보려 했다. "지구 밖에서" 살펴보는 지구의 미래는 그다지 밝아 보이지 않았다. 지구의 미래가 밝아 보이지 않거늘 인간의 미래는 더 말해 무엇 하겠는가. "죄 많은 도시의 불빛들 어지럽게 키우더니 급기야 제 몸 황황히 태우고 있"는 지구의 미래에 대한 내 나름의 우려를 담아내고 있는 것이 이 시이다.

뒤의 시 「날이 흐려서」에서는 지구의 대기 형편이 한 개인의 몸에 미치는 영향에 대해 노래하려 했다. 구름이 지표 가까이 내려와 날이 흐려지면 기압이 높아져 몸속을 흐르는 피의 속도가 빨라지기 마련이다. 이때 과지방過脂肪 등으로 피의 농도가 짙은 사람은 상당한 육체적인 고통을 받게 되는데, 이는 내가 직접 겪는 일이기도 하다. 물론 이러한 고통은 대기의 오염이 심각해 호흡에 지장이 있을 때도 심하게 겪는다.

오늘의 한국 현대시에서 과연 '지구적 상상력'이라고 할 만한 것이 있을까. 있다면 그것은 나와 지구와 달과 태양과 기타 행성들이 이루는 관계를 성찰하는 데서부터 시작되어야 하리라. 이때의 성찰은 당연히 지구라는 공동체 안에서 살아가는 모든 생명체의 자유롭고 순수하고 건강한 삶을 전제로 해야 옳다. 이러한 뜻에서 일찍이 나는 「눈썹달」, 「丑時의 시」, 「물」, 「달밤, 하늘」, 「기상대」, 「달의 가출」, 「걸레옷을 입은 구름」, 「달은 안다」 등의 시를 쓴 바 있다.

인간의 역사에서 나와 지구와 달과 태양과 기타 행성들이 이루는 관계는 이미 줄기차게 탐구되어온 바 있다. 자본주의적 근대로 이행되기 이전의 농업사회에서는 이들이 이루는 상호관계를 바로 알지 못하면 나날의 삶 자체가 불가능했다. 일력이나 월력이 바로 인간과 지구와 달과 해와 기타 행성들이 이루는 질서를 밝히고 있는 일련의 생태체계이기 때문이다. 이른바 세시풍속이라는 것도 실제로는 이러한 생태체계 위에 놓인 화점花點이라고 해야 옳다.

인간의 해방을 가로막는 것은 민족모순과 계급모순만이 아니다. 생태모순 또한 인간의 대자유를 가로막는 핵심 장애물이 분명하다. 따라서 생태모순을 극복하는 일 또한 민족모순이나 계급모순을 극복하는 일만큼 중요하지 않을 수 없다. 이들 모순이 공히 자본주의의 산물이라는 것을 기억하면 오늘을 사는 지식인으로서 시인이 해야 할 일은 자명하다. 민족모순과 계급모순과 생태모순이 공히 자본주의의 모순을 구성하고 있는 핵심내용이기 때문이다. 이들 중 어느 하나의 모순에만 집착해서는 안 되는 까닭이 바로 여기에 있다.

최근 들어 나는 서정시가 본래 감정의 산물, 곧 정서의 산물이라는 점에 착안해 이른바 자본주의적 정서, 즉 근대적 정서 일반에 대해 시비를 걸고 있는 중이다. 근대적 정서는 생명의 정서가 아니라 죽음의 정서라는 점에서, 살림의 정서가 아니라 죽임의 정서라는 점에서 반생태적일 수밖에 없다. 나로서는 요즈음 죽음의 정서 혹은 죽임의 정서에 대해 시비를 거는 일을 통해 좀 더 새로운 차원의 생태적 상상력을 담아내고 싶은 것이다. (2006)

# 반성하고 성찰하지 않는 인간이 어디 있으랴
## —졸시 「살쾡이 한 마리」

　여타의 생명체와 다른 인간이 지니고 있는 특징은 수없이 많다. 끊임없이 자기 자신을 고쳐 나가는 존재가 인간이라는 것도 그중의 하나다. 그렇다. 인간은 끊임없이 자기 자신을 고쳐 나가는 존재다.

　자기 자신을 고쳐 나가기 위해 인간이 행하는 첫 번째 심리적 기제는 반성과 성찰이다. 반성하고 성찰하지 않는 인간이 어디 있으랴. 반성하고 성찰하지 않고서는 자기 자신을 고쳐 나갈 수 없는 것이 인간이다. 반성하고 성찰하는 일, 그것은 다른 생명체에게는 없는 인간만이 지니고 있는 보편적인 특징이다.

　반성하고 성찰하는 일은 그동안 영위해온 자기 자신의 삶을 객관적으로 바라볼 수 있을 때 가능해진다. 여기서 객관적으로 바라볼 수 있다는 것은 자기 자신의 삶을 남의 삶처럼 대상화시켜 바라볼 수 있다는 뜻이다. 대상화시켜 바라본다는 것 자체가 인간만이 지니고 있는 중요한 특징 중의 하나이다.

　자기 자신의 삶을 남의 삶처럼 대상화시켜 바라보기는 쉽지 않다. 쉽지 않기 때문에 그것은 인간으로서의 최소한의 품위와 관계될 수밖에 없다. 자기 자신의 삶을 남의 삶처럼 대상화시켜 바라볼 때 반성과 성찰이 가능해지고, 반성과 성찰이 가능해질 때 자기 자신의 삶을 고쳐 나갈 수 있다는 것을 잊어서는 안 된다.

자기 자신의 삶을 고쳐 나가는 것이야말로 인간이 자기 자신의 품위를 높여 나가는 것이 아닐까. 자기 자신의 삶을 고쳐 나가는 방향이 어디이고 무엇인지를 알면 이는 더욱 명확해진다. 인간은 자신의 욕망을 풀고 펼치는 존재이기도 하지만 그것을 감추고 다듬는 존재이기도 하다. 자기 자신의 욕망을 모으고 갈고 닦는 일이야말로 자기 자신을 고쳐 나가는 일차적인 방향이리라.

여기서 지금 이러한 논의를 하는 까닭은 단순하다. 다음에 예시하는 나의 졸시 「살쾡이 한 마리」가 바로 일상의 삶을 반성하고 성찰하는 내용을 담고 있기 때문이다. 반성하고 성찰하는 내용을 담고 있다고는 하지만 그에는 다소간의 설명이 필요하다. 이 시를 제대로 읽기 위해서는 몇 가지 논의가 요구된다는 것이다.

주지하다시피 이 시의 서정적 주인공은 '살쾡이 한 마리'이다. '살쾡이 한 마리'가 화자인 시인 자신을 객관화한 알레고리라는 것은 불문가지이다. 물론 이때의 화자인 시인은 이 글을 쓰고 있는 나 자신, 이은봉 자신을 가리킨다. 이 시를 쓸 때 나는 나 자신이 꾸리고 있는 삶의 내용, 반성과 성찰의 내용을 직접적으로 토로하기가 좀 쑥스럽고 어색했던 모양이다. 그래서 이처럼 나의 이야기를 남의 이야기처럼 하고 있는 것이리라. 물론 여기서 나의 이야기를 남의 이야기처럼 하는 것은 리얼리티를 높이기 위해서이다. 실감의 밀도를 높이기 위해서라는 것이다.

이 시에서 '살쾡이 한 마리'는 저녁이 되고, 밤이 되어도 가족들과 함께 지내지 못한다. 가족들과 떨어져 혼자 살고 있는 존재가 그이다. 먹이를 따라 떠돌아다니며 살 수밖에 없는 후기 자본주의 시대, 이른바 노마드 시대에는 너무도 흔한 것이 이러한 사람이다. 이러한 사람은 저녁이 오고, 밤이 오면 비슷한 처지의 사람들끼리 모여 술을 마시며 외로움을 달래기 일쑤이다.

술을 마실 때는, 술에 취했을 때는 좋다. 하지만 술에 취해 숙소인 원룸 아파트의 침대에 함부로 널브러져 있다가 아침에 잠이 깨었을 때는 그야말로 참담해진다. "숙취의 느지막한 아침, 새하얀 수세식 양변기 위"에 "퀭한 눈망울을 하고 멀뚱히 앉아 있"는 시인의 모습을 상상해 보라. 영락없는 "봉두난발의 살쾡이 한 마리"일 것이다.

이러한 내 모습을 반성하고 성찰하며 쓴 것이 이 시이다. 아무리 외로워도 다시는 술 따위를 마셔 외로움을 달래지 않겠다고 다짐을 하면서 말이다. 술은 잠시 우리의 영혼을 마취시킬 뿐이다. 그러니 "아흐, 이 사람 각자 선생이라니"라는 탄식이 절로 나오는 것은 당연하다.

다음의 예가 졸시 「살쾡이 한 마리」의 전문이다. (2012)

숙취의 느지막한 아침, 새하얀 수세식 양변기 위, 봉두난발의 살쾡이
한 마리, 퀭한 눈망울을 하고 멀뚱히 앉아 있다


양변기 뒤쪽
비눗물 자욱 너저분한 커다란 거울
숙취로 더럽혀진
어젯밤 죄…… 비추고 있다


새로 지은 원룸 아파트 안팎, 온통 캄캄하다 환하게 빛나는 것은

어디에도 없다 아흑, 이 사람 각자 선생이라니!

—「살쾡이 한 마리」 전문

# 시와 성스러움의 경지
— 졸시 「접는의자」

  이 글에서 논의하려 하는 졸시는 「접는의자」이다. 월간 『현대
시』(2003. 10)에 발표되었다가 제7시집 『책바위』(2008. 2. 25)에 수록된
시이다. 이 시는 제목 그대로 '의자'를 소재로 하고 있다.

  '의자'를 소재로 하고 있는 시는 무수히 많다. 가장 먼저 떠오르는
것은 김수영의 시 「의자가 많아서 걸린다」이다. 김수영의 이 시는
"의자가 많아서 걸린다 테이블도 많으면 / 걸린다 테이블 밑에 가로질
러놓은 / 엮음대가 걸리고 테이블 위에 놓은 / 美製 磁器스탠드가
울린다"라는 구절로 시작된다. 김수영이 1968년 6월 16일 교통사고로
세상을 떠났으니만큼 이 시는 비교적 그의 말년의 작품이라고 할
수 있다. 김수영의 이 시는 '걸린다'와 '울린다'라는 동사를 빠른 리듬으
로 반복하면서 당대 사회의 권력모순을 빈정거려 관심을 끈 바 있다.

  의자를 소재로 하고 있는 또 다른 시로는 조병화의 시 「의자」를
예로 들 수 있다. "지금 어드메쯤 / 아침을 몰고 오는 분이 계십니다
/ 그분을 위하여 / 묵은 의자를 비워 드리지요"로 시작하는 이 시는
세대교체 혹은 정권교체의 당위성을 내재하고 있어 박정희의 3선
개헌 이후 1970년대 젊은 세대들로부터 각광을 받은 바 있다. 그 밖에도
의자를 소재로 하고 있는 좋은 시는 많다. 이정록의 「의자」, 문인수의

「식당의자」 등이 의자를 소재로 하고 있는 좋은 시의 예이다. 하지만 이정록, 문인수의 예의 시는 모두 이 시 「접는의자」보다 늦게 발표되었을 뿐만 아니라 시의 주제도 많이 다르다.

아무데나 불쑥 제 푹신한 엉덩이를 내밀어
사람들의 엉덩이를 편안하게 들어앉히는 접는의자!

사람들의 엉덩이가 앉았다 떠날 때마다
접는의자의 엉덩이는 반질반질 닦여진다

사람들이 다 돌아가고 나면 엉덩이를 들이밀고
사무실 한 구석에 우두커니 기대 서 있는 접는의자!

더는 아무데나 불쑥 제 푹신한 엉덩이를 내밀 수 없어
세상 어디에도 그에게는 제자리가 없다

제자리가 없어 더욱 마음 편한 접는의자!
엉덩이를 폈다 접으며 그는 하늘에 가 닿는다.
　　　　　　　　　　　　　　　　　　　　—졸시 「접는의자」 전문

　의자의 종류는 많다. 용도상으로 보면 사무의자, 학습의자, 식당의자, 이발의자, 의료의자, 극장의자, 만화방의자, 안락의자 등이 있고, 구조상으로 보면 고정의자, 접는의자, 경사조절의자, 회전의자, 조립의자 등이 있다. 그리고 재료상으로 보면 목제의자, 금속의자, 플라스틱

의자, 성형합판의자, 강관鋼管의자, 알루미늄의자 등이 있다. 따라서 이 시의 중심 대상인 '접는의자'는 구조상으로 본 의자의 한 종류라고 할 수 있다.

　물론 이 시에서의 '접는의자'가 구조상으로 본 결과를 노래하고 있는 것은 아니다. 이 시에서의 '접는의자'는 일종의 상징으로 작용하는 가운데, 그것이 지니고 있는 보편적 가치를 담아내고 있기 때문이다. 너무도 많고 흔해 아무도 관심을 갖지 않는 것, 그럴수록 더없이 귀하고 소중한 것을 상징하고 있는 것이 이 시에서의 '접는의자'라는 것이다. "사무실 한 구석에 우두커니 기대 서 있"다가 "아무데나 불쑥 제 푹신한 엉덩이를 내밀어 / 사람들의 엉덩이를 편안하게 들어앉히는" 것이 여기서의 '접는의자'라는 것을 주목할 필요가 있다.

　더욱 주목해야 할 것은 여기서의 '접는의자'가 "사람들의 엉덩이가 앉았다 떠날 때마다" 그의 엉덩이도 또한 "반질반질 닦여"지는 존재라는 점이다. '접는의자'의 엉덩이가 "반질반질 닦여진다"는 것은 그의 하단전이, 욕망의 토대가 절차탁마된다는 뜻이기도 하다. 끊임없이 저 자신을 갈고 닦는 '접는의자'……. 따라서 "사람들이 다 돌아가고 나면 엉덩이를 들이밀고 / 사무실 한 구석에 우두커니 기대 서 있는 접는의자"가 외롭고 높고 쓸쓸하리라는 것은 당연하다. 시간이 지날수록 소외되어 "더는 아무데나 불쑥 제 푹신한 엉덩이를 내밀 수 없"는 것이, "세상 어디에도" "제자리가 없"는 것이 '접는의자'이기 때문이다. 이로 미루어 보더라도 "제자리가 없어 더욱 마음 편한" 존재인 '접는의자'가 "엉덩이를 폈다 접으며" "하늘에 가 닿"으리라는 것은 당연하다.

　이 시에서는 이처럼 남들이 보기에는 보잘것없는 것일지라도 그에 구애받지 않으며 저 자신을 끊임없이 좀 더 높은 정신의 경지로 끌어올리려 애를 쓰는 존재를 노래하려 했다. 이 시에서의 '접는의자'가 나와 너, 우리 모두의 객관상관물이 될 수도 있는 까닭이 바로 여기에 있다. 세상에는 저 자신을 좀 더 성스러운 경지로 끌어올리려 애를 쓰는 사람들이 얼마나 많은가. (2012년)

# 오늘의 시조와 역사적 현재

시조는 고려 말 신진사대부들의 등장과 더불어 태어난 서정장르이다. 하지만 시조가 보편화된 것은 그것이 조선사회의 지배계급인 사대부들의 서정예술로 자리를 잡으면서부터이다. 시조가 낡은 서정양식으로 이해되고 있는 것은 다름 아닌 이러한 연유에서이다. 시조가 이른바 과거의 서정예술, 낡고 진부한 서정예술이라는 점이다. 이러한 점에서만 보면 시조는 소멸해가는 장르의 하나라고도 할 수 있다. 사대부계급이 소멸한 지 오래인데, 시조가 어떻게 계속해서 생산되고 향유될 수 있겠는가.

한때는 나도 시조에 대해 이와 같이 생각한 적이 있다. 너무도 낡은 형식이라고, 이미 소멸해가는 장르라고 말이다. 물론 지금은 그렇게 생각하지 않는다. 그렇게 생각하지 않는 데는 당연히 까닭이 있다.

시조에 대한 그동안의 내 생각이 바뀐 것은 시를 쓰기 시작한 지 한참 지나서의 일이다. 대학에 입학해 본격적으로 습작을 하던 1970년대까지도, 시인으로 등단해 한참 활동을 하던 1980년대까지도 나는 시조를 전 시대의 문학양식, 봉건시대의 서정양식으로 이해하고 있었다. 그즈음 내가 시조를 대수롭지 않게 생각한 것은 다름 아닌 그러한 이유에서이다.

여기서 말하는 봉건시대는 물론 사대부계급 중심의 조선시대를 가리킨다. 그때까지는 내가 사대부계급을 중심으로 하는 조선사회의 사회구성체를, 곧 조선사회의 계급적 특성을 제대로 이해하지 못했던 것이 사실이다. 그러한 연유로 당시에는 시조를 근대가 완성되고 자본주의가 성숙하게 되면 곧바로 사라질 서정양식으로 받아들였던 것이다.

시조에 대한 이러한 내 생각이 바뀌게 된 것은 현실사회주의의 몰락을 눈앞에서 지켜보던 1990년대에 들어서이다. 1990년대 들어 변화되는 세계사를 지켜보는 동안 나는 역사의 진행과정에 대해 새로운 시각을 갖지 않을 수 없었다. 그러한 과정에 나는 나 자신을 향해 당대의 현실과 관련해 이런저런 반문과 질문을 하고는 했다. 그래도 '자본주의 이후'의 역사는 전개되리라. 그것이 이미 몰락한 현실사회주의로는 이행하지 않더라도 말이다.

그렇다면 지금 대한민국은 역사적으로 어떤 시기를 살고 있는가. 대한민국이 일단 먼저 도달해야 할 역사의 단계는 무엇인가. 그것이 대한민국의 서정문학, 특히 시조와는 어떤 관계에 있는가. 아니, 어떤 관계를 맺어야 하는가. 당시에는 내게 이와 유사한 반문과 질문이 끊이지를 않았다.

거듭되는 이들 반문과 질문 속에서 급기야 나는 나 나름의 작고 소박한 결론을 얻게 되었다. 일단은 근대를 완성해가는 것이, 다시 말해 정치적으로는 의회민주주의를, 경제적으로는 자본주의를 완성해가는 것이 중요하다는 것 말이다. 더불어 나는 그것이 대한민국에서도 충분히 가능하다는 인식을 갖게 되었다. 비록 대한민국이 미·일·중·러와 북한에 포위되어 있다고 하더라도 말이다.

이러한 인식을 갖게 된 데는 사대부계급 중심의 조선사회에 대한 기존의 인식이 바뀌게 된 것도 큰 역할을 했다. 사대부계급 중심의 조선사회가 서구와 같은 전형적인 봉건사회가 아니라는 점을 깨닫게 되었다는 뜻이다. '아시아적 봉건사회'라는 단서가 붙어 있기는 했지만 그동안의 논의에서 조선사회는 사대부계급 중심의 낡고 진부한 봉건사회였을 따름이다. 하지만 진전된 내 생각 속에서 사대부계급 중심의 조선사회는 얼마간은 초보적인 부르주아 사회, 즉 일단계의 시민사회적 성격을 갖고 있는 것으로 비추어졌다. 이를테면 사대부계급 중심의 조선사회가 근대사회의 첫 단계와 적잖은 부분 겹치는 영역을 갖고 있다는 것이다. 요컨대 조선사회의 사대부계급과 오늘의 시민계급이 다소간은 중복되는 영역을 갖고 있었다는 것이다. 무엇보다도 사대부계급 중심의 조선사회가 갖고 있던 병폐로 그동안 나쁘게만 평가되어온 당쟁의 정치가 의회민주주의 정치의 초보적 형태로 재해석될 수도 있다는 생각이 들었다.

정작 중요한 것은 사대부계급 중심의 조선사회에 대한 이러한 인식이 시조라는 서정장르를 이해하는 데 끼친 긍정적인 영향이었다. 사대부계급 중심의 조선사회가 초보적인 대의정치의 속성을 갖고 있다면, 다소라도 시민부르주아 사회와 겹쳐지는 부분을 갖고 있다면 시조 또한 이러한 면을 고려해서 이해해야 하지 않을까 하는 생각을 하게 된 것이다. 조선시대 사대부계급의 가치, 곧 선비계급의 가치에 아직도 이월가치가 상당하다는 것은 덧붙여 설명할 필요가 있다. 이러한 맥락에서 생각하다 보니 사대부계급 중심의 사회가 갖고 있는 건강한 질서의식이 시민계급 중심의 사회가 갖고 있는 깨어 있는 비판의식과 크게 다르지 않을 수도 있다는 생각이 들었다.

문학의 모든 장르가 그렇듯이 시조라는 서정장르가 지니고 있는 질서(문법적 체계 혹은 형식)는 그것을 탄생시키고 보편화시킨 조선시대 사대부계급의 가치를 반영한다. 그렇다면 사대부계급의 가치로서 시조가 지니고 있는 질서는 아직도 많은 의미를 함유하고 있다고 하지 않을 수 없다. 이와 관련해 정작 중요하게 생각해야 할 것은 시조가 지니고 있는 내적 질서가 오늘의 시민계급 중심 사회가 지니고 있는 내적 질서를 어느 정도는 대변할 수 있으리라는 점이다.

　틈이 날 때마다 이러한 생각을 하면서도 내가 직접 시조를 써본 것은 한참 뒤의 일이었다. 2000년 가을 어느 날이었던 듯싶다. 전남 담양군 식영정 근처의 가사문학관에서 '시조가사 백일장'이 개최되었는데, 나는 심사위원으로 참여하게 되었다. 그날은 왠지 마음이 근질근질한 것이 나도 시조를 쓰고 싶었다.

　심사를 마치고 광주의 숙소로 돌아온 그날 저녁이었다. 그날 백일장의 시제는 '뿌리'였는데, 미처 외출복을 갈아입기도 전에 갑자기 너덧 편의 시조가 쏟아져 나왔다. 이날 밤 늦게까지 나는 이들 시조를 매만지며 전전반측輾轉反側해야 했다. 이들 중에는 이날의 시제였던 '뿌리'라는 제목의 시조도 들어 있다.

　2000년 가을이라는 시기는 시조 전도사이기도 한 시조시인 이지엽 교수의 이런저런 말에 내가 한참 귀를 기울이고 있던 때이기도 하다. 문득, 별안간, 갑자기 튀어나온 서너 편의 시조들로 인해 나는 그날 이래 시조창작의 길로 들어서게 되었다. 하지만 시조창작은 1년에 고작 두세 편에 그칠 때가 많았다.

　시조가 지니고 있는 질서는 3박자와 4박자의 리듬을 혼합해 드러내는 데 초점이 있다. 3박지와 4박자의 리듬이 한국어 리듬의 기초라는 것은 덧붙여 설명할 필요가 없다. 여기서 말하는 한국어 리듬은 초장 중장 종장의 3장이 이루는 느린 3박자와, 각 장의 4음보가 이루는 빠른 4박자를 가리킨다. 이때의 4박자는 마땅히 3장 6구 12음보 45자 내외라는 시조 형식이 안고 있는 12음보를 뜻한다.

3박자와 4박자의 리듬, 곧 3음보와 4음보의 리듬이 혼합되는 가운데 태어나는 시조의 질서는 얼핏 지나치게 단순해 보인다. 하지만 실제로는 매우 복잡한 생성과 변형이 가능하거니와, 이때의 생성과 변형은 심지어 정형과 자유의 경계를 짐작하지 못하게 할 정도이다. 그만큼 가변성이 많고 무애한 것이 느린 3박자(3장, 시간의 축, Y축)와 빠른 4박자(4음보, 공간의 축, X축)가 혼합되는 가운데 태어나는 시조라는 리듬의 형식이다. 현대시조에서는 Y축의 느린 3박자와 X축의 빠른 4박자가 결합하는 방식이 매우 다양하다는 것을 알아야 한다. 겉으로는 고정된 리듬의 형식에 갇혀 있는 것처럼 보이지만 실제로는 다양한 리듬을 실험하고 있는 것이 오늘의 시조라는 것이다.

아래에서 제시하고 있는 졸시조 「분청사기 파편들에 대한 단상」도 실제로는 그렇게 창작되었다. 별다른 정형의 구속을 느끼지 않는 가운데 자유롭게 쓴 것이 위의 졸시조이다. 정형시라고 하지만 그만큼 여유로운 자율성을 갖고 있는 것이 시조라는 뜻이기도 하다. 이는 결국 시조의 질서와 오늘날 대한민국 사회의 질서가 크게 충돌하지 않는다는 뜻도 된다. 이를테면 자본주의적 근대사회의 질서와 시조의 질서가 상호 충분히 포섭하고 있다는 것이다.

이러한 생각을 갖고 있는 만큼 내가 시조에 대해 부정적이지 않으리라는 것은 불문가지이다. 시조에 대한 이런저런 상념과 함께하면서 언젠가는 나도 한두 권 정도 시조집을 발간할 생각이다. 내가 쓰는 시조는 구태여 시절가조<sup>時節歌調</sup>가 되지 않아도 좋다. 방만한 자본주의적 현재의 정서를 다 담아내지 못해도 좋다. 시대나 역사에 대한 고되고 아픈 대응보다 잘 절차탁마된 심미적 경지를 담은 서정적 선시조<sup>禪時調</sup>이 기를 빌어보기도 한다. 시조의 경우는 외롭고 높고 쓸쓸한 심미적 경지를 담아도 괜찮지 않을까.

다음은 이러한 맥락에 태어난 졸시조 「분청사기 파편들에 대한 단상」의 전문이다. (2012)

무등산 자락 여기저기
분청사기 파편들

깨어지고 부서져
조각난 세월들

미어져 터져버린 가슴, 너무도 많구나

가마터 주변마다 버려져 있는 목숨들,

땅 속에 묻힌 지
수백 년이 지났어도

저처럼 되살아나서 내일을 꿈꾸다니

꿈이야 뭇 생명들의 본마음 아니던가

버려진 꿈 긁어모아

이곳에 쌓고 보니


무등산 골짜기마다

동백으로 피는 봄볕!

—「분청사기 파편들에 대한 단상」 전문

# 하나로 빛나는 보랏빛 설움

## ─ 졸시 「패랭이꽃」

앉아 있어라

쪼그려 앉아서 피워 올리는 보랏빛 설움이여

저기 저 다순 산빛, 너로 하여, 네 아픈 젖가슴으로 하여 한결
같아라

하나로 빛나고 있어라


보랏빛 이슬방울이여

눈물방울이여

언젠가는 황홀한 보석이여

앉아서 크는 너로 하여, 네 가난한 마음으로 하여 서 있는 세상,
온통 환하여라

환하게 툭, 터지고 있어라.


    앞의 예시문은 졸시 「패랭이꽃」의 전문이다. 이 시 「패랭이꽃」은
내가 출간한 다섯 번째의 시집인 『내 몸에는 달이 살고 있다』(창비,
2005)에 실려 있다. 이렇게 모두(冒頭)에 예시를 하고 있으니 이 시 「패랭이
꽃」이 내 대표시라는 것인가. 대답하기 쉽지 않은 일이다. 여러 사화집

에 실려 있으니 그저 나는 독자들이 이 시를 꽤 좋아하는가 보다, 하고 생각할 따름이다.

이러한 기준으로 보면 다른 많은 내 시들도 대표작이라고 해야 하지 않을까. 「부활」, 「투망」, 「돌멩이 하나」, 「초록 잎새들」, 「무화과」, 「빨래하는 맨드라미」, 「접는의자」, 「불타는 나무」, 「첫눈 아침」 등도 여러 사화집에 실려 있으니 말이다. 기준을 이렇게 정하면 이들 시 역시 대표작이라고 할 수 있기 때문이다.

그럼에도 불구하고 대표시를 고르라고 하니 언뜻 이 시가 떠오르는 까닭은 무엇인가. 이에 무슨 큰 까닭이 있겠는가. 그냥 내가 이 시를 좀 더 좋아하기 때문이리라.

이 시 「패랭이꽃」은 나를 노래한 시가 아니라 너를 노래한 시이다. 너로 호명되는 '패랭이꽃'을 노래한 것이 이 시이다. 물론 '그'라고 호명하지 않고 '너'라고 호명한 것은 '패랭이꽃'을 좀 더 인간적으로 받아들이고 있기 때문이다. '그'라고 하는 것보다는 '너'라고 하는 것이 훨씬 '나'와 가깝지 않은가.

이 시에서 너라고 부르는 '패랭이꽃'은 어떤 존재인가. 우선은 '패랭이꽃'이 서 있지 않고 앉아 있는 존재라는 것을 알 수 있다. "쪼그려 앉아서 피워 올리는 보랏빛 설움"의 존재가 '패랭이꽃'이라는 것이다.

이쯤 되면 이 시에서의 '패랭이꽃'이 패랭이꽃이면서도 패랭이꽃이 아니라는 것을 알 수 있다. 패랭이꽃이 아니라는 것은 그것이 패랭이꽃이면서도 패랭이꽃으로 비유될 수 있는 사람이라는 뜻이다. 따라서 패랭이꽃과 사람은 불이不二의 관계에 있다고 하지 않을 수 없다.

물론 이 시에서 패랭이꽃은 "보랏빛 설움"의 존재이기도 하고, "아픈 젖가슴"의 존재이기도 하다. 젖가슴이 아프다니? 패랭이꽃이 유방암

환자라도 되는가. 하지만 패랭이꽃은, 그리고 그의 아픈 젖가슴은 "저기 저 다수운 산빛"을 언제나 한결같이 만드는 역할을 한다. "하나로 빛나"게 하는 역할을 한다.

따라서 내가 이러한 패랭이꽃에 감탄하고 감사하는 것은 당연하다. 내가 이 시에서 '패랭이꽃'에게 "보랏빛 이슬방울이여", "눈물방울이여", "언젠가는 황홀한 보석이여"라고 감탄하며 호명하는 것도 바로 그러한 이유에서이다. 내가 보기에는 앉아 있는 패랭이꽃으로 해, 패랭이꽃의 가난한 마음으로 해 "서 있는 세상, 온통 환"해지기 때문이다.

앉아 있는 것들 없이 어떻게 서 있는 것들이 있겠는가. 한편으로 이 시는 "서 있는 것들"이 실제로는 "앉아 있는 것들"로 하여 존재한다는 것을 강조하고 있다. "앉아 있는 것들"이야말로 "황홀한 보석"이라고 역설하고 있는 것은 다름 아닌 이 때문이다.

물론 앉아 있는 것들은 이 세상의 작고 보잘것없는 것들, 미미하고 소소한 것들을 총칭한다. 그렇다면 이 시는 세상의 작고 보잘것없는 것들, 미미하고 소소한 것들에 대한 지극한 애정과 연민을 담아내고 있는 시라고도 할 수 있지 않을까.

내가 좋아하는 내가 쓴 시 「패랭이꽃」에 대해 이렇게 중언부언 몇 마디 써본다. (2012)

제3부

# 시 읽기의 기쁨과 재미

# 독재, 저항, 투옥, 자유
## —조태일의 삶과 시

    조태일 시인이 급성간암으로 서울 아산병원에서 이승을 뜬 것은 그의 나이 만 58세인 1999년 9월 7일의 일이다. 그러고 보면 그가 유명을 달리한 지도 벌써 15년이 지났다. 참으로 빠른 것이 세월이다.

    조태일의 시세계는 독재, 저항, 투옥, 자유 등의 핵심어로 요약된다. 자유를 실천하기 위해 독재에 항거하다가 몇 차례 투옥된 체험을 갖고 있기 때문이다.

    이제는 조태일 시인도 기념할 때가 되었다. 지난 2015년 3월 23일(월) 12시에 있었던 일이다. 광주의 김대중컨벤션센터 2층 델리하우스에서 (사)조태일기념사업회 발기인 총회가 열렸다. 나도 (사)조태일기념사업회의 발기인으로 총회에 참여했다. 그날 발기인 총회에서는 박석무 전 의원이 이사장으로 추대되었다.

    조태일 시인의 호는 죽형<sup>竹兄</sup>이다. 그의 문학적 스승인 다형<sup>茶兄</sup> 김현승 시인의 호를 이어받아 자호<sup>自號</sup>한 것이다. 죽형은 '대나무 형'이라는 뜻이다. 대나무가 상징하는 것은 '직<sup>直</sup>'이다. 직<sup>直</sup>은 곧다, 고치다, 바루다 등의 의미를 지니고 있다. 직은 정직이거니와, 정직은 결국 감정의 정직을 가리킨다.

    변화하기 쉬운 것이 감정이다. 금방 좋았다가도 금방 싫어지는 것이

감정이다. 따라서 감정에 정직하다 보면 변화가 많은 마음을 지닐
수밖에 없다.

몸에 병이 들면 마음도 병이 들기 마련이다. 특히 간이 나빠지면
감정 조절을 제대로 못한다. 말년의 조태일 시인도 감정 조절 면에서는
마찬가지였던 듯싶다. 급성간암으로 세상을 떠난 것이 그라는 점을
기억할 필요가 있다.

2006년 여름의 일이다. 섬진강 강변에서 '죽형 조태일 문학축전'이
열린 적이 있다. 한국문학평화포럼의 이승철 시인이 중심이 되어 열린
행사였다. 내게도 추모시를 낭송해 달라는 연락이 왔다. 다소 어수선한
중에도 나는 오래전에 쓴 추모시 한 편을 낭송했다.

　뜬구름같이, 뭉게구름같이 들어 올려졌군요 하늘나라로 들어 올려
져 그만 적막하군요

　아침 이슬처럼, 아침 아지랑이처럼 손 흔들며 떠나갔군요 하직했군
요

　지상의 온갖 것들, 저 파란 것들 아쉽지요 안타깝지요 안타까운
마음으로 손 흔들며 바라보는 세상 깨끗하지요

　깨끗한 마음으로 닦은 만큼 맑아졌지요 자유로워졌어요 그만큼 해
방된 것이지요 갈 수 있는 데까지 간 것이지요

　지상의 저 파란 빛들, 풋밤 알들 너무 어리지요 그래요 아쉽지요

안타깝지요

　하늘은 하늘, 땅은 땅 모든 것들 다 그대로 있는데, 뜬구름같이,
뭉게구름같이 들려 올려졌군요

　하늘나라로 들려 올려졌어요 당신의 슬픈 영혼, 슬픈 인연 꽃상여로
환하게 피고 있군요

　生者必滅이라더니, 달리는 수레바퀴 너무 작군요 너무 멀군요 한줌
흙으로 돌아가는 수레바퀴지요

　그래도 아프기는 하지요 그래요 나도 당신도 아파야 내일이 오지요
　　　　　　　　　　　　―「生者必滅이라더니―J·T·I」 전문

　조태일 시인이 작고한 지 7년이 지났는데도 추모시를 읽는 마음은
편치 않았다. 그와 함께 했던 수많은 날들, 그것들이 만드는 별별
추억들이 자꾸 마음을 어지럽혔기 때문이다. 그래도 나는 지극한 마음
으로 추모시를 낭송했다. 그리고 많은 박수를 받았다.
　그가 이승을 하직한 지 10년이 지난 2009년 9월의 일이다. 다시
그를 추모하는 모임이 전라남도 곡성의 조태일 시문학기념관에서
열렸다. 이날의 추모모임은 창작과비평사에서 간행한 『조태일전집』을
기념하는 자리이기도 했다. 나도 이날의 모임에 참석해 『조태일전집』
한 질을 구입했다.
　『조태일전집』은 광주의 평론가 이동순 선생이 엮었다. '시론·산문'

이라는 부제가 붙어 있는 이 전집의 두 번째 권 말미에는 '연보'가 첨부되어 있다. 이 연보에 따르면 조태일 시인은 모두 세 차례에 걸쳐 투옥이 되었다.

첫 번째 투옥은 양성우 시인의 시집 『겨울공화국』의 발간 및 보급에 관여했던 일 때문이다. 그와 고은 시인에 의해 양성우 시인의 시집 『겨울공화국』이 출간된 것은 1977년 가을의 일이다. 양성우의 이 시집 이 간행된 곳은 화다출판사인데, 당시 화다출판사는 백기완 선생이 운영하고 있었다. 이 시집이 출간되었을 때 정작 양성우 시인은 '장시 「노예수첩」 사건'으로 이미 구속이 되어 있는 상태였다.

'「노예수첩」 사건'은 양성우의 장시 「노예수첩」이 일본의 진보적인 잡지 『세계』(1977. 6월호)에 번역, 게재되면서 비롯되었다. 한국의 중앙정보부는 이 잡지가 발간되자마자 곧바로 양성우 시인을 연행했 다. 그리고 이내 그를 국가모독 및 대통령 긴급조치 9호 위반으로 투옥시켰다. 형편이 이러한 데도 조태일 시인은 고은 시인과 함께 양성우 시인의 시집 『겨울공화국』을 간행해 전국에 보급했던 것이다. 양성우 시인의 장시 「겨울공화국」은 이미 1975년 2월 12일 광주 YWCA 강당의 구국기도회에서 그 자신에 의해 낭송된 적이 있었다. 이 일로 양성우 시인은 그해 4월 광주의 중앙여고에서 파면이 되었다.

유신당국이 조태일 시인을 좀 더 문제 삼은 것은 광주로 보낸 양성우 의 시집 『겨울공화국』 500권과 무관하지 않았다. 광주에서 이 시집 500권을 수령한 것은 박석무 전 의원 등이었는데, 정작 경찰에 끌려간 조태일 시인은 모두 50권을 광주로 보냈다고 진술했다. 경찰의 조사과 정에 조태일 시인이 광주로 보낸 시집의 양과 실제로 수령한 시집의 양이 달라 박석무 전 의원 등도 다소 고초를 겪었다.

조태일 시인이 고은 시인과 함께 투옥이 되자 국제펜클럽에서는 국제적인 구명운동을 벌이기도 했다. 양성우 시인의 시집 『겨울공화국』은 전두환 정권의 제5공화국 때까지도 금서였다.

1970년대 말에 이르러 박정희의 독재정권은 극단적인 탄압을 하기 시작했다. 각종 긴급조치를 통해 모든 언론에 재갈을 물리는 등 온갖 방식으로 국민들을 억압하고 핍박한 것이 당시의 박정희 독재정권이었다. 그때는 양식 있는 사람이라면 누구라도 공포와 부자유로 가슴이 터질 듯한 경험을 하지 않을 수 없었다. 그러다 보니 술에 취해 박정희 대통령과 유신체제에 대해 비판을 하다가 경찰에 끌려가는 사람이 많았다. 재수가 없으면 일반인들도 이른바 '막걸리 보안법'으로 투옥이 되기 일쑤였다.

조태일 시인이 호주가好酒家이고 대주가大酒家라는 것은 잘 알려져 있는 사실이다. 그가 아직 왕성한 체력을 갖고 있던 38세 때, 그러니까 1979년 5월의 어느 날 밤이었다. 잔뜩 술에 취한 그는 자신의 집 옥상에 올라가 박정희 대통령과 유신독재를 신랄하게 비판하는 일장 연설을 했다. 그러나 이웃집의 고발로 인해 투옥이 된 그는 구류 29일의 처벌을 받았다.

광주민주화운동 직후인 1980년 5월 31일 전두환의 신군부는 정부 안에 국가보위비상대책위원회를 설치했다. 이른바 '국보위'는 서대문에 합동수사본부(합수부)를 두었는데, 그 본부장은 물론 전두환 육군소장이었다. 전두환 육군소장의 합동수사본부는 급기야 몇몇 문인들까지 잡아들였다. 조태일 시인과 신경림 시인, 구중서 평론가가 바로 그들이었는데, 그들을 투옥시킨 명분은 김대중 내란음모사건과 관련된 참고인의 자격이었다.

하지만 합수부가 이들 세 문인을 정작 문제 삼은 것은 따로 있었다. 실제로는 그해 6월 서울 청진동의 경주집에서 자유실천문인협의회 간사회의를 개최한 것과 이호철 선생 중심의 「지식인 선언」에 서명한 것 등이 원인이었다. 이들이 이 두 가지 일로 계엄령하에서 계엄포고령을 위반했다는 것이다.

이들 세 문인은 종로경찰서에서 밖으로 나갈 때까지 함께 지냈다. 이들은 합수부로 다시 넘겨졌는데, 신경림 시인과 구중서 평론가는 한 달여 만에 출옥을 했다. 그러나 조태일 시인은 두 달 넘게 징역을 살며 보통군법회의와 고등군법회의에서 재판을 받았다. 마침내 그에게는 징역 2년에 집행유예 3년이라는 선고가 떨어졌다. 이는 대법원에서도 원심대로 확정이 되었다. 조태일 시인이 신경림 시인이나 구중서 평론가보다 좀 더 오래 투옥이 된 데는 김대중 전 대통령과의 인연이 작용을 했다. 창제인쇄소를 운영하고 있던 조태일 시인이 김대중 전 대통령에게 인쇄물을 해준 것이 문제가 되었던 것이다.

투옥체험은 그의 시세계에도 다소 변화를 주었다. 일단은 1983년에 간행된 시집 『가거도』를 주목할 필요가 있다. 하지만 변화의 정도는 1987년에 간행된 시집 『자유가 시인더러』에 이르러 좀 더 의미 있는 모습을 보여준다. 튼튼한 역사의식과 민중적 정서, 정직하고 우직한 그의 인간됨을 엿볼 수 있게 해주는 것이 이들 두 시집이다. 특히 『자유가 시인더러』에 실려 있는 다음의 예는 그의 투옥체험을 좀 더 잘 알 수 있게 해주는 시라고 할 수 있다. 큰 소리로 함께 읽으며 이 글을 마치기로 한다. (2015)

천만번이라도

손목을 내밀마.

그 손목도 부족하다면

발목이라도 내밀마

그 발목도 안 된다면

모가지라도 내밀마

그 모가지가 약하다면

몸뚱어리째 내밀마

이 몸뚱어리 성한 데가 없어

옭아매지 못한다면

좋다, 좋다,

숨결이라도 내밀마.

터럭 난 너의 손아귀 앞에

아아, 내 최후의 눈빛이라도

내밀마

—「수갑」 전문

# 박용래 시의 계보
## —이시영, 서정춘, 강신용, 최종진의 시들

후대의 시는 전대의 시를 자양분으로 해서 태어나고 성장하기 마련이다. 좋은 시인은 좋은 시인을 낳고, 좋은 시는 좋은 시를 낳는 법이다. 산이나 바다에서 평생을 살았다고 하여 산이나 바다의 시를 쓸 수 있는 것은 아니다. 바다의 시가 바다의 시를 낳고, 산의 시가 산의 시를 낳기 때문이다.

사람들 사이에 취미나 기호를 중심으로 또래 집단이 형성되듯이 시들 사이에도 취미나 기호에 따라 또래 집단이 형성되는 것처럼 보인다. 시에서의 또래 집단은 수평적이기보다는 수직적이다. 따라서 일정한 동일성을 갖는 작품들을 중심으로 일종의 종적 유사성을 형성하기 쉽다.

시의 역사에서 이러한 특징이 나타나는 것은 단순한 영향 수수 관계 이상이라고 해야 마땅하다. 시에도 어떤 혈통 같은 것이 있어 대대로 유전되고 있지 않느냐는 것이다. 일본의 시가 일본 냄새를, 프랑스의 시가 프랑스의 냄새를 갖는 것도 이와 무관하지 않다. 이러한 뜻에서의 유전인자가 존재하는 것은 한국 현대시에 있어서도 마찬가지이다.

물론 혈통을 통해 세습되는 시의 유전인자는 사람이나 생물의 그것처럼 확연하지 않다. 명시적인 영향 수수 관계를 취하지 않을 경우 이를 확인하기가 쉽지 않기 때문이다.

시에서의 이러한 혈통은 흔히 계보의 모습으로 나타난다. 물론 시에서의 계보가 명확히 부자父子관계로 전승되는 것은 아니다. 시에서의 계보는 자식보다는 조카에게로 이어진다는 것이 러시아 형식주의자들의 지적이다.

시문학사도 기본적으로는 발전론적 시각을 취하지 않을 수 없다. 시문학사 역시 역사(학)의 일부이기 때문이다. 이쯤 이르면 좀 더 원천적인 질문이 필요하지 않을 수 없다. 역사라는 것이 정말 명실공히 발전하는 것인가. 도대체 발전이란 무엇인가. 그간의 시문학사가 우리 시의 정작의 흐름을 올바르게 대변하지 못하는 것도 바로 이 '발전'이라는 개념과 무관하지 않다.

'발전'이라는 선조線條적인 개념에 얽혀 있는 것은 과학으로서의 역사학의 명확한 한계이다. 성장의 개념을 전제로 하고 있는 '발전'이라는 개념으로 구체적인 삶의 변화를 설명하는 것은 원천적으로 불가능하다. 여기서 굳이 '계보'의 개념을 들이대는 것은 이러한 한계를 극복하기 위해서이다. 제대로 된 우리 시의 계보를 밝히는 일이야말로 시문학사의 공백을 메우는 매우 중요한 작업이 되지 않을 수 없기 때문이다.

박용래의 시가 자양분으로 받아들인 전대의 이월가치로는 정지용, 백석, 박목월의 시를 예로 들 수 있다. 더불어 외국의 시로는 일본의 전통시 하이쿠로부터의 영향을 지적하는 것이 보통이다.

정지용의 몇몇 작품들이 보여주는 시리고 맑은 이미지가 없이 박용래 시들이 지니고 있는 투명하고 무구한 이미지가 가능했을 리 없고, 백석의 몇몇 작품들이 보여주는 짧고 단정한 구조가 없이 박용래의 시들이 보여주는 형식적 특징이 구체화되었을 리 없다. 또한 박목월의 초기시가 보여주는 단정하고 순수한 서정이 없이 박용래 시가 보여주는 정갈하고 아슴한 정서가 형성될 리 만무하다. 낯선 사물들을 느닷없이 병치시키는 박용래 시의 이미지의 생산 기법이 일본의 전통시 하이쿠로부터 수용되었다는 것은 새삼스럽게 강조할 바가 못 된다.

일반적으로 후대 시인들이 전대 시인들로부터 받아들이는 것은 세계관이라기보다는 표현방법이다. 물론 시의 표현방법과 세계관이 따로 떨어져 존재하는 것은 아니다. 하지만 표현방법에 비해 세계관이 상대적으로 유동성이 크다는 것까지 부인할 수는 없다. 항상 각자의 시대정신과 관련될 수밖에 없는 것이 작품 속의 세계관이기 때문이다.

일찍이 나는 박용래 시의 표현방법이 지니는 특징과 관련해 '이미지의 생산', '객관적 소묘', '유추와 연상', '반복과 병렬' 등을 제시한 바 있다(「박용래 시의 표현방법」, 『진실의 시학』, 태학사). 대상을 객관화하는 가운데 절제된 서정을 투사하는 이미지 중심의 그의 시가 갖는 방법적 특징을 이렇게 단순화했던 것이다.

박용래의 짧고 명징한 시로부터 시리고 아슴한 이미지와 서정을 떠올리는 것은 매우 자연스러운 일이다. 바로 이러한 특징을 통해 우리 시문학사의 중요한 부분을 차지하고 있는 것이 박용래의 시이다. 박용래 시의 이러한 면들과 연관되어 가장 먼저 뇌리를 차지하는 것은 이시영의 시이다. 짧고 정제된 언어 속에 담겨진 객관적 풍경을 매개로 잽싸게 사람살이의 지혜를 담아내고 있는 것이 근래의 이시영의 시이다. 이시영의 이들 시로부터 두루 확인할 수 있는 것은 박용래 시의 좋은 면들이 능동적으로 변용되어 있다는 점이다. 물론 이시영의 시가 박용래의 시와 정서나 분위기 면에서 그대로 일치하고 있는 것은 아니다. 하지만 이시영의 다음과 같은 시의 경우 박용래 시의 아슴한 토속성을 십분 계승하고 있는 것만은 분명하다.

> 비 맞은 닭이 구시렁구시렁 되똥되똥 걸어와 후다닥 헛간 볏짚
> 위에 오른다
> 그리고 아주 잠깐 사이 눈부신 새하얀 뜨거운 알을 낳는다
> 비 맞은 닭이 구시렁구시렁 미주알께를 오물락거리며 다시 일 나간
> 다
>
> —「당숙모」(『조용한 푸른 하늘』, 솔) 전문

이 시에 담겨 있는 토속성은 상대적으로 좀 더 인간적이다. 박용래 시의 그것에 비해 훨씬 더 푸근한 인정을 느끼게 한다는 뜻이다. 무엇보다 이는 "비 맞은 닭"에서 당숙모의 알레고리를 발견하는 이시영의 상상력에서 기인한다. 이시영의 이 시는 다름 아닌 이러한 점에서 박용래의 시 「고향」, 「시락죽」, 「할매」 등에 비해 한결 현대적인 맛을 준다. 그럼에도 불구하고 이시영 시의 토속성이 박용래 시의 그것과 전혀 종족을 달리하는 것으로 보이지는 않는다.

이시영 근년의 시들이 박용래의 시와 계보적 유사성을 보여주는 것은 철저하게 객관적인 어조를 선택하고 있다는 점에 의해서도 확인된다. 이들의 시는 화자의 감정이 직접적으로 개입하는 것을 용인하지 않는다는 점에서도 상호 친연성을 갖는다. 담담하게 내던지는 작고 조그만 풍광 속에 삶의 지혜를 담아내고 있는 것도 이들의 시가 갖고 있는 공통점 중의 하나이다.

박용래의 시에서 풍광은 기본적으로 응축된 이미지를 바탕으로

한다. 물론 이때의 이미지는 비유와 묘사가 혼재되는 가운데 태어난다. 이러한 점에서 생각하면 얼마 전에 예쁘고 앙증맞은 시집『봄, 파르티잔』을 간행한 서정춘의 시를 떠올리지 않을 수 없다. 좀 더 시인의 의지가 개입되어 있기는 하지만 서정춘의 시 역시 박용래의 시와 종족이 다르지 않은 것은 분명하다. 다음의 시는 그 대표적인 예인 「聖畵」의 전문이다.

별빛은 제일 많이 어두운 어두운 오두막 지붕 위에 뜨고

귀뚜리는 제일 많이 어두운 어두운 부엌에서 울고

철없이 늙어버린 숯빛 두 그림자, 귤빛 봉창에 비치고 있었다

서정춘의 이 시로부터 박용래의 시 「三冬」, 「겨울밤」, 「저녁눈」, 「그 봄비」 등을 연상하기는 별로 어렵지 않다. 박용래의 이들 시는 서정춘의 시 역시 그와 동일한 계보에 자리해 있다는 것을 실감하게 한다. 이처럼 박용래의 시 「두멧집」과 「三冬」의 풍광이 아름답게 재교직되어 있다는 느낌을 갖게 하는 것이 서정춘의 이 시이다.

이러한 점에서 생각하면 강신용도 박용래와 계보를 함께하고 있는 시인이라고 할 수 있다. 실제로는 박용래 시의 계보에 훨씬 더 적극적인 것이 강신용의 시인지도 모른다. 생전의 박용래와 가까운 사이였던 강신용은 자신의 시가 박용래의 시와 동일한 계보에 속한다는 것을 아주 기껍게 생각한다.

일단은 먼저 강신용의 좋은 시가 대부분 박용래의 좋은 시와 유전인

자를 공유하고 있다는 점부터 주목할 필요가 있다.

　　빛바랜 햇살들이 모여 앉아
　　죽음처럼 살고 있네

　　바람도 멈칫멈칫
　　무너진 담벼락 비켜가듯
　　슬며시 사라졌다 다시
　　돌아오지 않네

　　과거처럼 쌓이는
　　풀더미 더미 사이로
　　어둑어둑 쳐들어오는 폐허

　　기다리다 기다리다
　　해 넘기고
　　적막 지키고 있는
　　감나무 그림자뿐이네
　　　　　　　—「빈집」(『허리와 어깨 6』, 문경출판사) 전문


　　강신용의 이 시와 연관되어 떠오르는 박용래의 시는 「空山」, 「下官」
등이다. 여백의 미학과 함께하는 공空이니 허虛니 하는 것들이 박용래
시의 한 특징이라면 강신용의 이 시 역시 다소간은 그것들과 친족관계
에 있다고 해야 옳다.

빈집의 공간으로부터 폐허의 실재를 깨닫고 있는 것이 강신용의 이 시이다. 그의 시가 박용래의 시와 계보를 함께하고 있다는 것은 이러한 점을 통해서도 잘 알 수 있다. 그뿐만 아니라 어법의 면이며, 정서의 면에서도 박용래의 시와 상호 유사성을 보여주는 것이 강신용의 이 시이다.

박용래의 시는 이미지를 압축, 투사하고 있다는 점에서, 나아가 짧고 단정한 구조를 지니고 있다는 점에서도 일정한 특징을 갖는다. 이러한 점에서도 강신용의 시는 박용래의 시와 서로 친족관계를 이룬다.

박용래 시가 지니고 있는 이러한 특징은 최종진의 몇몇 시에 의해서도 충분히 확인이 된다. 최종진의 시가 갖고 있는 박용래 시와의 근친성은 공히 여백의 미학을 바탕으로 하고 있다는 점에서 관심을 끈다.

최종진의 좋은 시 「산딸기」(『그리움 돌돌 말아 피는 이슬꽃』, 내일을 여는책)는 모두 4행에 불과하다. 그의 이 시는,

첩첩산중 저 홀로 익은 그리움
행여 님이 올까 기다리는데
바람과 햇살만이 머물다 가고
터질 듯 부푼 가슴 몸이 달았네

로 전문이 끝난다. 박용래의 시 「울안」, 「낮달」, 「장갑」 등과 같이 구조적 단순성을 바탕으로 여백의 미를 추구하고 있는 것이 최종진의 이 시라고 할 수 있다.

물론 박용래 시의 계보에 예의 몇몇 시인의 시들만을 편입시킬

306

수 있는 것은 아니다. 그 밖의 시인들의 작품들에서도 박용래 시와의 계보적 유사성을 찾기는 어렵지 않다. 안도현이나 김용택의 짧은 시들 또한 그러한 예의 하나라고 할 수 있다.

지금까지의 논의에 따르면 가당치 않은 시문학사의 서술에 집착하는 것보다는 제대로 된 우리 시의 계보 찾기에 주력하는 것이 오히려 실속이 있는 작업이 될 듯도 싶다. (2001)

# 17번 다순이
## ── 곽재구의 시 「엄경희」

이곳저곳으로 떠돌며 시간강사를 하던 때의 일이다. 어쩌다 대전역
에서 서울역행 무궁화 열차를 타게 되었다. 자리를 찾아 앉으려는데,
좌석 위에 웬 주간지 한 권이 놓여 있는 것이었다. 대전까지 타고
온 손님이 버리고 내린 것으로, 『주간만화』였다. 심심풀이 삼아 뒤적이
다 보니 섬세한 필치의 몇몇 서정적인 그림들이 눈에 들어왔다. 제목은
「엄경희」! 무심코 읽다보니 눈물이 핑그르 돌았다.

이야기 자체는 별로 낯설지 않았다. 곽재구의 시 「엄경희」를 극화한
것이었다. 커트마다 한두 행씩의 시가 실려 있었는데, 내게는 그 자체로
아름답고도 슬픈, 한 편의 자그마한 영화였다.

이로 미루어 보면 서정시도 충분히 인물형상을 창조할 수 있다는
것을 알 수 있다. 이에는 몇 가지 길이 있는데, 곽재구의 이 시 「엄경희」에
는 그중에서도 시적 주체, 즉 위장된 화자를 전면에 내세우는 방법,
다시 말해 배역을 전경화하는 방법이 응용되어 있다. 이 시에서는
서정적 주인공 '엄경희'가 일종의 배역으로 시인을 대신해, 곧 시인의
통제하에 자신의 현존을 이야기하고 있기 때문이다.

그에 따르면 고향 "춘천을 떠나온 지 칠년"이 된 엄경희는 채탄작업
을 하던 광부(이미 돌아가신)의 딸이고, "17번 茶順伊"이고, "문과대학

/ 철학과를 나온 엉터리 시인"의 친구이다. 여하튼 그녀는 몸을 팔아먹고 사는 화류계의 젊은 여자이다. 하지만 그녀는 "일곱 살 적 함백선 어느 작은 산역에서 / 아버지가 꺾어주던 작고 흰 채송화를 / 아직 가슴에 새겨두고 있"는 여리디 여린 마음의 소유자이다. 이처럼 순결한 영혼의 그녀가, "아무에게나 속고 쓰러지는 / 착한 별과 꽃들" 같은 그녀가 아무리 세파에 휩쓸렸다고 하더라도 뻔뻔한 낯짝의 악다구니가 되기는 어렵다. 이제는 "누구에게나 사랑을 선언할 수 있는" 값싼 여자가 되었지만 그녀는 또한 "피뢰침에 / 목을 걸고 죽은 27번 금희"의 진실한 친구이기도 하다. 견디기 힘든 삶의 현실로 인해 급기야는 저 자신도 27번 금희처럼 끊임없이 "하늘의 꽃으로 피어나"고 싶은 유혹에 시달리고 있는 여자라는 것이다.

완숙한 자본주의 사회, 바늘 하나 꽂을 틈도 없는 사회, 우리는 오늘의 삶의 고샅고샅에서 수없이 많은 '엄경희'를 만난다. 그러나 엄경희의 아픔을 자신의 아픔으로 받아들이는 시인 곽재구가 없었다면 누구도 그러한 아픔이 빚어내는 알싸한 아름다움을 깨닫지 못할 것 아닌가. 시인 곽재구에 의해 창조된 우리의 영원한 애인 엄경희도 "이제는 돌아와 거울 앞에 선"(서정주, 「국화 옆에서」) 누님 같은 중년 여인이 되었으리라.

그의 시 「엄경희」의 전문을 소개하면 다음과 같다. (1996)

미스 엄이라고 부르지 말아요
차라리 서정성을 생각하며
17번 茶順伊라고 불러주어요
춘천을 떠나온 지 칠년

지용의 호수보다 맑은 고향이에요
생각하기 싫어요 식구들의 얼굴
그러나 아버지의 탄광 이야기는 언제나 좋아요
한 주일의 채탄작업이 끝나면
아버지가 돌아오는 토요일의 황혼이 좋았어요
어머니와 함께 기도하던 성 교회의
일요일의 평화가 좋았어요
일곱 살 적 함백선 어느 작은 산역에서
아버지가 꺾어주던 작고 흰 채송화를
아직 가슴에 새겨 두고 있어요
사랑하고 있어요 크고 검은
아버지의 손과 눈망울을
끝내 아버지가 돌아오지 않던 그 일요일
흰 눈이 드문드문 날리던 그해 광산촌의
겨울을 사랑하고 있어요

더 이상 죄를 생각하기 싫어요
관광호텔 스카이라운지
피뢰침에 걸려 웅웅대는
저 스산한 죄의 바람소리가 싫어요
지난 가을 그 피뢰침에
목을 걸고 죽은 27번 금희의
벗은 알몸이 싫어요
가까이 와요 문과대학

철학과를 나온 엉터리 시인 친구

저 아래 깜박이는 도시의 죽은 눈빛을 보아요

오지 않는

예언자를 기다리며

번듯하게 누워 죽은 도시의 검고 흉한 관들이 싫어요

아무에게나 속고 쓰러지는

착한 별과 꽃들이 추워요

그러나 이제 누구에게나 사랑을 선언할 수 있어요

어둠이 어둠이라면

밝음이 밝음이라면

언제라도 좋아요 나를

이 옥상에서 밀어제껴 주세요

펄펄펄 펄펄펄 사랑이라고 평화라고 뇌우치며

하늘의 꽃으로 피어나겠어요.

―「엄경희」 전문

# 살아 있는 눈, 깨어 있는 마음
## ─김수영의 시 「눈」

떨어지고, 또 떨어지고, 또또 떨어지고, 그러다가 겨우 지방의 어느
작은 대학의 문학부에 막 입학했을 때였다. 아직 눈도 채 녹지 않고
추위도 채 가시지 않은 1973년 3월 어느 날이었는데, 국어국문과 주임
교수실에서 조교 선생이 나를 찾았다.

연탄난로가 발갛게 타오르고 있는 국어국문과 주임 교수실은 다소
비좁았지만 그런대로 아담하고 따뜻했다. 절망에 빠져 말수가 별로
없는 내게 조교 선생은 불쑥 작문시간에 제출한 리포트를 내밀며
자네가 직접 쓴 것이 맞느냐고 물었다.

매사가 시큰둥하던 당시의 나는 그냥 피식, 하고 웃고 말았다. 버스
여차장과 정류장에 떨어진 동전에 얽힌 작은 콩트 한 편을 썼는데,
그게 그런대로 재미있었던 듯했다.

조교 선생은 현대시를 전공하는 대학원생이었다. 커피 한 잔을 얻어
마시며 잠시 우울하게 앉아 있던 내게 그는 리포트의 표현이 매우
시적이라며 한 권의 책을 내밀었다. 살펴보니 이런저런 시를 모아놓은
일종의 사화집이었다.

선 채로 몇 페이지를 넘기고 있을 때였다. 이름도 처음 듣는 시인의
시 한 편이 눈에 확 들어왔다. 김수영의 시 「눈」이었다. 마지막 문장의

"밤새도록 고인 가슴의 가래라도 / 마음껏 뱉자"라는 구절까지 읽자 몽둥이로 뒤통수라도 맞은 듯 다리가 후들후들 떨렸고, 가슴도 벌렁벌렁 떨렸다. 이러한 시가 다 있다니! 감수성이 예민하던 청년시절이었기 때문일까. 감동이 너무 커서 도무지 발걸음을 뗄 수 없을 정도였다.
　전문을 옮겨 보면 다음과 같다.

　　눈은 살아 있다
　　떨어진 눈은 살아 있다
　　마당 위에 떨어진 눈은 살아 있다.

　　기침을 하자
　　젊은 시인이여 기침을 하자
　　눈 위에 대고 기침을 하자
　　눈더러 보라고 마음 놓고 마음 놓고
　　기침을 하자

　　눈은 살아 있다
　　죽음을 잃어버린 영혼과 육체를 위하여
　　눈은 새벽이 지나도록 살아 있다

　　기침을 하자
　　젊은 시인이여 기침을 하자
　　눈을 바라보며 기침을 하자
　　밤새도록 고인 가슴의 가래라도

마음껏 뱉자

고등학교를 졸업하고 나서는 뜻대로 되는 일이 별로 없었다. 당연히 내 가슴에는 늘 불만과 짜증이 가득 차 있었다. 이러한 심리적인 형편 때문이었을까. 이 시 「눈」은 순식간에 제 안으로 빨아들인 나를 한꺼번에 눈 덮인 마당 위에 패대기라도 치는 듯했다.

한동안 착란 상태에 빠져 있던 나는 겨우 정신을 차리고 옆구리에 끼고 있던 노트를 펼쳐 조용히 이 시를 베끼기 시작했다. 얼떨결에 인사를 하고 사무실을 나오려 하자 조교 선생은 내 등을 툭툭 치고는 자주 만나자며 껄껄껄 웃었다.

이러한 일이 있고 난 후 나는 빠르게 예의 조교 선생과 친해졌고, 덕분에 시와 문학에 대해 많은 공부를 할 수 있었다. 『창작과비평』과 『문학과지성』을 직접 구독해 읽기 시작한 것도 그 조교 선생의 덕분이었다. 신경림의 시도, 김지하의 시도, 조태일의 시도 나는 이 조교 선생을 통해 처음으로 알게 되었다. 그해 가을 김승옥의 단편집 『생명연습』을 빌려다 읽던 감동이라니!

이렇게 김수영의 시와 만나기는 했지만 그의 시의 전모를 다소나마 알게 된 것은 조금 뒤의 일이다. 1974년 9월 민음사에서 시선집 『거대한 뿌리』가 나오게 되면서부터이기 때문이다. 1975년 6월에는 산문집 『시여 침을 뱉어라』가 같은 출판사에서 나왔는데, 이 또한 나의 시정신을 벼리는 데 큰 도움이 되었다.

대학 1학년 때인 1973년 봄, 처음 만난 김수영의 시는 그 후에도 오랫동안 내 영혼을 사로잡고 놓아주지 않았다. 당시의 생각으로는 김수영과 시정신의 높이가 같아져야 제대로 된 시를 쓸 수 있을 것만

같았다. 이러한 연유로 학부 졸업논문에서도, 대학원 석사논문에서도 나는 김수영의 시정신을 분석하는 데 혼신을 다했다.

1981년 2월 「김수영 시에 나타난 죽음 연구」라는 석사논문을 제출하고 대학원을 졸업하면서 나는 김수영의 시정신으로부터도 졸업했다고 생각했다. 그러나 내 이러한 생각은 실제의 일이라기보다 꿈이나 희망이라고 해야 옳았다. 김수영보다 훨씬 더 오래 산 지금까지도 가끔은 내가 그의 시정신으로부터 이런저런 영감을 얻고 있기 때문이다. (2006년)

# 시와 고향의 모랫둑

## ― 김소월의 시 「거친 풀 흐트러진 모래동으로」

한국현대문학관(이사장 전숙희)은 5월 24일부터 6월 14일까지 '북한
문학서전<sup>北韓文學書展</sup>'을 개최하고 있다. 이번 행사에서는 1950~1960년
대 북한의 시, 소설, 비평, 번역서, 잡지 등 200여 권의 책이 전시되었다.
전시자료 가운데는 북한의 문단과 정치계에서 왕성하게 활동했던
한설야의 소설 『청춘기』(1939), 『황초령』(1953)을 비롯해 이기영의
『서화』(1937)를 재간한 『쥐불』(1956)의 북한판을 복간한 연변판의 『쥐
불』, 그리고 문예지 『문학예술』(1948. 4)과 『조선문학』(1953. 10) 창간
호 등도 포함되어 있다.

주최 측에 따르면 이번 전시회에서 특별히 주목이 되는 것은 남한
학계에는 그동안 알려지지 않은 소월(1902~1934)의 시 「거친 풀 흐트
러진 모래동으로」가 처음으로 공개되었다는 점이다. 이 작품은 이번의
'북한문학서전<sup>北韓文學書展</sup>'에 전시될 엄호석(1912~1975)의 『김소월
론』(조선작가동맹출판사, 1958)에 실려 있어 세상에 처음 알려진 것으
로 되어 있다. 엄호석은 북한 문단에서 이념무장에 앞장을 섰던 평론가
이다. 이 책 『김소월론』에서 그는 김소월의 생가 사진과, 잡지 『학생
계』(1920) 창간호에 실린 미발굴 시 「거친 풀 흐트러진 모래동으로」의
전문을 소개하고 있어 주목이 되고 있다.

그러나 이 작품과 관련해서는 첫 공개니 첫 발굴이니 하는 용어를 사용할 수 없다는 것이 내 생각이다. 이미 1981년에 간행된 문학세계사 판 『김소월 전집─꿈으로 오는 한 사람』 등에도 그 전문이 실려 있기 때문이다. 이 작품이 처음으로 공개된 것이라고 알려지게 된 데는 전시회 주최 측이 과도하게 행사를 홍보하는 과정에 발생한 오류라고 파악된다. 이 시의 전문은 다음과 같다.

거친 풀 흐트러진 모래동으로
맘 없이 걸어가면 놀라는 蜻蛉.

들꽃풀 보드라운 향기 맡으면,
어린 적 놀던 동무새 그리운 마음.

길다란 쑥대 끝을 三角에 메워
거미줄 감아 들고 蜻蛉을 쫓던,

늘 함께 이 동 우에, 이 풀숲에서
놀던 그 동무들은 어데로 갔노!

어린 적 내 놀이터 이 동마루는
지금 내 흩어진 벗 생각의 나라.

먼 나라 바라보며 우둑히 서서,
나 지금 蜻蛉 따라 왜 가지 않노.

이 작품은 김소월 시의 보편적인 리듬 체계인 7·5조 형식을 취하고 있어 그의 시라는 것을 익히 확인케 한다. 엄호석의 『김소월론』에 의하면 이 시는 김소월이 만 17세 때인 1920년에 발표된 것으로 되어 있다. 하지만 1920년 『학생계』 7월호(창간호)에 발표된 것이 명백한 만큼 실제로는 1902년생인 그가 만 18세 되던 해의 발표한 작품이라고 해야 옳다. 김소월에게 1920년은 맨 처음으로 작품을 발표하기 시작한 해라는 점에서도 매우 중요하다. 1920년 2월에 간행된 『창조』 5호에 「浪人의 봄」, 「午過(오과)의 泣(읍)」, 「그리워」, 「春崗(춘강)」 등을 발표 하면서 시인으로 활동하기 시작한 것이 김소월이다. 『학생계』 7월호(창 간호)에는 「거친 풀 흐트러진 모래동으로」 외에도 그의 시 「죽으면」, 「無題」 등이 더 실려 있기도 하다.

이 시에서 "蜻蛉(청령)"은 잠자리를 가리키는 한자어다. "모래동"의 동은 '둑'의 한자어인 垌(동)으로, '모랫둑'이라는 뜻이다. 순우리말과 한자어를 결합시키고 있어 김소월이 한국어 조어법에는 맞지 않는 표현을 하고 있다는 것을 알 수 있다.

이미 청년으로 자란 이 시의 화자인 김소월은 지금 고향의 모랫둑에 서서 즐겁고 행복하던 어린 시절을 회상하고 있다. 이러한 회상을 자극시키는 것은 거친 풀 흐트러진 모랫둑을 걸어가면 놀라 날아가는 잠자리와 들꽃풀의 보드라운 향기이다. 이것들로 인해 그는 어린 시절 의 동무들과 즐겁게 뛰놀던 시절을 그리운 마음으로 떠올린다. 구체적 으로 그 시절은 "길다란 쑥대 끝을 三角에 메워 / 거미줄 감아 들고 蜻蛉(잠자리)을 쫓던" 때를 가리킨다.

하지만 늘 함께 이 모랫둑 마루에서, 이 풀숲의 언덕에서 뛰놀던 어린 시절의 동무들은 지금 모두 간 곳이 없다. 어릴 적 놀이터인 이 모랫둑 마루는 단지 흩어진 옛 동무들을 생각나게 할 뿐이다. 어린 시절의 동무들이 이처럼 다 흩어지고 모랫둑에 거친 풀만 자라게 된 까닭은 무엇인가. 물론 이 시에 그 이유까지 상세히 드러나 있지는 않다. 북한의 평론가 엄호석은 약탈자들이 향토의 구석구석을 갈가리 찢어버렸기 때문이라고 잘라 말한다. 일제의 침략에 의해 옛 동무들이 고향을 떠나 유이민의 삶을 살지 않을 수 없게 되어 이처럼 황폐하게 되었다는 뜻이다. 설득력 있는 주장이라고 하지 않을 수 없다.

그러한 연유로 시인은 지금 모랫둑 마루에 서서 슬픔에 잠겨 있다. 이때의 슬픔이 이 시로 하여금 짙은 페이소스를 자아내게 한다. 이 시가 독자들의 심금을 울리는 원인은 바로 여기에서 비롯된다. 이때의 페이소스에 동참하면서 독자들은 예술적 회감回感을 얻는 것이다.

누구에게나 어린 시절은 늘 행복의 공간으로 추억되기 마련이다. 그때는 자아와 세계 사이의 괴리가 명확하게 노출되지 않는 시기이기 때문이다. 하지만 이 시에서의 어린 시절, 즉 행복의 공간이 파괴된 데는 그러한 개인사적 특성만 자리해 있는 것으로 보이지 않는다. 그의 많은 시에서처럼 이 시 역시 미래보다는 과거에서 유토피아를 발견하고 있거니와, 그가 유토피아를 파괴하는 주체를 일제 식민지 세력이라고 생각하고 있기 때문이다. 이제는 먼 나라가 되어버린 어린 시절의 고향, 곧 유토피아를 바라보며 우두커니 서서 왜 잠자리를 따라가지 않는가를 되묻고 있는 것이 이 시에서의 화자이다. 고향의 모랫둑에 대한 그의 회상이 단순히 즐겁고 행복하던 어린 시절을 반추하고 있는 것만은 아니라는 점을 무엇보다 먼저 주목해야 한다.

(2003)

# 풍경 혹은 풍속의 발견
## ─백석의 시「初冬日」

    백석의 시「初冬日」은 그의 시집 『사슴』의 <돌절구의 물> 부部에 실려 있는 소품이다. 이 시는 어휘와 어미의 활용이 일반적이지 않아 얼마간 난해한 면이 없지 않다. 실제로는 그러한 연유로 더욱 주목이 되는 것이 이 시이다. 특히 어미의 활용이 정밀하지 않아 시 전체를 읽는 과정에 다소간 애매한 이해를 갖게 하는 것이 이 시이다.
    다음은 그 전문이다.

    흙담벽에 볕이 따사하니
    아이들은 물코를 흘리며 무감자를 먹었다

    돌덜구에 天上水가 차게
    복숭아남ㄱ에 시라이타래가 말러갔다

                       ─「初冬日」 전문

    백석의 시는 평안도 방언을 매개로 해서 당시의 풍속과 풍경을 보여주는 특징을 지니고 있다. 따라서 그의 시를 제대로 알고 향유하려면 우선 먼저 평안도 방언 및 당시의 풍속과 풍경에 대한 기초적인 이해가 필요하다. 이 글의 논의 또한 그의 시 「初冬日」에 드러나 있는 어휘의 차원과 관련해 논의를 시작하지 않을 수 없는 까닭이 바로 여기에 있다. 어휘의 차원에서의 이해가 전제되지 않으면 이 시 전체를 바르게 알고 향유하기가 어렵기 때문이다.

이러한 논의와 관련해 가장 먼저 떠오르는 것은 이 시의 제목이기도 한 '初冬日'이라는 어휘이다. '初冬日'이라는 한자어는 '초겨울 날', '겨울의 첫날' 등의 의미를 지니고 있다. 이 시 전체의 분위기로 보면 '겨울의 첫날'보다는 '초겨울 날'로 이해하는 것이 좋을 듯싶다. 이 시는 백석 시대에는 흔히 경험할 수 있었던 초겨울 날 가난한 시골마을 의 풍속과 풍경을 그리고 있는 셈이다. 풍속과 풍경이라고는 했지만 이 시에서의 그것은 작고 조그만 한 컷의 스틸사진을 보여주고 있다고 해야 옳다.

'흙담벽'은 흙으로 담을 쌓아올린 벽을 가리킨다. 따라서 '흙담'이나 '흙벽'이라고 해도 무방하다. 구태여 '흙담벽'이라고 한 것은 아마도 입말의 효과를 살리기 위한 운산運算인 듯싶다. '물코'는 물처럼 흐르는 콧물을 가리킨다. 1970년대까지만 해도 초겨울 날 시골마을에서는 흔히 물코를 흘리는 아이들을 볼 수 있었다. '무감자'는 '물감자'의 운운변이로 물이 많은 감자, 질퍽한 감자를 뜻한다. 이때의 감자는 여름에 먹는 하지감자가 아니라 겨울에 먹는 고구마를 가리킨다. 아직 도 시골마을에서는 감자와 고구마를 통틀어 감자라고 부르는 사람이 많다. '돌덜구'는 돌로 만든 절구, 곧 돌절구이고, '天上水'는 하늘에서 내려온 물, 곧 '빗물'의 높임말이다. '남ㄱ'은 '남기', 곧 나무의 古語이고, '시라이타래'는 시래기를 길게 엮은 타래이다.

이상의 어휘 검토를 통해 이 시가 만드는 풍속과 풍경을 표준어로 정리해 보면 다음과 같다.

> 흙담벽의 햇볕이 따사하니(따스하여)
> 아이들은 (옹기종기 붙어 서서) 물 같은 콧물을 흘리며 물고구마를
> 먹었다

> 돌절구에(의) 빗물이 차게(①차가워지도록 / 차가워지는 동안) /
> (②차도록 / 차는 동안)
> 복숭아나무에 (매달려 있는) 시래기타래가 말라갔다

이렇게 정리해 살펴보더라도 시 전체의 문맥이 명확하게 다가오지는 않는다. 이 시의 문맥이 이처럼 혼란스럽게 다가오는 가장 큰 원인은 1연 조건절의 연결어미 "따사하니"와 2연 조건절의 연결어미 "차게"인 것으로 보인다.

"따사하니"는 일단 '따스하여', '따스하므로' 등 원인이나 이유를 뜻하는 연결어미로 읽으면 될 듯싶다. 그러나 "차게"는 '寒'의 뜻인 '차갑게'로 읽히기도 하고, '滿'의 뜻인 '(가득) 차게'로 읽히기도 한다. '寒'의 뜻으로 읽으려면 앞의 어휘 "돌절구에"의 '에'를 '의'로 고쳐 읽어야 한다. 처소격 조사를 관형격 조사로 고쳐 읽어야 한다는 것인데, 결국 '돌절구의 빗물이 ①차가워지도록 / 차가워지는 동안'이라는 뜻이 된다. '滿'의 뜻으로 읽으려면 "돌절구에"의 '에'를 있는 그대로 처소격으로 읽으면 된다. 결국 '돌절구에 빗물이 ②가득 차도록 / 가득 차는 동안'이라는 뜻이 되는 셈이다.

지금까지의 논의로 미루어 보면 연결어미 "차게"에서 정작 중요한

322

것은 '-게'의 내포라고 할 수 있다. 여기서는 두 경우 모두 '도록'이나 '-동안'으로 고쳐 읽었는데, '寒'의 뜻으로 읽든, '滿'의 뜻으로 읽든 정도나 경과 등을 나타내는 어미라고 할 수 있다.

이상의 논의에 따라 이 시의 형상을 재정리하면 다음과 같은 두 개의 풍속과 풍경을 보여준다고 할 수 있다.

(A)
흙담벽의 햇볕이 따스하여
아이들은 (옹기종기 붙어 서서) 물 같은 콧물을 흘리며 물고구마를 먹었다

돌절구의 빗물이 (차가워지도록 / 차가워지는 동안)
복숭아나무에 (매달려 있는) 시래기타래가 말라갔다

(B)
흙담벽의 햇볕이 따스하여
아이들은 (옹기종기 붙어 서서) 물 같은 콧물을 흘리며 물고구마를 먹었다

돌절구에 빗물이 (차도록 / 차는 동안)
복숭아나무에 (매달려 있는) 시래기타래가 말라갔다

백석의 시 「初冬日」은 위와 같은 두 개의 형상으로 재정리될 수 있다. 이들 두 형상을 서로 견주어 보면 시적 효과의 면에서는 전자의

경우, 즉 (A)의 경우가 좀 더 실감을 준다는 것을 알 수 있다. 이 시의 제목이 '초겨울 날'이라는 뜻을 갖는 「初冬日」이고 보면 그러한 느낌이 좀 더 강화된다. 하지만 이렇게 재정리해 읽는 동안 원래의 시가 지니고 있는 다소간 모호하고 애매한 가운데 울려 퍼지는 이 시 고유의 아우라는 소멸되고 마는 것이 사실이다. (2006)

# 생생한 아픔과 경험의 시
## ─나희덕의 시 「다시, 다시는」

    모든 경험은 구체적이고 생생하다. 경험을 바탕으로 하는 상상력은 따라서 막연하게 펼쳐내는 상념에 비해 훨씬 공감을 준다. 나희덕의 시 「다시, 다시는」이 활기찬 공감을 주는 것은 무엇보다 경험을 바탕으로 하는 상상력에 기초해 있기 때문이다.

    이 시 「다시, 다시는」에서 화자인 '나'는 무엇보다 "문을 뜯고 네가 살던 집에 들어"갔던 경험을 압축하고 있다. '나'는 왜 "네가 살던 집"의 "문을 뜯고" 들어갔을까. 말할 것도 없이 그것은 이 세상에 "문을 열어줄 네가 없기" 때문이다. 이미 너는 이 세상 사람이 아닌 것이다. 저 세상 사람인 너, 느닷없이, 갑자기, 문득, 별안간 이 세상을 떠난 너…….

    물어보자. '너'는 누구인가. 그리고 '너'의 '나'는 누구인가. '나'의 '너'와, '너'의 '나'를 분명히 알 수 있는 구절은 이 시의 어디에도 나와 있지 않다. 하지만 '나'와 '너'가 누구인지를 짐작할 수는 있다. 아마도 '너'는 '나'의 가족 중의 하나가 아닐까. 가족? '너'라고 부를 수 있는 가족은 누구인가.

    아마도 동생이 아닐까, 남동생? 어쨌든 가족 중의 하나가 아니라면 내가 "문을 열어줄 네가 없"는 너의 집의 "문을 뜯고" 들어가기가 어렵다. 가족이기에, 누나이기에 나는 "더 이상 세상에 세 들어 살지 않"는 너, 더 이상 "대답이 없"는 "너의 집에" "열쇠공의 손을 빌려" 들어갈 수 있으리라. 동생의 집에서 만난 것들, 집 안의 정황에 누나의 가슴이 얼마나 미어졌을까.

느닷없이, 갑자기, 문득, 별안간 저 세상 사람이 된 너, 너는 왜 어떻게 저 세상 사람이 되었을까. 이 시의 정황으로 보아 자살은 아닌 듯싶다. "금방이라도 걸어 나갈 것 같은 신발들 / 식탁 위에 흩어져 있는 접시들 / 건조대에 널려 있는 빨래들 / 화분 속 말라버린 화초들 / 책상 위에 놓인 책과 노트들" 등의 정황으로 보면 말이다. 그렇다면 '너'가 "더 이상 이 세상에 세 들어 살지 않게 된" 것은 교통사고 때문이지 않을까.

이 시의 화자인 '나'는 '너'의 부재를 계속해 열거해간다. "다시, 너를 앉힐 수 없는 의자 / 다시, 너를 눕힐 수 없는 침대 / 다시, 너를 덮을 수 없는 담요 / 다시, 너를 가둘 수 없는 열쇠 / 우체통에 던져질 수 없는, 쓰다 만 편지" 등의 구절이 '너'의 부재를 강조하고 있는 부분이다. 그렇다. 이미 너는 이 세상 사람이 아니다.

'너'의 부재를 확인하는 동안 '나'의 가슴은 더없이 쓰리고 아렸으리라. 하지만 화자인 '나'는 끝내 감정의 동요를 보이지 않는다. 다시 돌아올 수 없는 길을 떠난 것이 너 아닌가. "말라버린 화초가 다시, 꽃을 피운다 해도" "네가 없는 이 일요일"이 "다시, 반복되지 않"으리라는 것을 이미 잘 알고 있는 것이 '나'이다.

시인인 화자의 아픔을 참는 마음, 고통을 견디는 마음이 차고 시리다. 하지만 모든 아픔은, 모든 고통은 참고 견디는 데에 의의가 있다.

다음은 나희덕의 이 시 「다시, 다시는」의 전문이다. (2013)

문을 뜯고 네가 살던 집에 들어갔다
문을 열어줄 네가 없기에

네 삶의 비밀번호는 무엇이었을까
더 이상 세상에 세 들어 살지 않는 너는 대답이 없고
열쇠공의 손을 빌려 너의 집에 들어갔다

금방이라도 걸어 나갈 것 같은 신발들
식탁 위에 흩어져 있는 접시들
건조대에 널려 있는 빨래들
화분 속 말라버린 화초들
책상 위에 놓인 책과 노트들

다시 더러워질 수도 깨끗해질 수도 없는,
무릎 꿇고 있는 물건들

다시, 너를 앉힐 수 없는 의자
다시, 너를 눕힐 수 없는 침대
다시, 너를 덮을 수 없는 담요
다시, 너를 가둘 수 없는 열쇠
다시, 우체통에 던질 수 없는, 쓰다 만 편지

다시, 다시는, 이 말만이 무력하게 허공을 맴돌았다

무엇보다도 네가 없는 이 일요일은

다시, 반복되지 않을 것이다

저 말라버린 화초가 다시, 꽃을 피운다 해도

—「다시, 다시는」 전문

# 상징으로 읽는 현대시
## —P. 엘뤼아르의 시 「자유」

P. 엘뤼아르는 프랑스의 초현실주의 시인이다. 먼저 P. 엘뤼아르의 잘 알려져 있는 시 「자유」의 원문부터 꼼꼼하게 읽어보기로 하자.

나의 학습 노트 위에
나의 책상과 나무 위에
모래 위에 눈 위에
나는 너의 이름을 쓴다

내가 읽은 모든 책장 위에
모든 白紙 위에
돌과 피와 종이와 재 위에
나는 너의 이름을 쓴다

황금빛 彫像 위에
병사들의 총칼 위에
제왕들의 왕관 위에
나는 너의 이름을 쓴다

밀림과 사막 위에
새둥우리 위에 金雀花나무 위에
내 어린 시절 메아리 위에
나는 너의 이름을 쓴다

밤의 驚異 위에
日常의 흰 빵 위에
약혼시절 위에
나는 너의 이름을 쓴다

나의 하늘빛 옷자락 위에
태양이 녹슬은 연못 위에
달빛이 싱싱한 호수 위에
나는 너의 이름을 쓴다

들판 위에 지평선 위에
새들의 날개 위에
그리고 그늘진 風車 위에
나는 너의 이름을 쓴다

새벽의 입김 위에
바다 위에 배 위에
미친 듯한 산 위에

나는 너의 이름을 쏜다

구름의 거품 위에
폭풍의 땀방울 위에
굵고 멋없는 빗방울 위에
나는 너의 이름을 쏜다

반짝이는 모든 것 위에
여러 빛깔의 鍾들 위에
구체적인 진실 위에
나는 너의 이름을 쏜다

살포시 깨어난 오솔길 위에
곧게 뻗어나간 큰 길 위에
넘치는 광장 위에
나는 너의 이름을 쏜다

불 켜진 램프 위에
불 꺼진 램프 위에
모여 앉은 나의 가족들 위에
나는 너의 이름을 쏜다

둘로 쪼갠 과일 위에
거울과 나의 방 위에

빈 조개껍질 내 침대 위에
나는 너의 이름을 쓴다

게걸스럽고 귀여운 나의 강아지 위에
그의 곤두선 양쪽 귀 위에
그의 뒤뚱거리는 발걸음 위에
나는 너의 이름을 쓴다

내 門의 발판 위에
낯익은 물건 위에
축복된 불길 위에
나는 너의 이름을 쓴다

균형 잡힌 모든 육체 위에
내 친구들의 이마 위에
건네는 모든 손길 위에
나는 너의 이름을 쓴다

놀라운 소식이 담긴 窓가에
긴장된 입술 위에
침묵을 초월한 곳에
나는 너의 이름을 쓴다

파괴된 내 안식처 위에

무너진 내 燈臺불 위에
내 권태의 벽 위에
나는 너의 이름을 쓴다

욕망 없는 不在 위에
벌거벗은 고독 위에
죽음의 계단 위에

균형 잡힌 모든 육체 위에
내 친구들의 이마 위에
건네는 모든 손길 위에
나는 너의 이름을 쓴다

회복된 건강 위에
사라진 위험 위에
회상 없는 희망 위에
나는 너의 이름을 쓴다

그 한마디 말의 힘으로
나는 내 일생을 다시 시작한다
나는 태어났다 너를 알기 위해서
너의 이름을 부르기 위해서
自由여.

— P. 엘뤼아르, 「자유」전문

폴 엘뤼아르의 이 시 「자유」의 원제목은 「단 하나의 생각」이다. 본래 시인은 사랑하는 여인을 그리워하는 내용을 주제로 표현하려 했다고 한다. 이 시의 제목인 '자유'가 사랑한 여인의 이름이라면 충분히 그러한 내용을 주제로 표현한 것으로도 읽힐 수 있으리라. "학습 노트 위에 / 책상과 나무 위에 / 모래 위에 눈 위에" 쓰는 "너의 이름"의 경우 사랑하는 여인의 이름으로도 읽힐 수 있기 때문이다.

하지만 이 시의 제목인 '자유'는 1789년 프랑스 대혁명 이후 전 유럽, 나아가 전 세계가 들뜬 마음으로 추구해온 가장 보편적인 가치가 아닌가. "모든 책장 위에 / 모든 白紙 위에 / 돌과 피와 종이와 재 위에" 쓰는 "너의 이름"이 사랑하는 여인의 이름이 아니라 전 인류의 보편적인 꿈의 이름이라는 것이다. 이 시의 주제를 온갖 억압과 핍박으로부터 해방되고자 하는 시인의 강렬한 자유의지에서 찾지 않을 수 없는 이유가 바로 여기에 있다.

모든 자유는 기본적으로 '개인의 자유'를 뜻한다. 국가 간에도 억압과 핍박이 존재하니 만큼 자유를 말할 수는 있으리라. 하지만 국가를 단위로 하여 '자유' 운운하는 사람은 별로 없다. 국가 간의 억압과 핍박에 저항하는 가치로는 자유라는 말보다 '자주'라는 말을 사용하는 것이 보통이다. 이에서도 알 수 있듯이 원래 자유는 개인의 인권이 신장되고 강화되는 과정에 보편화되어온 개념이라고 해야 옳다. 국가나 공동체가 저 자신의 이익을 빙자해 개인에게 행해온 억압이나 핍박에 맞서면서 형성된 개념이 자유라는 뜻이다.

이제는 한국사회도 많이 자유로워졌다. 특히 언론의 면에서 그렇다.

자기 시대의 온갖 한계까지 뛰어넘을 만큼 완전히 자유로워졌다고 보기는 어렵지만 말이다. 그래서일까. 20년 뒤에나 일반화될 수 있는 자유를 지금 당장 일반화시키기 위해 위험을 무릅쓰고 있는 사람들도 없지 않다. 남북한의 현실과 관련한 부자유를 깨뜨리기 위해 고난을 자초하고 있는 사람들 말이다.

물론 폴 엘뤼아르의 이 시 「자유」를 처음 읽던 1974년의 초겨울과 비교해 보면 한국사회가 지금 얼마간 자유를 누리고 있는 것은 사실이다. 정부도 이제는 더 이상 개인의 자유를 구속하거나 속박하지 않고 있다. 최근의 도청파문 등을 보면 정부가 오히려 더 개인의 자유를 옹호하는 데 앞장서고 있을 정도이다.

이 시 「자유」가 수록되어 있는 엘뤼아르의 시선집 『이곳에 살기 위하여』(오생근 역, 세계시인선 13)는 1974년 10월 민음사에서 간행되었다. 그 이래 이 시 「자유」가 대한민국의 시단에 끼친 영향은 실로 크다. 적잖은 시인들이 이 시로부터 영감을 받아 작품을 썼기 때문이다. 가장 먼저 떠오르는 것은 "신새벽 뒷골목에 / 네 이름을 쓴다 민주주의여"로 시작하는 김지하의 「타는 목마름으로」이다. 이시영의 「깃발」도 "오지 않는 봄을 기다리며 / 나는 쓴다 민주주의여"로 시작하고 있어 이 시의 영향을 짐작케 한다. "나는 지금 쓰고 있다 / 벽에 갇혀 쓰고 있다"로 시작하는 김남주의 「진혼가 2」도 이 시의 영향으로부터 자유롭다고 말하기 어렵다.

엘뤼아르의 시가 대한민국의 시단에 끼친 영향은 그 밖에도 상당하다. 그의 시가 이처럼 영향력을 행사하게 된 데는 무엇보다 1970년대와 1980년대라는 엄혹한 시대상황이 자리 잡고 있다. 그의 이 시선집이 막 출간되어 읽히던 1974년 초겨울은 점차 강화되어 가는 박정희의 유신체제에 대항해 이 나라의 민주화 세력이 총력을 기울여 한판 붙던 시기이다. 당시에 있었던 자유실천문인협의회의 창립, 동아일보와 조선일보의 백지광고 사태, 민청학련 및 인혁당 사건, 김지하의 재구속 등이 이를 잘 증명해준다.

그럴 무렵 출간된 엘뤼아르의 이 시선집은 『이곳에 살기 위하여』라는 제목만으로 당시의 젊은 시인들을 사로잡기에 충분했다. 이 자리를 빌려 이 시선집의 영향으로 나도 몇 편의 시를 쓴 적이 있다는 것을 밝혀 둔다. 아직도 나는 설레는 마음으로 이 시를 읽던 기억을 소중하게 간직하고 있다. (2005)

# 내화된 상처 혹은 고뇌

— 송유하의 시 「주발」

　송유하(본명 宋榮燮) 시인은 내가 나온 고등학교의 선배이다. 나와 마찬가지로 그도 대전의 보문고등학교를 졸업했다. 대전의 보문고등학교는 불교의 종립학교이다. 대전의 보문고등학교를 설립한 분은 이재복 교장선생님인데, 이재복 교장선생님은 그 자신이 시인이기도 했다. 이 보문고등학교에서는 송유하 시인과 나 이외에도 홍희표, 김영찬, 송찬호, 박주택, 이경교 시인 등이 공부를 했다. 특히 홍희표 시인과 송유하 시인은 고등학교와 대학교 동창으로 서로를 깊이 격려하면서도 경쟁을 하며 지내온 사이였다.

　송유하 시인에 대해 내가 조금이나마 알게 된 것은 고등학교를 졸업한 지 훨씬 뒤의 일이다. 실은 그것도 예의 홍희표 시인을 통해서이다. 석사학위를 받은 후 한동안 나는 홍희표 시인이 교수로 있던 목원대 국어교육과에서 시간강사로 일했다. 홍희표 시인은 나를 만날 때면 자주 송유하 시인을 추억하며 아쉬워했다.

　송유하 시인은 대전의 보문고등학교 3학년 때(1964년) 동국대학교 주최 고교백일장에서 시 「주발」이 당선되어 사람들의 주목을 받았다. 그의 동국대학교 고교백일장 당선시 「주발」은 지금 읽어도 심금을 울릴 만큼 작품이 좋다. 떡장수를 하며 고생을 하시는 어머니에 대한 절절한 사랑과 연민을 담고 있는 것이 그의 시 「주발」이다. 그때 이미 그는 『학원』지 등을 통해 시를 발표해온 소년문사일 뿐만 아니라 대전에서 가장 오래된 문학모임인 '머들령'의 동인이기도 했다.

대전에서 태어난 그는 아버지의 근무지를 따라 인천으로 가 동인천 중학교를 졸업했다. 그러다가 다시 대전으로 돌아온 그는 아버지가 가정을 돌보지 않아 2년여 동안 직공생활을 해야 했다. 보문고등학교에 입학한 것은 그러한 뒤였다. 경찰이었던 아버지는 작은 부인을 얻어 따로 살았고, 3남 2녀의 장남이었던 그는 가난한 떡장수였던 어머니 손에서 어렵게 성장했다. 보문고등학교를 졸업한 뒤 그는 동국대학교 불교학과에 진학을 했다. 그래야 장학금을 받을 수 있었기 때문이다. 불교학과를 졸업한 뒤에는 동 대학교 행정대학원에 진학해 석사학위 (1973년)를 받기도 했다.

그가 본격적으로 창작활동을 한 것은 1971년 『월간문학』 신인상에 당선되면서부터이다. 따라서 그가 시인으로 창작활동을 한 기간은 목숨을 잃은 1982년까지 대략 10여 년 정도에 불과하다. 그가 죽고 한참이 지나서야 첫 시집 『꽃의 민주주의』(문경출판사, 1993)가 출간되었는데, 완벽하지는 않지만 이 시집은 그동안의 그의 시들을 비교적 잘 정리하고 있는 것으로 평가된다.

홍희표 시인의 증언에 따르면 그는 입이 무겁고 다소 융통성이 없어 보이는 매우 무던한 사람이라고 한다. 하지만 그가 남긴 시에서 확인할 수 있는 자아의 현존은 그렇지 않다. 내화된 상처로 인한 들끓는 고뇌를 뜨겁게 표출하고 있는 것이 그의 시와 함께하고 있는 자아의 참 모습이기 때문이다. "가슴 속 파란 칼을 품었어도 / 한쪽에서 무너지는 견고한 쓰라림 / 氷瀑의 탄압을 견디다가 견디다가 / 아! 소리치면 일어서는 것들아."(「꽃의 민주주의」, 부분) 등이 그 예이다. 이 시에는 무엇보다 격렬하게 울부짖는 자아의 현존이 아주 잘 표현되어 있다. 하지만 실제의 삶에서는 아예 입을 닫고 살며 매우 다소곳했던 사람이 그라고 한다. 현실의 엄혹한 억압과 탄압을 어떻게든 잘 견뎌내려 무던히도 노력했던 것이 그라는 것을 알 수 있다.

이렇게 인내하는 가운데에도 그는 엄혹하기 짝이 없는 자기 시대의 온갖 고통을 잘 버텨내고 있었던 것으로 보인다. 그러던 그는 1982년 4월 10일 김포의 한 들판에서 의문의 변사체로 발견되어 주위의 사람들을 놀라게 했다. 1944년에 대전에서 태어났으니 그는 불과 42년을 이승에서 살다가 저승으로 간 것이다. 그가 저승으로 간 것은 육영수 여사에 의해 설립된 육영재단에서 간행하던 어린이 잡지 『어깨동무』의 편집장으로 일하던 때의 일이다. 그 무렵 『어깨동무』를 비롯한 육영재단은 소유권 등의 문제로 매우 시끄러웠던 것으로 확인이 된다. 1967년에 창간되어 1987년 5월호로 종간된 이 잡지 『어깨동무』의 편집장으로 일하는 동안에 변사체로 발견된 만큼 그의 죽음과 관련해 이런저런 의문이 드는 것은 너무도 당연하다.

그의 시 「주발」에 담겨 있는 어머니에 대한 절절한 사랑과 연민을 함께 읽으며 여기서 이 글을 맺기로 한다. (2015)

나의 주발에는 하늘을 담자. 하늘같이 어진 은혜를 담자. 나의 주발에는 기린같이 목을 늘이고 서서 산을 바라보는, 산을 바라보며 언제나 착한 아들이 되나 착한 아들이 되나 하고 염려하는 눈빛을 담자.

얼르고 달래서 보다 의젓하고 튼튼한 재목을 만들자고 사시사철

모진 시련을 가해오는 눈보라나 비바람 같은 늘 찢기워 푸른 구름
사이의 하늘 같은 것들로 도타운 씨앗이 자라고, 가없는 바다 어느
구비진 물목에서 노도에 쫓기는 두려움만큼은 가난한 생활을 용하게
끌어올려 주시는 어머니의 까실까실한 입술을 담자. 효성이 모자라서
심장은 대견하니까 따뜻한 품자리에 묻힌 혈온, 저녁마다 등잔 아래에
서 떡을 빚고 손가락이 굽도록 떡을 빚고 날만 새면 시장으로 나가
어린것들을 길러주시는 어머니의 그윽한 눈길을 담자.

&lt;언제 커서 아들 노릇을 하나, 어느 세월에 자식 덕 보며 살게 되냐&gt;
어머니는 잠시라도 푸념인가 애정인가 바다같이 엄숙하게 계절이 나
의 안에서 나를 키우고

그윽한 눈길에 비치는 것, 날마다 새벽마다 맑은 물 떠놓고 아들을
빌어주시는 그윽한 눈길에 비치이는 것. 그것은 달처럼 무거운 피로이
실까, 별같이 숱하게 쪼개져 달아나는 먼 기억 속에서 저미어 오는
아픔일까.

나의 주발에는 언제나 간절한 숨이 배어 있고, 너무 값지고 무거운
사랑이 담겨 나와서 목을 메이게 하는 혈연의 소용돌이 속에 가없이
울고플리야, 울어서 노을처럼 타 오르는 숲이 되고플리야.

—「주발」 전문

340

# 엿새는 질주하고 하루는 소요하는
# 사람의 이야기
## ─ 이상의 시 「烏瞰圖 詩第一號」

일제강점기 때의 일이다. 대한민국 서울에 이상李箱이라는 한 이상한
시인이 살고 있었다. 그때도 대한민국 서울은 이 나라에서 가장 복잡한
도시였다. 가장 복잡한 도시라는 것은 바쁘고 분주한 도시, 정신없이
질주하는 도시가 서울이라는 뜻이다. 그때는 근대의 초기이고, 지금은
근대의 후기이지만 말이다.

이상이라는 한 이상한 시인은 그때, 곧 1934년 7월 24일, <조선중앙일
보>에 「烏瞰圖 詩第一號」라는 시를 발표했다. 시라고는 하는데, 시를
읽은 사람들 모두가 무슨 뜻인지 몰라 오래 어리둥절했다.

이 시의 첫 행은 "十三人의兒孩가道路로疾走하오."로 시작하고, 마지
막 행은 "十三人의兒孩가道路를질주하지아니하여도좋소."로 끝난다.
이 시의 첫 행 다음에는 "(길은막다른골목이適當하오.)"라는 구절이
들어 있고, 이 시의 마지막 행 바로 앞에는 "(길은뚫린골목이라도適當하
오.)"라는 구절이 들어 있다. 그 밖에 기억해야 할 만한 구절로는 "十三人
의兒孩는무서운兒孩와무서워하는兒孩와그렇게뿐이모였소."가 있다.

十三人의兒孩라! 무서운兒孩와무서워하는兒孩라! 모든 아이가 무서
운 아이이고 무서워하는 아이라는 뜻이리라. 무섭다니? 초기이든 후기
이든 근대는 무서운 시대, 겁나는 시대, 공포의 시대이다. 도처에

위험이 도사려 있는 '위험시대'이기 때문이다.

누가 무서운가. 누가 무서워하는가. 아이가 무섭다. 아이가 무서워한다. 아이는 아직 미성숙한 사람이다. 아이라는 말에는 그 자체로 아직 덜 큰 사람, 어린 사람이라는 뜻이 들어 있다. 실제로도 미성숙한 사람이 무섭다. 미성숙한 사람이 무서워한다.

이상이 시를 쓰던 1930년대는 아직 미성숙한 근대이다. 미성숙한 근대는 무섭다. 미성숙한 근대는 무서워한다. 그것이 어디로 튈지 모르기 때문이다. 그렇다면 어른은 안 무섭다는 것인가. 그렇다. 어른은 안 무섭고, 안 무서워한다. 성인成人은, 성숙한 사람은 안 무섭다, 안 무서워한다. 성인聖人은 어떤가. 성인聖人은 더 말할 나위가 없다.

근대에는 모든 것이 다 질주한다, 모든 것이 정신없이 달린다. 근대는 속도의 시대이다. 근대인은 달리고 싶어 하는 사람이다. 급기야는 소도 달리고, 말도 달리고, 개도 달린다. 마침내는 자동차도 달리고, 열차도 달린다, 비행기도 달린다.

열차라! 열차 중에는 KTX라는 것도 있다. 당연히 KTX도 달린다, 무섭게 질주한다. 광주에서 서울까지 1시간 45분 정도면 돌파한다.

비행기라는 것도 있다. 비행기는 아예 하늘을 날아간다. 서울에서 광주까지 45분 정도 걸린다. 비행기가 공중에 떠 있는 시간이 그렇다.

질주하는 이 길에 끝이 있을까. 달리는 이 도로에 끝이 있을까. 길이라는 근대, 근대라는 도로에 끝이 있을까. '근대 이후'라는 것이, '자본주의 이후'라는 것이 있을까. '근대 이후', '자본주의 이후'라는 것은 없다. 아니 없어도 좋다. 역사의 길은 근대가, 자본주의가 마지막 단계이다.

아니다. '근대 이후'라는 것은 있다. '자본주의 이후'라는 것은 있다.

아니 있어도 좋다. 길이라는 근대, 근대라는 도로는 막혀 있지 않다. 길은 뚫린 골목이라야 적당하다. 그렇다. '근대 이후', '자본주의 이후'라는 것은 있다.

근대 이후에는, 자본주의 이후에는 사람들의 삶이 어떨까. 모든 사람들이, 아이는 물론 어른들까지도 질주하지 않는다. 달리지 않는다. 성인聖人들은 말할 것도 없다. 더 이상 도로를 질주하지 않아도 된다.

질주하지 않으면, 달리지 않으면 무서울 것이 없다, 무서워할 것이 없다. 달리는 자동차에서, 질주하는 열차에서, KTX에서 떨어질 리 없기 때문이다. 그것들에게 치일 리 없기 때문이다.

정말 근대 이후에는 달리지 않아도 될까. 알 수 없다. 근대 이후가 있더라도 정신없이 달릴 것만 같다. 서울에서는 더욱 그렇다. 서울에서는 달릴 수밖에 없다, 질주할 수밖에 없는 도시가 서울이다.

하루에 13시간을 노동할 수밖에 없는 것이 서울이다. 하루에 25시간을 살 수밖에 없는 도시가 서울이다.

2015년 5월, 서울에는 이각자 선생이라는 평범한 시인이 살고 있다. 이각자 선생이라! 각자 선생이라! 실제로는 이각자 선생이 살고 있는 곳이 아니라 그의 가족들이 살고 있는 곳이 서울이다. 그가 사는 곳은 서울이 아니라 광주이다.

한반도 남쪽의 광주는 아직 뻘정서가 남아 있는 곳이다, 아직 중세가 남아 있는 곳이다. 더러는 질주하지 않아도 되는 곳, 달리지 않아도 되는 곳이다.

올해 노동절의 일이다. 2015년 5월 1일의 일이다. 마침 이날은 주말이기도 했다. 각자 이 선생은 KTX를 타고 서울을 향해 달렸다, 질주했다. 서울에서도 그는 바쁘고 분주했다. 전철을 타고도 뛰고 달렸다, 질주했다.

뛰고 달리는 사람들은 무섭다. 사람들도 그를 무서워한다. 지금의 이 세상에 무섭지 않은 것이 어디 있으랴. 위험하지 않은 것이 어디 있으랴. 5월 2일 그는 고속버스를 타고 세종시를 향해 뛰고 달렸다. 길은 막히지 않았다. 뚫려 있었다.

세종시에는 그의 어머니가 큰 아파트에서 혼자 살고 있다. 대상포진에 걸려 너무도 아파하는 어머니……, 5월 4일에는 어머니를 세종시에 남겨둔 채 다시 또 고속버스를 타고 광주를 향해 달렸다, 질주했다.

3박 4일 내내 달리고 뛴 이각자 선생, 이제 그는 더 이상 뛰고 달리고 싶지 않다. 하지만 뛰고 달리지 않을 수 있을까. 뛰고 달리지 않고는 불가능한 것이 지금의 그의 삶이다.

오늘은 5월 5일, 어린이날, 달력에 빨간 표시가 되어 있다. 그는 더 이상 어리지 않다. 어리석지 않다. 무섭지 않다. 무서워하지 않는다. 이미 어른이 되어 있기 때문이다.

아침 햇살이 맑고, 밝고, 깨끗하게 빛난다. 어린이가 아닌 그는, 성인이 된 그는 지팡이를 짚고 집을 나선다. 집에 어린이가 없으니 분주하고 바쁠 까닭이 없다.

대성여고 뒤쪽으로 난 숲길을 향해 천천히 걷는다. 금당산 옥녀봉 밑의 둘레길이다. 삽상한 바람이 느릿느릿 불어온다. 이각자 선생은 이 숲길에 '바람길'이라는 이름을 붙여본다.

길가에는 이팝나무의 흰 꽃들이 몸을 비틀며 웃고 있다. 철쭉나무의 붉은 꽃들도 주둥이를 찢으며 깔깔대고 있다. 두릅나무는 두 번째 순을 내밀며 뾰쪽뾰쪽 허공을 찌르고 있다.

각자 이 선생은 지금 산책을 나선 것이다. 산책이라! 그는 산책이라는 말보다 소요逍遙라는 말을 더 좋아한다. 소요라. 소요는 마음이 시키는 대로 슬슬 떠돌아다니는 것을 뜻한다. 여기저기 슬슬 쏘다니는 것이 소요이다.

이각자 선생은 이처럼 느릿느릿 쏘다니는 것이 좋다. 소요하는 것이 좋다. 이레 중 엿새는 질주하는 삶을 살더라도 하루는 소요하는 삶을 살고 싶은 것이다.

'바람길' 위에서 모처럼 속도로부터 해방된 것이 이각자 선생이다. 모처럼 한가해진 그는 모처럼 몽상에 빠진다. 몽상에 빠져 중얼거린다.

은퇴가 얼마나 남았지. 더는 뛰고 달리고 싶지 않지. 슬슬 소요하며 살고 싶지. 호박넝쿨이 자라는 속도로……

문득 몽상의 내용이 바뀐다. 또 다른 몽상에 빠진 이각자 선생이 중얼거린다. 막힌 길은 없다. 길은 다 뚫려 있다. 길은 다 내 집에서 나가 다 내 집으로 들어온다.

바쁘고 분주한 이번 세상에는 다음의 세상이 들어 있다. 달리고 질주하는 이번 세상에는 다음의 세상이 들어 있다는 뜻이다.

이각자 선생의 느릿느릿 중얼거리는 소리가 불어오는 바람의 따귀를 때린다. 따귀를 맞는 바람소리를 들으며 예의 이상한 사람인 이상의 시 「烏瞰圖 詩第一號」의 원문을 읽어보자. (2015)


十三人의兒孩가道路로疾走하오.
(길은막다른골목이適當하오.)


第一의兒孩가무섭다고그리오.
第二의兒孩도무섭다고그리오.

第三의兒孩도무섭다고그리오.

第四의兒孩도무섭다고그리오.

第五의兒孩도무섭다고그리오.

第六의兒孩도무섭다고그리오.

第七의兒孩도무섭다고그리오.

第八의兒孩도무섭다고그리오.

第九의兒孩도무섭다고그리오.

第十의兒孩도무섭다고그리오.


第十一의兒孩가무섭다고그리오.

第十二의兒孩도무섭다고그리오.

第十三의兒孩도무섭다고그리오.

十三人의兒孩는무서운兒孩와무서워하는兒孩와그렇게뿐이모였
소

(다른事情은없는것이차라리나았소)


그中에一人의兒孩가무서운兒孩라도좋소.

그中에二人의兒孩가무서운兒孩라도좋소.

그中에二人의兒孩가무서운兒孩라도좋소.

그中에一人의兒孩가무서운兒孩라도좋소.


(길은뚫린골목이라도適當하오)

十三人의兒孩가道路를질주하지아니하여도좋소.

　　　　　　　　　　　　　　　—「烏瞰圖 詩第一號」 전문

# 차마 보내지 못한 사람들
## ─신동엽의 시 「산에 언덕에」

　시를 쓰는 사람이라면 누구나 마음속 깊이 모범이 되는 선배 시인을 갖고 있기 마련이다. 내게는 신동엽이 그러한 시인 중의 하나이다. 모범이 되는 선배 시인으로 받아들이는 데는 그가 나와 지리적으로 가까운 곳 출신의 시인이라는 점도 없지 않다. 지리적으로 가까우면 정서적으로 가깝기 때문이다. 신동엽 시인이 내게 모범이 되는 선배 시인으로 존재하는 데는 물론 그 외의 연유도 없지 않다.

　신동엽(1930~1969) 시인은 충남 부여 출신이고, 나는 충남 공주(현 세종시) 출신이다. 내가 태어나고 자란 공주에서 그가 태어나고 자란 부여까지는 100여 리쯤 된다. 따라서 이 두 지역은 지리적으로 같은 언어공동체, 같은 혼인공동체라고 하지 않을 수 없다. 말투며 어조까지 별 차이가 없는 곳에서 낳고 자란 것이 그와 나이다.

　공주나 부여는 금강유역으로 공히 백제문화권에 속한다. 따라서 백제나 백제문화와 관련해서는 신동엽 시인과 마찬가지로 나도 이런저런 애정과 연민을 갖고 있다. 백제문화권에서 태어난 근대 시인으로는 신동엽 시인 이외에도 한용운, 정지용, 오장환, 김관식, 박용래, 이재복, 임강빈 등을 더 들 수 있다. 이들 시인이 태어나고 자란 곳 역시 내가 태어나고 자란 곳에서 100여 리쯤 떨어져 있는 곳이다. 그래서일까.

나는 이들 시인에 대해서도 일정하게 정서적 친연성을 느낀다.

신동엽 시인의 경우는 더욱 그렇다. 무엇보다 나는 그의 장엄한 역사의식, 웅장한 대지의 정신에 공감을 한다. 그의 시의 정서에는 무엇보다 숭고한 기세가 들어 있다. 김흥규의 지적처럼 우리 민족의 역사와 운명에 대한 뜨거운 사랑을 맑은 감성으로, 섬세한 은유로, 고운 언어로, 독특한 미의식으로 드러내온 시인이 신동엽이다. 그뿐만 아니라 그는 역사의 격변 과정에 우리 민족의 전통적 삶의 양식이 어떻게 해체되고 붕괴되어 가는가를 매우 잘 추적하고 있는 시인이다.

이러한 특징을 지니고 있는 그의 시 중에 내가 특히 좋아하는 시는 「산에 언덕에」이다. 이 시에는 당대의 현실을 적극적으로 살다가 이승을 떠난 사람에 대한 시인 신동엽 나름의 사랑과 그리움, 위로와 선양이 담뿍 들어 있다. 따라서 이 시는 일종의 '인물형상의 시'라고 할 수 있다.

이 시의 서정적 인물은 모두 세 사람이다. 첫 번째 인물은 화자로서의 인물, 곧 시인 자신이고, 두 번째 인물은 대상으로서의 인물, 곧 "그리운 그의 얼굴"이다. 세 번째 인물은 "쓸쓸한 마음으로 들길 더듬는 행인"으로서의 인물인데, 그 역시 실제로는 대상으로서의 인물이다. 물론 그는 화자의 분신으로 "다시 찾을 수 없"는 "그의 얼굴"을 그리워하고 있는 인물이다.

이처럼 이 시에는 세 사람의 인물이 등장한다. 물론 이 세 사람의 인물 중에도 중심인물이 있기 마련이다. 그렇다면 누가 정작의 중심인물인가. 이 시의 중심인물은 아무래도 "그리운 그의 얼굴", "화사한 그의 꽃"으로 호명되는 인물이라고 해야 마땅하다. "산에 언덕에 피어" 나기를 바라는 "그리운 그의 얼굴", "화사한 그의 꽃"으로 호명되는 인물은 구체적으로 누구인가. "다시 들을 수 없"는 "그리운 그의 노래"의 주인공, "맑은 그 숨결"의 주인공 말이다.

이 시의 화자인 시인 신동엽은 일단 "그리운 그의 노래"를 "다시 들을 수 없어도" 맑은 숨결의 그가 "들에 숲속에 살아"가기를 바란다. 더불어 시인 신동엽은 "그리운 그의 모습 다시 찾을 수 없어도 / 울고 간 그의 영혼 / 들에 언덕에 피어"나기를 간구한다. 이때의 '그'는 마땅히 산과 들과 언덕과 숲에서 죽은 사람이다. '그'는 언제 어떻게 산과 들과 언덕과 숲에서 죽었을까.

일단은 먼저 이 시가 4·19 혁명 직후의 자유로운 분위기 속에서 창작되었다는 것을 알 필요가 있다. 그러한 점에서 생각하면 이 시에서의 죽은 사람은 4·19 혁명의 희생자일 수도 있다. 4·19 혁명의 과정에 의롭게 죽은 사람은 화자인 시인과 함께 "쓸쓸한 마음으로 들길 더듬는 행인行人"에게 당연히 잊히지 않는 존재라고 할 것이다. 그러나 4·19 혁명의 과정에 의롭게 죽은 사람은 산과 들과 언덕과 숲에서 죽기보다는 서울과 마산의 거리에서 죽은 것이 사실이다.

따라서 이 시에서 죽은 사람은 4·19 혁명의 과정에 의롭게 죽은 사람을 포함해 소용돌이치는 역사의 과정에 억울하게 죽은 사람 일체를 가리킨다고 해야 옳다. 이 시의 중심인물인 "그리운 그"가 실제로는 제주도의 4·3 항쟁 중에, 남북분단의 6·25 전쟁 중에, 일제강점기의 독립운동 중에, 나아가 조선말의 동학혁명 중에 죽은 사람들 모두를 뜻한다는 것이다. 6·25 전쟁 중에, 독립운동 중에, 동학혁명 중에 죽은 사람들이 아직도 대부분 산과 들과 언덕과 숲에 묻혀 있다는 것은 불문가지이다.

이로 미루어 보면 이 시는 근세사 100여 년 동안 억울하게 죽은 수많은 사람의 해원상생을 간구하는 시라고도 할 수 있다. 화자인 시인이 "쓸쓸한 마음으로 들길 더듬는 행인行人"을 불러 "눈길 비었거든 바람 담을지네", "바람 비었거든 인정 담을지네"라고 노래하며 기원하고 있는 것도 해원상생을 권유하는 구절임이 분명하다.

소용돌이치는 역사의 과정에 억울하게 죽은 사람은 그 밖에도 수없이 많다. 광주항쟁의 기간에는 말할 것도 없고 이 나라가 민주화되는 동안에 얼마나 많은 의문사가 일어났던가. 사람들은 최근에 일어난 천안함 사건과 세월호 참사 등에서도 수많은 의문사를 목격하고 있다. 그러니 어찌 해원상생의 마음으로 "그리운 그의 모습"을, "울고 간 그의 영혼"을 위로하지 않을 수 있는가.

신동엽의 시 「산에 언덕에」를 다시 읽으며 이 나라에서 일어났던 수많은 역사의 비극을 조용히 반추해본다. (2015)

그리운 그의 얼굴 다시 찾을 수 없어도
화사한 그의 꽃
산에 언덕에 피어날지어이.

그리운 그의 노래 다시 들을 수 없어도
맑은 그 숨결
들에 숲속에 살아갈지어이.

쓸쓸한 마음으로 들길 더듬는 행인行人아.

눈길 비었거든 바람 담을지네.

바람 비었거든 인정 담을지네.

그리운 그의 모습 다시 찾을 수 없어도
울고 간 그의 영혼
들에 언덕에 피어날지어이.

—「산에 언덕에」(『아사녀阿謝女』, 문학사, 1963) 전문

# 진정한 전위정신
## ―조태일 시집 『국토』

    조태일의 시집 『국토』가 신경림의 시집 『농무』의 뒤를 이어 창비시선 2번으로 세상에 선을 뵌 것은 1975년 5월 20일의 일이다. 이 시집이 발간될 당시 나는 대학 2학년을 마친 뒤 대전 근교의 어느 군부대에서 방위병이 되기 위한 훈련을 받고 있었다.

    짧은 훈련을 끝내고 자대 배치를 받은 뒤의 어느 날이었다. 주말을 틈타 단골로 다니던 대전 시내의 서점에 들러 판매대를 둘러보니 창작과비평사에서 막 출간된 예의 조태일 시집 『국토』가 『신동엽 전집』과 함께 따끈따끈한 모습으로 나를 반기고 있었다.

    나는 주머니를 뒤져 돈을 세어보니 『국토』를 사면 좀 남을 듯했고, 『신동엽 전집』을 사면 딱 맞을 듯했다. 당시의 사회적인 분위기로는 머지않아 두 권 시집 모두가 판금될 것이 확실해 보였다. 『신동엽 전집』의 대금을 치르며 『국토』는 외상으로 달라고 했더니 서점 주인은 완강하게 고개를 저었다. 다음 주말에 현금을 가지고 와서 사라는 것이었다. 단골로 다녀 꽤 안면이 있는데도 서점 주인은 끝내 내 부탁을 들어주지 않았다.

    방위병 근무였지만 막 자대 배치를 받아 하루하루의 일상이 편치를 않았다. 2주 뒤의 주말쯤에야 나는 겨우 돈을 마련해 서점에 들를 수 있었다. 아니나 다를까. 서점 주인은 조태일 시집 『국토』는 물론 『신동엽 전집』도 판금되어 모두 수거해갔다고 말했다. 버럭 짜증이 났다. 급기야는 서점 주인에게 얼마간 타박을 하기도 했다. 외상으로 주었으면 시집을 구할 수 있었을 것인데, 너무 야박하게 굴어 구하지 못했다며 화를 냈던 것이다.

그러고 얼마 뒤의 일이었다. 다시 서점에 들렀더니 서점 주인이 어렵게 구했다며 겉표지가 조금 상한 조태일의 시집 『국토』를 내 손에 직접 쥐어주는 것이었다. 제 값을 다 치르기는 했지만 날아갈 듯 기분이 좋았다.

한때 조태일의 시집 『국토』는 군사독재에 의해 탄압받는 한국문학 전체를 상징했다. 김지하의 시집 『황토』가 그랬듯이 조태일의 이 시집 은 민주화를 열망하는 국민 모두의 마음을 담고 있었다. 각각의 작품들 이 지니고 있는 예술적 완성도나 성취도를 따지기 전에 판금이 되었다 는 것만으로도 그의 이 시집 『국토』는 이미 우리 시단 전체의 전위가 되었다.

김지하의 시집 『황토』와 마찬가지로 조태일의 이 시집도 1987년 6월 항쟁 뒤에야 해금이 되었다. 그러한 연유로 조태일의 이 시집은 서가에 지니고 있는 것만으로도 많은 사람들에게 민주화운동에 함께 참여하고 있다는 느낌을 갖게 했다.

한국 현대시사에서 1970년대는 시의 안에 당대의 현실을 좀 더 구체적으로 받아내고 있다는 점에서 상대적인 특징을 갖는다. 무엇보 다 이는 민족·민중의 현실에 기초한 민주화에의 열망을 담아내고 있는 시들이 문학운동의 전위로 등장하게 되었다는 것을 뜻한다. 10월 유신에 항거하는 정신을 기저에 깔고 있는 예의 시들은 바로 그러한 점에서 매우 현대적이라고 할 수 있다. 여기서 '현대적'이라는 것은 새롭고 참신하다는 것을 가리키는 동시에 그것이 우리 시의 활로를 열어가고 있다는 것을 가리킨다. 물론 조태일의 이 시집은 이들 시 운동의 한복판에 자리해 있었다.

그의 이 시집 『국토』와 함께 당시의 한국 시단에 새롭고 참신한 바람을 불러일으킨 것은 신경림, 김지하, 이성부, 양성우, 이시영, 김준태 등의 시집이었다. 이제는 벌써 낡고 진부한 것으로 받아들여져 비판과 극복의 대상이 되고 있지만 당시에는 가장 '현대적'이면서도 가장 '전위적'인 정신을 담고 있었던 것이 이들의 시집이다.

특히 조태일 시집 『국토』는 이 나라, 이 땅에 대한 깊은 사랑을 담고 있어 주목을 받았다. 이 나라, 이 땅에 대한 깊은 사랑을 담고 있는 것만으로도 시집이 판금되던 시대, 국토를 사랑하는 마음 자체가 불온하게 여겨지던 시대를 어찌 우리가 잊을 수 있겠는가. 이 시집의 모두에 실려 있는 「국토서시」의 전문을 인용하며 글을 맺는다. (2006)


발바닥이 다 닳아 새 살이 돋도록 우리는
우리의 땅을 밟을 수밖에 없는 일이다.


숨결이 다 타올라 새 숨결이 열리도록 우리는
우리의 하늘 밑을 서성일 수밖에 없는 일이다.


야윈 팔다리일망정 한껏 휘저어
슬픔도 기쁨도 한껏 가슴으로 맞대며 우리는
우리의 가락 속을 거닐 수밖에 없는 일이다.

버려진 땅에 돋아난 풀잎 하나에서부터
조용히 발버둥치는 돌멩이 하나에까지
이름도 없이 빈 벌판 빈 하늘에 뿌려진
저 혼에까지 저 숨결에까지 닿도록

우리는 우리의 삶을 불 지필 일이다
우리는 우리의 숨결을 보탤 일이다.

일렁이는 피와 다 닳아진 살결과
허연 뼈까지를 통째로 보탤 일이다.

— 「국토서시」 전문

# 시를 읽는 봄밤
—이정록의 시집 『의자』

　벌써 봄의 한복판이다. 또 한 주일이 지나가고 있다. 내일, 그리고 모레면 오월이다. 오월에는 어린이날이 있고, 어버이날이 있고, 스승의 날이 있다. 모두들 섬기는 날, 어린이를 섬기고, 어버이를 섬기고, 스승을 섬기는 날이다. 오월에 섬겨야 할 것 중에는 '나' 자신도 포함되어 있다. 오월에는 '나' 자신의 영혼도 좀 섬겨 보자.

　영혼을 섬기는 일 중에는 시를 읽는 것처럼 좋은 일이 없다. 언제나 자신의 영혼을 기름지게 하고 풍성하게 하는 것이 시를 읽는 일 아닌가. 그렇다. 오월의 봄밤에는 시도 좀 읽어 보자. 나뭇잎과 창문을 파고드는 훈풍이 우리의 가슴까지 파고드는 오월의 봄밤, 이팝꽃과 조팝꽃 향기에 취하다 보면 우리 모두 함께 읽고 싶은 시집이 떠오른다. 이정록의 새 시집 『의자』가 그것이다.

　이정록의 새 시집 『의자』에 수록되어 시들은 모두 구체적이고 생생한 화폭을 지니고 있다. 거개의 시들이 독자의 가슴에 깨어 있는 삶의 장면들을 보여주고 있는 것이 그의 이번 시집이다. 그간의 그의 시집처럼 이번의 시집도 자연과 함께하는 일상에 대한 구체적인 체험 및 관찰로부터 발상된다. 이때의 체험 및 관찰로부터 발상되는 시적 화폭에는 시인 이정록 자신이 깨달은 진실과 지혜가 번뜩이는 모습으로 담겨 있다.

아무리 보잘것없고 사소한 자연의 사물이거나 인생의 사건이라 하더라도 시인 이정록의 집요한 눈길에 의해 포착되면 의미심장한 삶의 진리와 지혜를 거느리는 시로 재탄생하게 된다. 이러한 점에서 이정록의 시는 형식과 내용이 아주 행복하게 결합되어 있는 실제의 예로 논의되어도 좋다. 서정시의 고전적 형식과 방법을 십분 간직하면서도 일상의 진실과 지혜를 놓치지 않고 담아내는 그의 시의 솜씨가 자못 놀랍다.

시인 이정록은 아직도 시를 독자들과 함께하는 서정적 공유물로 인식하고 있다. 이번 시집의 시들에서도 그것은 마찬가지라서 매 편의 시가 독서의 과정에 심미적인 감흥을 함께 나누도록 독자들을 촉구한다. 소통이 불가능한 추상적 관념들로 가득 차 있는 것이 최근의 시들이고 보면 그의 시가 지니고 있는 이러한 면들은 매우 소중하다고 하지 않을 수 없다. 시를 읽고 시를 쓰는 사람이라면 누구라도 부러워하지 않을 수 없는 좋은 시들을 담뿍 포유하고 있는 것이 그의 이번 시집 『의자』이다.

이번 시집 『의자』에 수록되어 있는 이정록의 시들은 지난 1980년대를 풍미했던 이른바 '삶의문학' 류와 맥을 함께한다. 여기서 말하는 '삶의문학' 류는 리얼리즘의 전통에 서 있으면서도 문학 고유의 서정성을 잃지 않던 일련의 경향성을 가리킨다. 그의 시 속에 수렴되는 사물들, 그가 시를 통해 수용하는 존재들이 언제나 평등과 자유의 가치를 실현하는 동시에 저 자신과 동등하게 시세계에 참여하고 있는 것도 그가 지니고 있는 이러한 세계관과 무관하지 않다. 이를테면 그는 저 자신의 시를 통해 만상의 존재들과 똑같이 고르게 익어가는 세상을 건설하고 싶은 것이다. 이러한 점만으로도 시인 이정록이 자신의 시를 통해 구현하고 있는 가치와 세계는 매우 아름다워 보인다.

이 시집의 표제작인 「의자」를 함께 읽으며 글을 맺기로 한다. (2006)

병원에 갈 채비를 하며
어머니께서
한 소식 던지신다

허리가 아프니까
세상이 다 의자로 보여야
꽃도 열매도, 그게 다
의자에 앉아 있는 것이여

주말엔 아버지 산소 좀 다녀와라
그래도 큰애 네가
아버지한테는 좋은 의자 아녔냐

이따가 침 맞고 와서는
참외밭에 지푸라기도 깔고
호박에 똬리도 받쳐야겠다
그것들도 식군데 의자를 내줘야지

싸우지 말고 살아라
결혼하고 애 낳고 사는 게 별거냐

그늘 좋고 풍경 좋은 데다가

의자 몇 개 내놓는 거여

— 「의자」 전문

# 순간의 형식 혹은 장르의 통합

## —이시영 시집 『바다 호수』

이시영의 시집 『바다 호수』는 우선 앞서 간행된 그의 시집 『은빛 호각』의 후속 작업으로 읽힌다. 『은빛 호각』과 마찬가지로 이 시집 『바다 호수』는 자기 시대를 살아가면서 시인이 만난 이런저런 인물들과, 그에 따른 에피소드 및 삶의 장면들을 담고 있다. 일종의 만인보萬人譜인 셈이다. 따라서 이 시집에 실려 있는 매 편의 시들은 수많은 인물들로부터 기인하는 응축된 이야기와 이미지를 형상의 자질로 삼을 수밖에 없다.

이렇게 태어나는 그의 시의 형상은 대부분 쓸쓸한 연민, 내화된 서러움, 안타까운 그리움 등의 정서와 뒤얽혀 있는 해학을 바탕으로 하고 있다. 하지만 이들 정서와 뒤얽혀 있는 해학에는 명확한 가치판단이 보류되어 있는 것이 보통이다. 아마도 이는 가치판단을 보류시킴으로써 내면의 정직성을 확보하는 가운데 저 자신의 시로 하여금 엄밀한 객관성을 확보하도록 하기 위한 지난한 노력의 하나로 보인다.

그의 시에서 이들 이야기 및 이미지를 낳는 인물들과 관련된 구체적인 삶의 공간은 오늘의 저 자신을 만들어온 서울의 이곳저곳이거나 고향마을, 여행지 등이다. 물론 이들 공간과 함께하는 시간이 거개의 경우 과거로 설정되어 있기는 하다. 과거에 자신이 직접 겪은 에피소드들과 삶의 장면들을 기억이라는 정신기제를 통해 불러내 애틋하면서도 쓸쓸한 아우라를 만들고 있는 것이 이 시집의 시들이다.

우선 서울을 공간적 배경으로 삼고 있는 이 시집의 시들은 대부분 지난 1970년대와 1980년대에 전개되었던 민주화운동을 바탕으로 하고 있다. 민주화운동이라고 하지만 이 시집에서 그것은 그가 직접 참여했던 자유실천문인협의회나, 그것의 발전적 형태인 민족문학작가회의의 문학운동, 그리고 창비사 중심의 출판운동 및 학술운동과 더불어 존재하고 있다. 문학운동, 출판운동, 학술운동 등 민주화운동의 과정에 체험했던 이런저런 에피소드들과 삶의 장면들이 서울을 공간적 배경으로 하고 있는 그의 시들의 주요내용을 이루고 있다는 것이다.

따라서 이 시집의 시들에 민주화운동과 관련된 수많은 인물들이 등장하는 것은 당연하다. 우선 문학운동과 관련된 인물로는 서정주, 김동리, 김수영, 박훈산, 김병걸, 이호철, 천승세, 이문구, 황석영, 조태일, 박태순, 손춘익, 송기원, 김정환, 박영근 등을 발견할 수 있다. 그 밖에 출판운동 및 학술운동 등 문화운동 일반과 관련된 인물로는 임진택, 이수인, 성내운, 임재걸, 방동규 등을 찾아볼 수 있다. 더러는 사찰 담당관이었던 마포 경찰서의 이 형사, 안기부의 직원 김장환 같은 인물도 끼어 있어 시를 읽는 맛을 배가시켜 주고, 당시의 사회상을 풍성하게 추체험하게 한다. 당연히 이런저런 감옥의 체험들과, 그에 따른 에피소드들 및 삶의 장면들도 이 시집의 주요한 내용으로 존재한다. 물론 이들 인물 중에는 부정되거나 비판되어야 할 인물들도 없지 않고, 이미 고인이 된 인물들도 없지 않다.

이제는 이들 인물들과 뒤얽혀 삶의 애환을 함께 나누던 시대, 곧 민주화운동의 시대도 어느덧 역사가 되어 가고 있다. 이로 미루어 보면 시인의 기억에 의해 되살아나고 있는 당시의 인물들과, 그에 따른 에피소드들 및 장면들도 매우 중요한 역사라고 하지 않을 수 없다. 기본적으로는 역사의 영역 밖에 자유롭게 존재하는 것이 시이기는 하지만 때로는 이처럼 역사 자체와 경쟁할 수 있는 것이 시라는 점을 잊어서는 안 된다.

이러한 특징들을 익히 살펴볼 수 있는 그의 시 한 편을 살펴보자.

> 1978년 4월 성공회 서울대교구 강당, 경찰의 삼엄한 감시 속에 자유실천문인협의회와 백범사상연구소 공동 주최 제1회 민족문학의 밤이 열리고 있었다. 후끈한 열기를 가르며 사회자의 달뜬 목소리가 흘러나왔다. "반민주화투쟁에 앞장서신 성내운 선생을 모시겠습니다. 낭송할 시는……" 갑자기 청중석 여기저기서 큭큭거리는 소리가 들리더니 드디어 참지 못하고 와르르 웃음보따리가 터지고 말았다. "아니 반민주화투쟁이라니? 그러면 우리 성 선생님도 반민주인사 아냐?" 단상에 올라 막 옥중시인 양성우의 「지금은 결코 꽃이 아니라도 좋아라」를 낭송할 예정이던 성 선생님도 얼굴이 벌겋게 달아올랐지만 사회자인 젊은 소설가 이문구 씨는 이미 홍당무가 되어 안절부절못했다. '반독재투쟁' '반유신투쟁'을 너무 자주 외치다보니 어느새 입에서 반민주화투쟁이 되어버린 것이다. 그 후로 성내운 선생은 이문구 씨만 만났다 하면 이렇게 놀리곤 했다. "어이 이 선생, 요즘도 반민주화투쟁에 얼마나 노고가 많으시나?"
>
> ─「제1회 민족문학의 밤」 전문

이 시집에 실려 있는 시들은 대부분 이처럼 배시시 입을 벌리고 웃을 수밖에 없는 해학을 바탕으로 하고 있다. 일촉즉발의 위험에 따른 긴장에서 발생한 실수의 주체는 소설가 이문구이지만 이 시는 이러한 실수로 인해 오히려 그 험난한 시대에 삶의 여유를 마련한 선배 문인들의 지혜를 익히 살펴보게 한다. 그뿐만 아니라 이 시는 예의 실수가 불러일으키는 해학을 함께 나누던 선배 문인들의 너그러운 삶의 방식에 대한 시인의 따뜻한 마음도 잘 나타나 있어 돋보인다.

물론 이 시집에 등장하는 인물들과, 그에 따른 에피소드들 및 삶의 장면들이 모두 이처럼 공적인 리얼리티만을 갖고 있는 것은 아니다. 시인 개인의 사적인 체험을 바탕으로 하고 있는 지난 시절 고향의 가족들 및 이웃들, 그로부터 비롯되는 에피소드들 및 삶의 장면들도 상당히 드러나 있는 것이 이 시집이기 때문이다. 당숙모, 당숙, 어머니, 점순이 누님, 비촌 매형 등이 고향의 가족들과 함께해온 에피소드들 및 삶의 장면들을 불러일으키는 인물들이라면 영도, 웅삼이, 기삼이, 준식이 형님, 형원이 아재, 도동 아재 등이 고향의 이웃들과 함께해온 에피소드들 및 삶의 장면들을 불러일으키는 인물들이다. 시인 개인의 사적인 체험을 바탕으로 하고 있는 인물들과, 그에 따른 에피소드들 및 삶의 장면들은 몽골 여행의 체험을 바탕으로 하고 있는 작품들이나 '동물의 왕국' 등 TV 시청의 체험을 바탕으로 하고 있는 작품들에서도 찾아볼 수 있다.

이 시집의 이런저런 내용들이 필자에게 남달리 생생하고 구체적인 공감으로 남는 것은 무슨 까닭에서일까. 일단은 지난 시대 민주화운동을 이끌어온 예의 인물들과 나 역시 크고 작은 체험들로 얽혀 있기 때문일 것으로 보인다. 하지만 그것이 모두 반드시 꼭 그러한 것 같지는 않다.

이 시집 『바다 호수』에 실려 있는 작품들은 기존의 서정시와는 상당히 다른 면모들을 보여준다는 점에서도 독특한 변별점을 갖는다. 무엇보다 이는 최근의 그의 시들이 전통적 리듬에서 태어나는 낭만적 정서를 위주로 하고 있지 않다는 데서 확인이 된다. 행과 연을 통해 구현되는 리듬, 그리고 그로부터 야기되는 낭만적 정서가 이 시집의 시들을 이루는 형상의 중심에 자리해 있지는 않기 때문이다.

그렇다고는 하더라도 이 시집의 낱낱의 시들이 시 고유의 기술방식을 강하게 고집하고 있는 것만은 확실하다. 이를테면 이 시집의 시들 역시 시를 시답게 하는 형상의 주요 자질인 이야기와 이미지, 정서를 바탕으로 하고 있다는 뜻이다. 좀 더 구체적으로 말하면 그중에서도 이야기가 전경화되고 이미지가 후경화되어 있는 것이 이 시집의 시들이 지니고 있는 중요한 형상적 특징이다. 따라서 그의 최근의 시들에서 또 하나의 형상의 자질인 정서는 상대적으로 차분하게 배면으로 밀려나 있다고 해야 마땅하다.

물론 이 시집의 시들에 함유되어 있는 이야기와 이미지가 소설의 그것처럼 치밀하게 구성되어 있지는 않다. 소설과 마찬가지로 서사와 묘사의 기술방식을 택하고 있기는 하지만 최근의 그의 시들에서 이야기와 이미지는 서정시 본연의 섬광처럼 빛나는 직관을 바탕으로 하고 있다고 해야 옳다. 서정시가 창작되는 과정의 특성을 흔히 '순간의 거울'에 비유하거니와, 이 시집에 실려 있는 그의 시들 역시 기본적으로는 이러한 방식으로 생산되고 있다는 뜻이다. 이는 우선 '자서'에 씌어 있는 "시가 무슨 '보복'처럼 한꺼번에 밀려왔다"라는 구절에 의해 증명이 된다. 그의 시들에 담겨 있는 형상의 자질인 이야기와 이미지는 바로 이러한 점에서도 소설의 그것과 변별되는 특성을 갖는다.

　그럼에도 불구하고 그의 시들에 담겨 있는 이야기와 이미지는 기존의 서정시가 지니고 있는 장르적 특징을 해체하는 데 적극적으로 기여하고 있다. 그렇다. 최근의 그의 시들의 경우 기존의 서정시가 지니고 있는 장르적 특징들과는 상당히 변별되는 면모를 지니고 있는 것이 사실이다. 서정양식의 특징을 잃지 않고 있기는 하지만 서사양식의 특징을 십분 받아들이고 있는 것이 최근의 그의 시들이 지니고 있는 중요한 경향성이라는 것이다. 그렇다. 서정양식의 고유성을 넉넉히 고수하고 있으면서도 적잖은 부분에서 서사양식의 고유성을 향해 움직이고 있는 것이 최근의 그의 시가 지니고 있는 중요한 특징이다. 기존의 서정시와 소설이 지니고 있는 장르적 특징을 해체해 일종의 간(間)장르적 양식으로 재구성되고 있는 것이 최근의 그의 시들이 갖고 있는 면면이라는 것이나. 요즈음의 그의 시들이 보여주고 있는 이러한 면모는 무엇보다 위에 인용한 시 「제1회 민족문학의 밤」이 곧바로 증명해 주고 있다. (2004)

# 포도나무 시대가 나팔꽃 시대를
# 받아들이는 노래
## ─ 최영철 시집 『일광욕하는 가구』

　　최영철의 제5시집 『일광욕하는 가구』에서 가장 먼저 주목해야 할 작품은 「나팔꽃 천국」이다. 이 시에는 포도나무와 나팔꽃이 상호 대응되는 가운데 오늘의 삶의 현실에 대한 시인 자신의 심리적 현존이 깊이 담겨 있어 주목을 끈다. 물론 여기서 말하는 포도나무와 나팔꽃을 있는 그대로의 자연물로 받아들일 사람은 없다. 이들 자연물이 문법구조상 '시대'의 수식어로 작용하면서 인간적 의미망으로 확대되고 있기 때문이다.

　　　　우리 집 마당 너머
　　　　옆집 뒷집 엿보던 포도나무 시대가 가고
　　　　한 시절 풍미한 포도 넝쿨에 가려
　　　　헛기침만 해대던 나팔꽃 시대가 도래하자
　　　　바람이 덩달아 따라 나와
　　　　아침저녁 맹렬히 나팔을 불어댔다
　　　　담벼락 너머 저 멀리 치닫던 포도 넝쿨
　　　　자줏빛으로 달아오른 나팔 소리 터지자
　　　　놀라 뒤를 돌아보았고

나팔꽃 그 틈을 놓치지 않고

포도 넝쿨 하나 잡고

마구 나팔을 불어댔다

누구나 한 시절 풍미하고 가는 것이니

나팔꽃 붕붕대는 소리에

시든 포도 잎 떨어진다

—「나팔꽃 천국」 부분

이 시의 화자가 보기에는 이미 "포도나무 시대가 가고 / 한 시절 풍미한 포도 넝쿨에 가려 / 헛기침만 해대던 나팔꽃 시대가 도래"한 것이 오늘의 현실이다. 이러한 인식에는 얼마간의 능청이 내재해 있기도 하거니와, 그렇다면 포도나무의 시대가 가고 나팔꽃 시대가 도래했다는 것은 무엇을 뜻하는가. 포도 넝쿨과 나팔꽃 넝쿨은 공히 무엇인가에 기대어 무엇인가를 감고 자라는 향일성을 지니고 있다. 그런가 하면 "옆집 뒷집 엿보던" 것이, 그렇게 "한 시절 풍미한" 것이 포도나무라면 그 시절에는 "헛기침만 해대던" 것이 나팔꽃이기도 하다. 물론 그것은 현재의 일이 아니라 과거의 일이다. 나팔꽃 시대가 도래하자 이제는 "바람이 덩달아 따라 나와 / 아침저녁 맹렬히 나팔을 불어"대고 있다는 점을 주목해야 한다. 이러한 나팔꽃으로서는 당연히 "옆집 뒷집 엿보"는 조심스러움을 지니고 있을 리 만무하다. 나팔꽃의 이러한 속성으로 미루어 보면 아마도 이는 신세대의 삶의 방식을 상징하는 것으로 이해된다. 그렇다면 포도나무의 속성은 마땅히 구세대의 삶의 방식을 가리키지 않을 수 없다. 구세대의 삶의 방식이라고 했지만 이는 대강 지난 1980년대쯤의 그것을 뜻하지 않을까. 그렇다면 나팔꽃이 의미하는 신세대의 삶의 방식은 1990년대쯤의 가치를 포괄하는 것이 되지 않을 수 없다. 이 시의 시인 최영철이 이른바 1980년대 시인이라는 점을 간과해서는 안 된다.

여기서 정작 중요하게 생각해야 할 것은 이 시의 화자가 자기 자신의 삶을 과거의 포도나무 시대와 관련해 받아들이고 있다는 점이다. 결국은 그도 저 자신의 삶의 방식이 이미 구시대의 그것이 되어 있음을 받아들이고 있는 셈이다. 어쩔 수 없이 그도 신세대로서의 삶의 방식, 즉 나팔꽃 시대의 삶의 방식을 거부하지 못하고 있는 것이다. 이는 무엇보다 "누구나 한 시절 풍미하고 가는 것이"라는 구절에 내재해 있는 회한이 잘 증명해준다. 아무리 그가 야성과 열정의 회복에 집념을 보이고자 하더라도 의지와는 달리 이미 포도나무 시대는 가고 나팔꽃 시대가 도래해 있는 것이다.

물론 포도나무 시대가 기꺼이 나팔꽃 시대에게 삶의 중심을 내주는 것은 쉽지 않은 일이다. 심리 내면에서까지 저 스스로가 이미 지난 시대의 존재라는 것을 받아들이기 위해서는 커다란 용기와 결단이 필요하지 않을 수 없다. 그럼에도 불구하고 여기서 그는 그동안의 욕망을 극복하고 "나팔꽃 봉봉대는 소리에 / 시든 포도 잎 떨어"지는 것을, 다시 말해 자신의 시대가 가고 새로운 세대의 시대가 도래하고 있는 것을 서슴지 않고 수용하고 있다. 물론 이는 이 시의 화자인 시인 최영철이 자연의 원리와 삶의 원리를 하나의 깨달음 안에, 동일한 지혜 안에 묶어내고 있기 때문이다.

그렇다면 시인 최영철이 이러한 정신의 경지, 이러한 깨달음의 경지에 이르게 된 과정이 궁금하지 않을 수 없다. 이와 관련해 좀 더 실감 있게 다가오는 것이 "한나절의 뇌수술을 받고 깨어났을 때 그 죽음의 고비가 참 다행이라는 생각을 했다"는 '시인의 말'이다. 자신의 "안에 쌓인 찌꺼기들을 다 걸러낸 느낌이었다"는 것이 '시인의 말'의 이어지는 부분이라는 것을 알 필요가 있다.

이러한 죽음에의 체험이 그로 하여금 좀 더 깊이 있는 정신을 지니도록 했으리라는 것은 불문가지이다. "가쁜 숨 한 번 몰아쉬려 멈춘 정상 / 길의 끝이 무덤이다"(「정상에서」)라는 인식도 그의 이러한 죽음에의 체험과 무관하지 않아 보인다. 그가 "아무 데나 막 몸을 부린 것 같"(「홍매화 겨울나기」)다는 생각을 하는 것도, "그 사이 당신도 많이 상했군" 하는 생각을 하는 것도 마찬가지이다. "한여름 개울이 내는 시원한 물소리"를 "모난 돌 스치고 가느라 긁힌 / 물의 상처들이 내는 아우성"이라고 노래하고 있는 것도 동일한 맥락에서 읽어야 할 것이다.

시인 최영철이 죽음의 터널을 뚫고 나와 도달하는 곳은 물론 생명의 세계이다. 생명의 대척점에 위치하는 것이 죽음이고, 죽음의 대척점에 위치하는 것이 생명이라는 점을 간과해서는 안 된다. 하지만 아직 살아 있는 나날의 현실에서 결국 죽음은 생명에 종속되지 않을 수 없다. 기본적으로는 생명을 자극하고 생명에 주의를 기울이도록 하는 것이 죽음이라는 점을 유의해야 한다. 따라서 이승에서의 죽음은 언제나 생명 안에 존재할 수밖에 없다. 물론 그것은 시인 최영철의 경우라고 하더라도 마찬가지이다. 그의 경우에도 죽음은 역시 생명을 일깨우고 자각시키고 성찰케 하는 일종의 정신기제로 존재하고 있다는 것이다. 이승의 나날이 지겹고 고통스러워 "아득한 시간이여 어서 지나갈 순 없겠니", "어서 나를 짓밟을 순 없겠니" 하고 울부짖더라도 그것은 다를 바 없다.

이러한 점에서 정작 주목이 되는 것이 그의 시 「길에서 돌을 맞다」이다. 이 시에 의하면 시인은 "여기가 반환점인 줄 모르고 / 중앙선 넘어 열나게 뛰다가 / 마흔 둘에 머리를" 돌에 맞고 만다. 머리를 돌에 맞고 만다는 것은 물론 죽음의 과정을 체험한다는 것을 가리킨다. 그렇다면 다시 생명의 세계로 돌아온 그가 이 작품에서 "너무 빨리 뛰었나" 하고 자신의 욕망이 이루는 속도에 대해 반성하는 것은 너무도 당연하다. "만신창이로 허덕거린 사이" "다 망가져 처음으로 돌아"(「20세기 공로패」)온 것이 시인 최영철이라는 점을 잊어서는 안 된다.

정신의 깊이 면에서 이러한 경지에 이른 그가 인간의 일상이 존재의 절대성보다는 관계의 상대성에 의해 좀 더 깊이 좌우되기 마련이라는 것을 모를 리 만무하다. 지난 1980년대에 이른바 역사의 발전을 위해 그가 나름대로 최선을 다한 것이 사실이라면 오늘에 이르러 사람살이의 진정한 의미와 가치를 관계의 상대성으로 파악하고 실천하는 것은 그야말로 당연한 귀결이라고 하지 않을 수 없다. 그 스스로 시를 통해 말하고 있듯이 "나 하나 볼품없으니 그대 아름"다운 것이고, "나 하나 멈추니 그대 가"는 것이며, "나 하나 눈물 솟으니 그대 웃"(「엉겅퀴」)는 것이 이 세상에 존재하는 모든 생명의 실상이기 때문이다.

따라서 이 시집의 맨 앞머리에 실려 있는 작품 「대숲에서」에서 그가 이러한 관점으로 그동안의 자신의 삶 전반에 대한 반성을 보여주고 있는 것은 매우 자연스러운 일이다. 1980년대라는 "한 시절 풍미하고" 다시 다음의 한 시절을 살고 있는 것이니 그로서는 충분히 관계의 상대성을 자각하고도 남을 것이다.

숭숭 하늘 향해 솟은 나무 그늘에 서 있다

곧고 푸른 지조가 만들어낸 텅 빈 육체에서

플루트 소리가 났다

위로 뻗어가느라 아무것도 품지 못한 생애가

한 번은 꽃 피고 한 번은 꽃 지고 싶다고

우수수 잎을 날려 보냈다

나이를 숨기느라 마디진 등뼈 타고

초록을 물들이며 노랗게 솟는 대쪽의 亢進.

창공을 버티느라 굵어지지는 않고

다만 단단해진 울대가

무성한 잎을 떨어뜨렸다

위로 뻗기만 하는 삶을 받치려

실타래처럼 엉킨 땅 아래 상념들 스산하게 흔들렸다

너 한 번 꽃 필 때마다 하늘 향한 가지 꺾이고

너 한 번 꽃 피려 무너진 자리

우르르 몸 기댄 백로 제비꽃 와서 피었다


이 시는 "숭숭 하늘 향해 솟는" 대나무의 수직의 이미지와, "실타래처럼 엉킨 땅 아래 상념들" 및 "몸 기댄 백로 제비꽃"의 수평의 이미지가 교직交織되는 가운데 결구를 맺고 있다. 수직의 이미지를 갖는 대나무는 "곧고 푸른 지조"를 지니고 있다는 점에서 단순한 자연물이 아니라 인간의 삶의 일면을 뜻하는 일종의 상징물로 기능한다. 상징물로 기능하는 것은 수평의 이미지를 지니는 "땅 아래 상념들"이며 "몸 기댄 백로 제비꽃"의 경우도 마찬가지이다. 이로 미루어 보면 "위로 뻗어가

느라 아무것도 품지 못한", 그래도 끝내 "한 번은 꽃 피고 한 번은 꽃 지고 싶"은 대나무가 시인 최영철 자신의 그동안 지녀온 심리적 현존을 드러내고 있는 객관상관물이라는 것을 알 수 있다. 이는 "나이를 숨기느라 마디진 등뼈", "창공을 버티느라 굵어지지는 않고 / 다만 단단해진 울대" 등의 구절에 의해서도 확인이 된다. "대쪽의 亢進"만을 꿈꾸어온, 그동안 "위로 뻗기만" 해온 자신의 삶에 대한 일종의 반성과 성찰을 담고 있는 것이 이 작품인 셈이다. 이러한 반성과 성찰은 무엇보 다 이 시에 수평의 이미지로 등장해 있는 "땅 아래 상념들", "몸 기댄 백로 제비꽃"에 대한 상대적 배려를 통해서 구체화된다. 따라서 수평적 존재들과의 관계 속에서 수직적 존재들이 비로소 자신의 의미를 지닐 수 있다는 자각을 담고 있는 것이 이 시라고 할 수 있다. 이른바 관계의 상대성을 자각하는 가운데 그동안의 정신지향을 반성하고 있는 것이 이 시라는 것이다.

시인 최영철이 이러한 자각에 이르게 된 데는 일단 이 글의 서두에서 인용한 바 있는 작품 「나팔 천국」에서처럼 나팔꽃 시대, 즉 새로운 세대의 등장을 있는 그대로 수용하는 마음이 적잖이 작용했을 것으로 보인다. 이미 그는 "자줏빛으로 달아오른 나팔 소리", 즉 "나팔꽃 붕붕대는 소리에" "떨어"지는 "시든 포도 잎"인 것이고, 다름 아닌 그것이 존재론적 인식론보다는 관계론적 인식론에 눈을 돌리게 했으리 라는 것이다.

그의 시정신이 도달하게 된 이러한 경지에 이제는 턱없이 무모한 상승욕망이 존재하고 있을 리 만무하다. 더는 "위로 뻗기만 하는 삶을 받치려 / 실타래처럼 엉킨 땅 아래 상념들 스산하게 흔들"(「대숲에서」) 릴 리 없는 것이 그의 오늘의 심리적 현존이라는 것이다. 이러한 맥락에서 생각하면 저 자신이 스스로 경험해보지 않으면 제대로 된 깨달음에 이르지 못하는 인간의 보편적 심성이 안타깝지 않을 수 없다. (2000)

# 소신공양을 마친 어둠 속의 존재들
## ─ 나희덕 시집 『어두워진다는 것』

    오늘의 인간에게 자연은 이미 '주변'의 존재가 되어버린 지 오래이다. 근대와 더불어 시작된 인간의 자연 파괴는 이제 인간 자신까지도 파괴시키고 있을 정도이다. 이를테면 인간 자신까지도 파괴시킬 정도로 부메랑이 되어 되돌아오고 있는 것이 파괴된 자연이라는 것이다. 근대 이후 인간은 합리적인 사고를 추구하면서 모든 존재의 주체가 되었고, 주체가 되면서 그 외의 것들은 다 객체화한다. 물론 근년에 이르러 인간은 생태계의 위기를 인식하고 다방면에서 다시금 자연과의 합일을 꾀하고 있기는 하다. 하지만 이미 고착되고 경직된 인간의 도구적 이성은 되돌아서기 어려울 정도로 자연으로부터 너무 멀리 떨어져 나온 것이 아닌가 싶기도 하다.

    나희덕의 네 번째 시집 『어두워진다는 것』은 '주변'의 객체로 전락해버린 다양한 존재들에 대해 깊은 관심을 가지면서도 인간과 자연이 상호 분리되기 이전의 원형적인 모습을 보여주기 위해 많은 애를 쓰고 있다. 시인의 이러한 노력은 우선 "나는 무엇으로부터 찢겨진 몸일까"(「흔적」)라고 스스로의 존재에 대해 자문을 하는 것에서부터 출발되고 있다. 시인이 그 자신을 "텃밭에 나가 귀퉁이가 찢어진 열무잎에도 대보고 / 그 위에 앉은 흰누에나방의 날개에도 대보("흔적」)"지만

"조금씩 가슴이 아파오는 곳이 있을 뿐(「흔적」)"인 것도 궁극적으로는 이 때문으로 보인다. 「방석 위의 生」에서도 동일한 맥락에서 읽을 수 있는 시인데, 시인은 여기서 정작 자신의 존재를 "시린 입김이 얼마 날아가지 못해 공중에서 얼어붙"어 버리는 차가운 세상의 "어느 집 담벼락 밑에 불씨가 남아 있는 연탄재"라고 말한다. 시인으로서는 저 자신의 삶을 제 몫을 다하고 희미하게 숨을 들이마시는 존재들이 거처하는 곳에 머물게 하고 싶은 것이다.

이 시집에는 죽음을 목전에 둔, 소멸의 끝을 간신히 잡고 있는 연탄재와 같은 존재들이 도처에서 발견되고 있다. 「벽오동 上部」의 꽃이 져버린 벽오동, 「사과밭을 지나며」의 열매를 떨구고 난 사과나무, 「탱자」의 검은 비닐봉지에 담긴 탱자, 「버려진 화분」의 버려진 화분 등이 그 구체적인 예이다. 이들 존재들은 이미 그 가치가 인간의 필요에 의해 설정된 표준적 수치에서 벗어난 것들, 즉 '어둠 속에 존재하는 것'들이다.

시인은 어둠이 여기저기 깃들어 있는 이것들의 모습을 통해 희망이 아직 끝나지 않았음을 보여준다. 벽오동의 꽃이 지는 것은 더욱 단단한 열매를 맺기 위한 것이며(「벽오동 上部」), 사과나무가 열매를 다 떨구고 난 뒤에도 굽은 가지로 힘겹게 버티고 있는 것은 나비가 찾아와 자신의 낮아진 가지에 쉬어갈 수 있도록 하기 위한 것이다(「사과밭을 지나며」). 그가 보기에는 비닐봉지 속에 갇혀 있는 탱자들 또한 온몸을 바쳐 노래를 하는 존재들이다. 갑갑한 비닐봉지에서 벗어나기 위한 절규이기도 하지만 희망에 대한 열망의 몸부림이기도 한 진한 향을 쉴 사이 없이 뿜어내고 있는 것이 이때의 탱자들이다(「탱자」). 그뿐만 아니라 그는 인간들의 알량한 관상에의 목적을 충족시킨 후 함부로 내동댕이쳐진 화분조차 벌레들이 종족을 번식하며 살아가고 있는 삶의 터전으로 인식한다(「버려진 화분」).

이처럼 이미 소신공양을 끝낸 어둠 속의 존재들과 함께 호흡하며 그것들, 즉 벌써 효용가치를 잃은 것들에 대해 다시 한 번 의미를 부여하고 있는 것이 이 시집 『어두워진다는 것』의 시인 나희덕이라고 할 수 있다.

> 눈 녹는 역사 마당에
> 쓰러질 듯 서로를 고이고 있는
> 연탄재들
>
> 기차가 석불역을 떠나려는 순간
> 나는 그를 알아보았다
>
> 소신공양을 끝내고 막 돋아나는 그 살빛을!
>
> ─「石佛驛」 부분

어느 겨울 날 누군가의 방구들을 따뜻하게 달구고 한갓 재로 식어버린, 그리하여 점차 소멸되어 가고 있는 연탄을 시인은 이 시에서 소신공양을 마치고 다시 한 번 살빛을 돋아내는 부처로, 즉 존재의 진리를 체현하고 있는 부처로 인식하고 있다. 물론 시인의 이러한 인식은 그 스스로가 "닫혀진 문 밖에서" "오래도록 서성거리"는 존재로, "흘러가는 뗏목(「바람은 왜 등 뒤에서 불어오는가」)"으로 살아가고 있기 때문에 가능했으리라고 보인다.

이러한 점에서 생각하면 시인은 메이저리그로서가 아니라 마이너리그로서의 삶을 스스로 선택, 향유해온 듯싶기도 하다. 다시 말하면 방외인으로 살아온 그의 자주적 삶이 세상의 이름 없는 모든 존재들에 대해 따뜻한 사랑을 지닐 수 있는 여유를 갖게 했으리라는 뜻이다. 그렇다. 어둠의 자리에 거주하며 깊은 웅크림을 풀지 않은 채 소외된 온갖 존재들을 애정 어린 시선으로 보듬고 있는 것이 이 시집의 시들에서의 시인이다. 물론 이러한 삶이 가능했던 것은 시인이 그것만이 자신의 진정성을 드러낼 수 있는 유일한 길이리라고 생각했기 때문이다.

변화라는 괴물을 향해 모든 존재들이 광속으로 질주해가고 있는 것이 지금의 이 시대이다. 새로운 의미나 가치를 지니게 되었다고 하더라도 몇 달만 지나면 형편없이 낡고 진부한 것이 되고 마는 것이 오늘의 이 시대이다. 오늘에는 새로운 탄생으로 인식되었던 것이 내일에는 진부한 죽음으로 인식되고 있을 정도이다. 신생과 활기의 상징으로 이해되어왔던 젊은이들이 최근 들어 오히려 늙은이를 방불할 정도로 무기력과 염세를 반복하고 있는 것도 어쩌면 이 때문으로 보인다.

사람은 본래 타자에 의해 제대로 된 가치나 의미를 부여받게 될 때 존재의 의의를 지니기 마련이다. 물론 이는 생명이 있는 모든 존재들이 지니고 있는 보편적 특징이라고도 할 수 있다. 베란다의 화분에 심은 상추나 토마토도 사랑과 관심을 먹고 자란다고 말하지 않는가. 소멸을 목전에 둔 것들이라고 하더라도 사람이 부여해 주는 가치나 의미에 의해 활기 있게 되살아나는 것들을 목격하기는 별로 어렵지 않다. 시인은 이러한 인식을 이 시집에서 구체적인 자연물, 그리고 효용가치를 위해 자연물을 변형시킨 것들(「한 그루 의자」, 「오래된 수틀」)을 통해 발견하고 있다.

물론 시인 나희덕의 이러한 세계인식이 이번 시집의 모든 시에서 매번 활기찬 에너지를 보여주고 있는 것은 아니다. 어딘지 모르게 규격화되어 있다는, 지나치게 틀에 박혀 있다는 느낌을 지우기 어려운 시들도 적잖기 때문이다. 실제로는 이러한 점들도 그의 세계인식이 지니고 있는 몇몇 특징에서 비롯되고 있는 것처럼 보인다. 밖으로는 다함없는 사랑에의 의지를 보여주면서도 안으로는 과도할 정도로 도덕적 엄격성에 매여 있는 것이 그의 세계인식의 한 특징이지 않느냐는 것이다. 시를 찾아 끊임없이 떠돌아다니는 시인의 마음이야 십분 이해할 수 있지만 단정하고 단아하게 가공되어 있는 미의식만으로는 이른바 걸작을 생산하기가 힘들지 않겠느냐는 뜻이다. 다음에 간행할 그의 시집은 자신의 안으로도 뜨거운 에너지가 폭발하기를 빌며 여기서 글을 마친다. (2001)

# 지고의 선<sup>善</sup> 혹은 물의 상상력
### ─홍희표 시집 『살풀이』

　개항 이후 우리 근대문학은 그 대부분이 서울을 중심으로 한 몇몇 문학주의자들에 의해 주도되어 왔다고 해도 과언이 아니다. 하지만 1970년대를 기점으로 점차 민중의식이 성장, 확대되고 주체적으로 자아를 각성, 운용하려는 제3세계적 인간관이 보편화되면서 지금까지의 서울 중심적인 문화양상은 조금씩 그 힘을 잃어가고 있는 듯도 하다. 이러한 과정에서 몇몇 기성작가들은 아예 서울이 아닌 다른 도시로 거주지를 옮기기도 하고, 더러는 한적한 시골에 창작의 산실을 따로 마련하기도 한다. 그런데 최근에 이르러서는 이러한 편의적 모색이 아닌 그보다 훨씬 발전적인 문학적 분위기, 즉 문학의 지방자치에 따른 성찰이 도처에서 활발히 일어나고 있다. 더욱이 이는 오늘의 한국문학 전반에 중요한 쟁점으로 부상되면서 이미 그 성과와 결실에 대한 진지한 논의가 거론되고 있기까지 하다.

　물론 이에는 '지금 바로 이곳'의 정치, 사회, 역사적 상황이 커다란 변수로 작용하고 있는 것이 확실하다. 비록 그렇기는 하지만 문학사 전체와 관련하여 볼 때 이는 실로 의미가 매우 크다고 아니할 수 없다. 서울 중심의 문학이 아직은 한국문학의 주류를 형성하고 있다 하더라도 이제 그것이 민족 내의 문학적 기능이 점차 분산, 평준화되어

가고 있다는 한 증거일 수 있기 때문이다. 그뿐만 아니라 거기에서 문학의 민주화는 물론 삶 전체의 민주화가 실현될 수 있는 어떤 실마리를 살펴볼 수도 있는데, 이 또한 그것의 중요한 이유라고 할 수 있다.

지금까지의 논의가 홍희표의 시집 『살풀이』를 이해하는 데 꼭 들어 맞는다고 단정적으로 말할 수는 없다. 하지만 그것이 현 단계 지방문화 운동의 한 결실을 이루고 있는 것은 부인할 수가 없다. 더구나 그의 이번 시집이 지난 1970년대 한국문학을 주도하던 양대 계간지, 그중의 하나인 문학과지성사에서 출간되었다는 것은 여간 뜻깊은 일이 아니다.

그의 이번 시집에서 가장 먼저 느낄 수 있는 것은 방법적인 특징이다. 이 시집의 시들에서 그는 간결하고 참신한 시적 아름다움을 창출하기 위해 조심스럽게 절제와 응축의 묘를 변용한다. 이러한 점에서 보면 그는 생략과 자기 제어에 능한 시인으로 시에 대한 전통적 발상과 통념에서 크게 벗어나 있지 않다고 할 수 있다. 달리 말하면 언어경제 원칙에 매우 철저한 것이 그라는 것인데, 구태여 그 방법적 특징을 명명하자면 '선적禪的 인식' 혹은 '낯설게 하기'라고 해야 마땅하다. 돌연한 이미지의 결합, 동문서답식 대화의 전개, 엉뚱한 대갈일성大喝一聲 등이 이러한 방법적 특징 속에서 드러나는 면면이다.

이번 시집 『살풀이』에서 그의 시의 주제는 우선 죽음, 허무, 만남, 무위無爲 등이라고 할 수 있다. 물론 그의 시의 표면에 이러한 주제들이 있는 그대로 적나라하게 드러나 있는 것은 아니다. 죽음이나 허무가 삶의 실제에서 생동生動하는 활력活力을 강조하기 위한 대조물이라면 만남이나 무위는 오늘날 산업사회 현실 속에서 각 개인이 함유하지 않을 수 없는 분리, 소외, 고독 등의 감정을 드러내기 위한 대립적

장치라고 해야 옳다. 이러한 삶의 문제에 대한 탐구는 그의 시 전반에서 대개 '자연' 중에서도 '물'이라는 등가물을 통해 표현된다. 그의 시에서 '물'은 지고至高의 선善, 우주의 근본원리, 인간의 참된 지향, 거듭남 등의 의미를 내포하며, 물질 혹은 문명과 대척적 위치를 확보한다.

그의 시가 추구하는 이러한 개념들이 실제의 사람살이와는 지나치게 먼 이상주의적 발상發想임을 자각하면서 이내 그는 올곧은 인간 지향을 저해하는 거개의 요인들이 아주 가까운 곳에 있다는 것을 발견하기 시작한다. 그러면서 시인 홍희표는 그에 대한 다각적인 조명을 보여주는데, 구체적으로 그것은 인간의 지나친 욕심, 욕심을 조장하는 정치구조, 그것이 구상화된 역사적 사건에 대한 비판의 형식을 갖는다.

물론 삶에 대한 그의 이러한 인식이 시의 표면에 있는 그대로 드러나는 것은 아니다. 대체적으로 그것은 동요나 민중가요 등을 통해 그윽한 탈을 쓰고 나타난다. 탈춤 혹은 그 밖의 민중예술의 주요 표현장치인 풍자, 야유, 냉소 등이 그의 시적 정서의 주조를 이루고 있는 것은 바로 이 때문이다.

그의 이번 시집 『살풀이』의 특징을 말하면서 또 하나 간과할 수 없는 것은 그의 시세계가 1930년대 이후 한국문학 정신사의 한 중요한 맥락을 이루고 있는 모더니즘적 전통 위에 서 있다는 점이다. 따라서 그의 시는 얼마간 지적이라고 할 수 있으며, 때로는 다소 난해하기까지 한 면도 없지 않다. 대체로 그것은 그의 냉철한 이성과 그에 따른 언어탐구에서 오는데, 언어 그 자체가 주는 즐거움, 즉 어희語戲, 언롱言弄 등을 쉽게 이해할 수만 있다면 큰 문제가 없으리라고 생각된다.

끝으로 이 시집의 표제시 「살풀이」의 일부를 인용하며 글을 맺는다.
(1984)

집 팔고 논 팔고
이민 간 아들 딸
우리 아기 잘도 논다
해받이 무덤 아래
안경테만 남기고 간
양로원 할아버지.

큰손 큰입 때문에
막차 타다
白痴가 되어
이 빠진 죽사발 껴안은
자식 달린 옆집 과부
가마솥에 누룽지.

— 「살풀이」 부분

제4부

# 역사 · 사회 · 현실 · 문학

# 생명시학, 살아온 길과 살아갈 길
## ── 신덕룡 평론집 『생명시학의 전제』

신덕룡 교수는 앞서 펴낸 그의 저서 『초록생명의 길 1』(시와사람사, 1997), 『초록생명의 길 2』(시와사람사, 2001), 그리고 『환경위기와 생태학적 상상력』(실천문학사, 1999) 등을 통해 이미 생명시에 관해서는 우리나라의 대표적인 평론가로 전국적인 명성을 얻은 지 오래이다. 이번에 새로 펴낸 그의 평론집 『생명시학의 전제』에는 1990년대 중반 이후 활발하게 전개해온 환경의 위기와 서정시의 행방에 대한 그의 남다른 고민이 담겨 있어 더욱 주목이 된다. 구태여 '생명시'라는 용어를 고집하고 있는 것이 신덕룡 교수이거니와, 그는 이 책에서 생태환경의 위기에 대한 장단기적 대응과 고뇌를 담고 있는 수많은 시작품들을 대상으로 자신의 심오한 사색을 덧붙이는 가운데 날카로운 해석을 가하고 있다. 점차 일상생활에까지 구체적으로 파고드는 생태 환경의 위기를 생각하면 신덕룡 교수가 적잖은 시작품을 자료로 삼아 단호하게 제출하고 있는 오늘의 우리 사회에 대한 문제의식은 오히려 만시지탄이 없지 않아 보이기까지 한다.

'책머리'에도 드러나 있듯이 이번 평론집 『생명시학의 전제』의 여러 글들을 이루고 있는 사유의 바탕에는 지금까지 인간의 의식과 행동을 지배해온 이른바 '중심'이라고 하는 것들에 대한 매우 깊이 있는 반성과 비판이 담겨 있다. 여기서 '중심'이라고 하는 것들을 인문학적 상상력과 관련해 살펴보면 그것이 항용 근대적 인식이라고 평가되어온 몇몇 특징들과 긴밀히 맞닿아 있다는 것도 알 수 있다. 이를테면 오늘의 인간은 근대에 들어 그동안 중심이라고 여겨온 것들을 도구로 주변이라고 여겨온 것들을 함부로 지배해왔다는, 지배해도 좋다는 의식적이면서도 무의식적인 믿음을 갖고 살아왔다는 것이다. 물론 '중심'이라고 여겨온 것들은 신, 이성, 정신, 인간, 남자 등을 가리키고, 주변이라고 여겨온 것들은 피조물, 감성, 육체, 자연, 여자 등을 가리킨다. 당연히 신덕룡 교수는 이 책에서 그동안의 이러한 인식과 그에 따른 행동이 이제는 비판과 충고를 받아 마땅하다는 견해를 피력한다.

물론 신덕룡 교수의 이러한 인식은 오늘의 생태환경이 이루는 구체적인 현실과 관련해 살펴볼 때 좀 더 명확하게 드러난다. 1960년대 중반 이후 우리 사회가 경제발전이라는 미명하에 오직 '중심'이라고 하는 것들만을 가치 있는 것으로 여겨왔다는 것은 이미 잘 알려져 있는 사실이다. 이는 당연히 주변이라는 이름으로 소홀히 취급되어온 것들이 갖는 중요성에 대해서는 그다지 고려를 하지 않았다는 것을 뜻한다. 그 결과 이제 자연과 더불어 사는 지혜는 완전히 사라져버렸고, 오직 욕망만을 충족시키기 위해 '자연'을 '생명'이 아니라 단지 '사물'로만 이용하는 이기심이 나날의 삶을 지배하게 된 것이 사실이다.

물론 이 책에서 신덕룡 교수는 자본주의적 근대사회 이후의 이러한 점을 거듭해서 반추하며 강조하고 있다. 최근에 들어서는 언제나 항상 우리 곁에 있으리라고 믿었던 자연이 더욱 철저하게 파괴되어 버렸거니와, 이제는 이렇게 파괴된 자연이 오히려 인간의 생존을 위협하는 지경에 이르렀다고 신덕룡 교수는 오늘의 사회현실에 대해 날카로운 경고의 목소리를 발하고 있다.

서정시는 자아와 세계의 동일성을 회복하는 데에서 비롯되는 시원적 감수성을 함양하는 데 초점이 있는 언어예술 장르이다. 신덕룡 교수는 수많은 시인들이 이러한 정도의 감성을 드러내는 데 그치지 않고 더욱 나아가 구체적인 환경위기와 관련해 제반 비판적 인식과 함께 나날의 삶에 대한 철저한 각성과 성찰을 담아내고 있다고 주장한다. 소박한 감성을 표현하는 차원에서 훨씬 더 나아가 일상의 삶 일반을 섬세하게 탐구하고 반영하는 가운데 끊임없이 진실로 가치 있는 삶이 무엇인가를 되묻고 있는 것이 오늘의 시인들이라는 것이다.

물론 저자가 이러한 사유를 드러내는 배경에는 '나'와 '세계'가 동등하게 존귀할 뿐만 아니라 '나'와 '세계'가 공동의 운명을 지닐 수밖에 없는 존재라는 점이 전제로 놓여 있다. 신덕룡 교수의 이번 저서 역시 서정시의 이러한 면들을 통해 이른바 '중심'이라고 하는 것들에 대한 기존의 인식을 비판하고 반성하는 동시에 자연과 인간의 근원적 조화를 이루고자 하는 노력을 담고 있다. 저자의 이러한 탐색과 의지가 오늘의 이 세상을 단 한 발자국이라도 진전시킬 수 있기를 손 모아 빌며 여기서 삼가 글을 마친다. (2002)

# 『삶의문학』과 1980년대의 한국문학

　　1980년대의 중반기에 이르고 있는 요즈음 문학운동이 좀 더 포괄적
이고 전체적인 문화운동의 차원을 향해 나아가야 한다는 성찰은 전혀
의심의 여지가 없어 보인다. 그렇다면 문화운동의 일부로서 문학운동
의 방향은 저절로 명백해진다.

　　문화란 당대 민중의 삶과 세계에 대한 반응양상의 살아 있는 총체를
의미한다. 그것은 항상 정치, 경제, 사회 등 제 여건에 의해 조건 지어지
게 마련이며, 이러한 점에서 늘 역사의 범주 안에 자리할 수밖에 없다.
따라서 지난 몇 년 전 광주에서 있었던 민족사적 대사건은 여전히
우리 문화의 중요한 변수이며, 기본조건이라고 해야 마땅하다. 그
구체적인 증거로는 발표매체 및 표현양식의 재편성, 좀 더 자세히
말하면 두 계간지 『창작과비평』 및 『문학과지성』의 폐간과, 그에 따른
무수한 소집단 운동의 등장을 들 수 있다.

　　하지만 『삶의문학』은 반드시 꼭 이와 같은 일반적인 경로를 통해
잉태된 것만은 아니다. 1980년대의 개막이 기점이 된 것은 분명하지만
『삶의문학』은 새로운 탄생이 아니라 새로운 결의와 새로운 다짐을
통해 한국문학의 전면에 나타났기 때문이다. 『삶의문학』의 전신은
충청지방, 특히 대전지방을 기반으로 하고 있던 동인 문예지 『창과벽

壁』이다.

'창과벽'은 본래 숭전대학교 대전 캠퍼스, 지금의 한남대학교 문과대
학생들의 스터디그룹 형식으로 출발한다. 처음에는 별다른 이름을
갖지 않았던 이 스터디그룹이 맨 처음 시작된 것은 1977년 봄이다.
소그룹의 문예동인지로서 『창※그리고벽壁』은 1978년 봄에 제1집을,
1979년 가을에 제2집을 내고, 그 뒤 『창과벽』으로 이름을 바꾸어 1981
년 여름까지 모두 제4집을 간행한다. 그러한 다음 면모를 일신해 종합
무크지로 변신, 1983년 4월에 나온 것이 곧 『삶의문학』이다.

이름을 바꾸고 결의를 다시 했다고 하지만 『삶의문학』의 출발은
근본적으로 한국문학이 지난 1970년대까지의 올곧은 발전적 전통
위에 뿌리를 내려야 한다는 인식에서 비롯된다. 1970년대까지의 올곧
은 발전적 전통이라고 할 때의 그것은 구체적으로 문학과 삶이 각각
별개의 것이 아니라는, 모든 문학은 삶으로서의 문학이어야 한다는
깨달음을 가리킨다. 『삶의문학』의 좌표는 바로 이러한 깨달음, 이러한
인식의 결과 위에 세워진다.

따라서 『삶의문학』이 가장 소중하게 여기는 것은 삶의 현장성, 즉
깨어 있는 민중의 보다 생생한 <오늘 지금 이곳>의 삶의 실제와, 그것의
문학적 표현이다. 모든 문화행위는 일상의 억압과 핍박을 뚫고 좀
더 너그럽고 넉넉한 화해의 세계를 건설하기 위한 열정 이외의 것이
아니기 때문이다. 『삶의문학』이 조작적 절대미, 곧 기획적인 가공미의
탐구보다 살아가는 생활현실의 적확한 표명을 통해 획득되는 후덕한
인정과 서정, 그로 인한 뜨거운 감동의 세계를 지향하는 것도 바로
그 때문이다.

사실 『삶의문학』이 삶의 현장 속에다 생각의 초점을 맞추려 하는

까닭은 그러한 과정을 통해 다소나마 문학의 민주화와 사회의 민주화가 가능해지리라는 은밀한 믿음 때문이다. 특히 문학의 민주화가 갖는 일차적인 의의는 그것의 창작계층 및 향수계층의 보편화, 즉 민중화에 있다고 할 수 있다. 그리고 좀 더 확산시켜 기대할 수 있다면 그것을 통해 좀 더 열려 있는 사회, 즉 정의롭고 따사로운 사랑이 넘치는 사회가 창출되기를 희망한다. 이러한 관점에서 『삶의문학』은 문학의 신비화에 대한 거부와 함께 그것이 전문 기능인의 장인적 전유물이거나 소수 지식인 및 학자의 안가한 소일거리가 되는 것을 배격한다. 그렇다. 문학에의 참여와 향수가 사람살이의 평등한 적층 속에서 이루어지고 그것이 이 땅의 모든 사람들에게 스스럼없이 통용될 때 『삶의문학』의 작업은 참 의미를 갖게 될 것이다.

이러한 생각의 실천적 대안이 지난 5집의 특집 「삶의 현장과 문학」, 그리고 곧 선보이게 될 6집의 특집 「농촌현장과 농민문학」 등이다. 특히 『삶의문학』이 6집에서 기획하고 있는 「농촌현장 답사기」, 「집단창작—농민시」, 「공동창작—생활극」, 「농민·농촌학생 근로학생·도시학생들의 글」, 「농민운동의 오늘과 내일」, 「평론—농민시의 가능성」 등은 민족문학의 전망을 밝히는 훌륭한 지침이 되리라는 것을 믿어 의심치 않는다.

더불어 『삶의문학』은 이러한 작업을 통해 문학의 지방자치를 거듭 주장한다. 문학의 지방자치화는 기존의 터무니없는 향토문학, 그리고 서울지방을 중심으로 편중되어 있는 귀족문학, 사치문학, 이미 생명을 잃어버린 지 오래인 이른바 순수문학 등 문학적 독점자본에 대한 부정을 그 안에 포함한다. 어떠한 종류의 문화장치라고 하더라도 그것은 이 땅의 모든 인간이 공유해야 할 공동의 재산이다.

물론 여기서 『삶의문학』이 말하는 문학의 자방자치화가 위상을 달리하는 여타 다른 문학운동에 대한 맹목적인 비난과 배척을 뜻하는 것은 아니다. 그로 인한 얄팍한 상대적 자기현시보다는 같은 세대의 많은 소집단 운동들과 뜨겁게 연대하는 가운데 좀 더 진정된 민족문화의 내일의 열기를 『삶의문학』은 희구한다. 요컨대 『삶의문학』이 주장하는 문학의 지방자치화는 참된 민족공동체, 즉 민족문화의 총체적 의미망을 구축하기 위한 능동적 참여의 한 방법으로서 그 존재 의의를 갖는다.

동인으로 참여하고 있는 『삶의문학』의 필자 중에 이른바 문단등용의 낡고 형식적인 절차를 거친 사람은 거의 없다. 『삶의문학』의 입장에서는 그러한 고식적이고 의례적인 형식이나 절차보다는 내적 필연성에 의한 자기표현 능력의 획득이 훨씬 귀중한 자격일 것이라고 생각한다. 그러니만큼 『삶의문학』은 『삶의문학』 작업이 완성된 문학의 정점을 보여주기보다는 우리 세대의 새로운 가능성을 탐색하는 동시에 민족문학의 올바른 방향 설정에 깊이 이바지하기를 기대한다.

물론 『삶의문학』은 『삶의문학』의 이러한 논의가 자칫 자기변명에 의해 허위의 나락에 빠질 수도 있음을 잘 알고 있다. 『삶의문학』은 아직 대전이라는 지역성도 크게 탈피하지 못하고 있고, 자체 내의 느낌과 반성을 설득력 있는 당위적 귀결을 통해 새롭게 재정립할 수 있는 능력도 갖고 있지 못하다. 각개 작품의 수준도 그렇지만 문학의 발전적 가능성과 결부해 생각해 볼 때 어쩌면 이는 『삶의문학』이 안고 있는 가장 현실적인 한계라고 할 수 있다. 그동안 귀 따갑게 들어왔던 온갖 질책을 즐겁게 수용하면서 『삶의문학』은 『삶의문학』과 같은 생각을 갖고 있는 분들의 적극적인 참여를 기다린다.

『삶의문학』의 필자들은 대부분 1950년 이후에 출생한 젊은 동인들로 구성되어 있다. 이은식, 김영호, 이은봉, 박용남, 유도혁, 김흥수, 채진홍, 전인순, 윤중호, 전무용, 강병철, 이재무 등이 주요 멤버이다. 이들 모두의 글에 대한 독자 여러분들의 깊은 사랑과 질정을 기다리며 본고를 맺는다. (1984)

# 삶 속에서, 삶을 통해, 삶과 더불어
—『삶의문학』 시선집 『새로운 날들의 자유를 꿈꾸며』를 간행하며

『삶의문학』 제8집이 상자된 지도 어느새 3년이나 지났다. 그동안 세상은 참으로 많이 변했고, 그리하여 지난 1980년대 초 이래 한국문학을 주도해오던 부정기간행물로서의 종합문예지 운동은 이제 그 역할을 다한 듯 보인다. 그렇다. 『삶의문학』이 여태껏 예의 제8집 이후의 후속 작업을 보류하고 있는 것도 바로 이 때문이다. 물론 이러한 이야기가 그간의 『삶의문학』의 뜨거운 열정 및 문학적 노력 그 자체를 부인하는 것은 아니다. 다만 현금의 1990년대가 이미 부정기간행물로서의 종합문예지 운동의 시대 저편에 있지 않느냐 하는 이야기일 따름이다. 언젠가는 『삶의문학』도 다른 많은 매체들처럼 계간지로 전환해 처음의 뜻을 계속할 수 있기를 빈다.

이러한 와중에 『삶의문학』은 『삶의문학』을 매개로 만난 동인들의 두 번째 공동시집을 낸다. 지난 1985년에 간행한 첫 번째 공동시집은 일종의 시선집으로 기작을 모아 엮은 것이었다. 하지만 이번에는 미발표의 작품들을 모아 엮었으니 이른바 신작시집이 되는 셈이다.

『삶의문학』이라는 이름으로 부정기간행물을 내면서 그동안 『삶의문학』은 형용할 수 없이 많은 핍박을 당해왔다. 특히 1985년 『민중교육』지 사건에 연루되어 받았던 고통은 기억하고 싶지 않을 만큼 깊고

크다. 하지만 과거를 기초로 한 현재 없이 미래는 있을 수 없는 법이다. 제6공화국의 한복판에 서 있는 지금, 돌이켜 보면 기실 그동안의 『삶의 문학』의 슬로건은 그다지 진보적이었던 것으로 보이지 않는다. 다음과 같은 것들에 불과하기 때문이다.

부끄럽지 않은 자아. 우리가 살고 있는 터전에 대한 정확한 진단. 지금 이곳의 생동하는 삶. 문학의 민주화. 인정과 서정이 넘치는 너그럽고 넉넉한 화해의 세계. 민족문학의 발전적 전통 위에 바로 서는 문학. 생활현실의 적확한 표명을 통해 획득되는 뜨거운 감동. 삶의 현장성. 깨어 있는 민중의 보다 생생한 삶의 실체와 그것의 문학적 표현. 문학의 지역자치. 공동창작. 제반 문화장치 및 매체의 공유화. 농촌에의 심정적 연대의식. 반추와 자문. 사랑으로 날을 벼리기. 삶에서 출발하여 삶에로 되돌려지는 문학. 정확한 자기규정 및 자기반성. 조국의 통일과 함께하는 문학. 역사가 문학에게 요구하는 역할. 좀 더 개방된 시각. 현실인식의 다양한 창.

이상의 언어들에 내포되어 있는 이념은 지금 돌이켜 보면 짐짓 평범한 일상의 것들로 보이기도 한다. 하지만 이러한 슬로건들에 담겨 있는 내용이 이미 다 시의성을 상실한 것은 아니다. 여전히 『삶의문학』은 이들 문제가 매우 소중하고 중요한 살아 있는 것들이라고 생각하는바, 다분히 원론적 내용을 포괄하고 있기 때문이다. 하지만 그 당시 『삶의문학』은 이러한 정도의 꿈과 희망들만으로도 매번 고심하지 않을 수 없었던 것이 사실이다. 대부분의 동인들이 전업적 민족운동가로 활동하기까지는 원하지 않았기 때문에 더욱 그랬을 것이다. 그렇다. 『삶의문학』은 항상 문학의 안에서 문학의 방법으로 이 땅의 제반 문제, 즉 민족과 민중의 문제를 받아내려 생각해온 바 있다. 그렇다고 해서 『삶의문학』이 더 나은 세상을 위한 과학적 전망 그 자체까지 포기했던 것은 아니다. 단지 과학적 방법을 문학적 방법으로 손쉽게 환원하려 하지는 않았다는 것일 뿐이다.

문학은 과학과 얼마간 다른 인식체계다. 이른바 토대 위에 여타의 이데올로기와 함께 동등한 무게로 자리해 있지만 그것들 모두로부터, 나아가 토대로부터, 기본적으로는 독립되어 있는 것이 문학이라는 이야기이다. 따라서 문학은 당연히 여타의 의식과 관련해 자율적 존재라고 해야 마땅하다. 물론 그것은 어디까지나 상대적 관점에서만 그럴 뿐이다. 토대 및 여타의 이데올로기와 능동적으로 관계하지 않을 경우 문학은 그 내부에 어떠한 내용도 담을 수 없고, 어떠한 새로움도 발전도 받아들일 수 없을 것이기 때문이다. 그러한 의미에서 보면 새삼스럽게 강조할 바 없이 삶 속에서 삶을 통해 삶과 더불어 존재하는 것이 바로 문학일 것이다. 삶이란 수많은 이데올로기, 다시 말해 수많은 정신의 물질적 현상이지 않는가.

삶 속의 수많은 이데올로기는 삶 속의 수많은 모순으로부터, 구체적인 고통으로부터 비롯되기 마련이다. 그렇다면 지금 이곳의 삶의 모순은 어떻게 요약될 수 있는가. 혹자는 민족모순을 선차적으로 내세우기도 하고 혹자는 계급모순을 선차적으로 내세우기도 한다.

물론 『삶의문학』 동인들은 이로부터 야기된 그동안의 남한 사회의 성격 문제에 대한 과학자들의 치열한 논쟁을 익히 잘 알고 있다. 하지만 창작자로서 『삶의문학』 동인들은 그에 크게 동요되지 않아 왔고, 앞으로도 줄곧 그러할 작정이다. 문학은 과학보다 더 빨리 더 정확히 당대의 삶의 모순을 포착할 수 있고, 그것을 이데올로기가 아니라, 다시 말해 관념이 아니라 구체적 실물 형상으로 드러내기 때문이다. 이러한 맥락에서『삶의문학』은 문학의 자율적이고도 독자적인 인식능력을 십분 인정한다.

문학에 대한 이러한 생각은 당연히『삶의문학』으로 하여금 작품 내부의 방법적 다양성에 심혈을 기울이게 한 바 있다. 삶의 올곧은 진실을 사로잡기 위해『삶의문학』은 각자 자기의 고유한 방법을 절차탁 마해왔고, 또 절차탁마할 것이라는 이야기이다. 문학은 본래 개별적이 고 특수한 것을 보편적이고 일반적인 것으로 드러내는 언어예술형식이 지 않는가.

오늘날에 이르러 시는 우리 사회의 그야말로 가장 보편적이고도 대중적인 예술형식으로 자리 잡은 듯싶다. 수많은 사람들이 사람살이 의 도처에서 시를 쓰고 시를 읽고 있기 때문이다. 노동자도, 농민도, 도시빈민도, 교사도, 핵물리학자도, 재벌도, 국회의원도, 대통령도 시를 생산하고 향유하는 것이 대한민국 사회의 현실이다. 이러한 면에 서만 보면『삶의문학』이 애초에 제기했던 문학의 민주화는 상당 부분 성취되었다고도 할 수 있다. 그러나 따져 보면 자기변혁을 통한 세계변 혁과 전혀 유리된 채 이루어지는 시 쓰기와 시 읽기 일반을 정작의 문학의 민주화와 관련시켜 말할 수는 없다. 자기변혁을 통한 세계변혁, 아니 적어도 자기반성을 통한 세계반성과 함께할 때만 시 쓰기와 시 읽기는 비로소 의의가 있을 것이기 때문이다.

이 시선집에는 아직 얼굴과 이름이 알려지지 않은 수 명의 신인이 참여하고 있다. 김상배, 지원종, 전병철, 류지남, 김상철, 정연수가 그들인바, 그들은 오랫동안 시작수업을 해오면서도 자기 자리에서 치열하게 지금 이곳의 삶을 닦아온 사람들이다. 활기차게 앞을 향해 뻗어나갈 이들 1990년대 젊은 시인들의 창작활동에 깊은 관심을 기울여 주기 바란다.

소비에트의 페레스트로이카와 동구권의 대변혁, 전 세계가 걷잡을 수 없이 빠져들고 있는 걸프 전쟁, 그리고 다시금 기승을 부리기 시작한 세기말적 풍조. 이처럼 세상이 온통 어지러운 가운데 새로이 이 작업을 시도하는 『삶의문학』의 마음이 그다지 편한 것은 아니다. 하지만 어쩌겠는가. 내일 지구가 망하더라도 오늘 한 그루 사과나무를 심을 수밖에……. 앞으로도 『삶의문학』은 그러한 마음으로 이 작업을 계속해갈 것이다.

신작시집 한 권을 내면서 필요 이상으로 말을 길게 하지 않았는가 하는 생각이 들기도 한다. 그동안 『삶의문학』의 작업이 지지부진하기는 했지만 뜻과 생각까지 지지부진하지는 않았다는 것을 밝히고 싶었을 뿐이다.

끝으로 여러모로 힘들고 어려운 중에도 이 시집의 출간을 맡아준 정민사, 송은범 사장에게 삼가 감사의 말을 드린다. (1991)

# 깨어 있는 정신, 활기 있는 작품
— 계간 시전문 문예지 『시와시』를 창간하며

　　마침내 새로운 계간 시전문 문예지 『시와시』를 한국 시단과 한국사회에 선보인다. 뜻대로 편집이 마무리되지 않아 미흡한 감이 아주 없지는 않다. 그러한 이유에서만은 아니지만 『시와시』를 한국 시단과 한국사회에 선보이는 마음이 크게 설레지는 않는다. 조용하고 차분한 마음으로 시인과 시인, 시인과 독자를 잇는 다리의 역할에 충실하려는 것이 『시와시』의 일차적인 의지이기 때문이다. 물론 『시와시』는 이러한 과정에 기존의 문예지가 지니고 있는 장점을 십분 수용하려 한다.

　　하지만 『시와시』 역시 그동안 한국문학사에서 명멸해간 수많은 문예지와 변별되는 저 고유의 역할을 하고 싶은 것은 사실이다. 지나치게 들뜨거나 흥분하지 않는 가운데 내실 있는 색깔과 특징을 만들어가고 싶은 것이 『시와시』라는 것이다. 기존의 문예지와 명확하게 구분되는 역할이 따로 있기는 어렵겠지만 이러한 맥락에서 『시와시』는 시의 위의威儀와 품위를 지키면서도 차분히 시인과 독자를 위해 의미 있는 일을 해나갈 작정이다.

　　『시와시』의 발간은 지금 이 땅에서 살아가는 사람들의 감성을 바르게 갈고 닦고 나누는 일과 결코 무관하지 않다. 여기서 말하는 감성은 당연히 감각에서 야기되는 감정 일반, 나아가 의식 일반까지를 포괄한다. 문화예술의 영역에서 감성의 주체가 되어 그것을 바르게 가꾸고 나누는 것만큼 중요한 일이 어디 있겠는가. 다름 아닌 이러한 점만으로도 『시와시』가 대한민국의 시단에서 해야 할 일은 적잖다고 생각된다.

인간에 대한 논의는 수없이 많다. 니체는 자신의 저서 『자라투스트라는 이렇게 말했다』에서 인간을 가리켜 짐승과 초인 사이를 잇는 밧줄, 심연 위에 걸려 있는 하나의 밧줄이라고 말하고 있다. 이를 빌려 표현하면 『시와시』는 시인과 시인, 시인과 독자 사이를 잇는 다리, 흐르는 역사 위에 걸쳐 있는 하나의 다리라고 할 수 있다. 여기서 다리의 의미를 강조하는 것은 『시와시』가 무엇보다 소통과 교감의 역할을 중요하게 여기고 있기 때문이다. 『시와시』로서는 『시와시』라는 다리를 통해 더 많은 시인과 시인, 더 많은 시인과 독자가 서로 의미 있는 소통과 교감을 나누기 바랄 따름이다.

하지만 『시와시』는 『시와시』를 통해 친교 이상의 내포, 곧 창조적인 내포를 갖기를 바라고 원한다. 그렇기는 하지만 『시와시』는 『시와시』라는 다리 위에서 아무런 각성도 없는 시인과 시인, 시인과 독자가 소모적인 정분을 트는 것까지 수용하지는 않으려 한다. 『시와시』를 기존의 다리 옆에 아무런 생각 없이, 의식意識없이 덧붙이는 또 하나의 다리로 이해해서는 안 된다.

『시와시』는 『시와시』의 이러한 견해가 시인을 서열화하려는 비민주적인 태도의 산물이라고 생각하지는 않는다. 과도한 엘리트 의식에 사로잡혀 시인 일반을 함부로 무시하고 폄하하는 경향이 기존의 시단에 자리해 있는 것이 사실이다. 메이저리그와 마이너리그, 일류와 삼류 등으로 시인을 나누어 시와는 아무런 상관없이 시인의 인격을 하시하고 무시하는 풍조가 기존의 시단에 산재해 있기 때문이다. 『시와시』는 당연히 문학의 민주화를 가로막는 이러한 태도를 별로 바람직하게 생각하지 않는다. 구체적인 작품에 함유되어 있는 세계관이나 미적 수준에 의해서가 아니라 기존의 상투화되고 도식화된 시각으로 시가 아니라 시인을 함부로 재단하고 평가하는 일을 『시와시』가 어떻게 바람직하게 생각하겠는가. 무엇보다 시인의 드높은 정신과 인격과 품위를 귀중하고 소중하게 여기려 하는 것이 『시와시』이다.

『시와시』는 자신의 이름에 '시'라는 말을 두 번씩이나 사용하며 '시'를 강조하고 있다. 이름만으로 보면 『시와시』는 말 그대로 이중의 '시'를 추구하고 있는 것으로 보인다. 이름만으로 보면 『시와시』는 두 개의 시를 동시에 추구하고 있다고 해도 과언이 아니다. 『시와시』가 추구하는 하나의 '시'는 앞에서 말한 시인의 정신과 인격과 품위, 곧 드높은 시정신으로서의 '시'이다. 다른 하나의 '시'는 복잡하면서도 생생한 개별 작품, 곧 성취도 높은 구체적인 시작품으로서의 '시'이다. 이러한 이유에서 『시와시』라고 할 때의 '시와시'는 영어권에서 말하는 'poetry와 poem'으로 이해되어도 무방하다. poetry와 poem이 흔히 시정신과 시작품으로 번역되고 있기 때문이다. 『시와시』는 이때의 시정신과 시작품, 즉 poetry와 poem을 전통적으로 '시와시'로 번역하고 있는 셈이다.

이중의 '시'를 추구한다고 하더라도 『시와시』는 그때그때의 역사, 사회적 요구에 따라 강조점을 달리 하려 한다. 물론 추상적인 시정신보다는 구체적인 시작품을 중요하게 생각하는 것이 마땅하기는 하다. 그러나 당대의 역사, 사회에서 비롯되는 드높은 시정신의 뒷받침이 없이 성취도 높은 구체적인 시작품은 태어나기 어렵다. 『시와시』가 특별히 시정신을 강조하고 있는 것도 실제로는 이와 무관하지 않다.

『시와시』라는 표제는 얼핏 낯설게 받아들여질 수도 있다. 하지만 『시와시』라고 할 때의 '시와시'가 위에서 말한 것처럼 내용과 형식, 추상적인 시정신과 구체적인 시작품을 가리키고 있다고 본다면 『시와시』가 지향하는 세계는 자못 명확해진다. 『시와시』의 의지가 손에 잡힌다는 것인데, 이미 『시와시』라는 말속에 세계관과 창작방법에 대한 고려가 들어 있기 때문이다. 말하자면 『시와시』는 각각의 시와 평론에 담겨 있는 정신이나 세계관은 물론 그것들이 이루는 심미적인 성취 또한 매우 소중하게 여기고 있다는 것이다.

이러한 생각을 갖고 있다고 하더라도 『시와시』는 시라는 틀에 갇혀 말의 활로를 과도하게 폐쇄시키는 어리석음을 저지르지는 않을 생각이다. 더러 시 밖의 일에 나서더라도 『시와시』는 되도록 작고 조그만 언어예술양식인 이 '시'라는 것을 바탕으로 해야 한다는 것을 잘 알고 있다. 또한 『시와시』는 이 나라의 역사, 사회라고 하는 공동체에 기여할 수 있는 실질적인 일이 무엇인가에 대해 지속적으로 묻고 대답하려 한다. 『시와시』는 이 나라의 역사, 사회라고 하는 공동체가 갈수록 의미를 잃게 되리라는 것을 모르지 않는다. 하지만 『시와시』는 예의 공동체가 필요 이상으로 경직되지 않도록 때로는 강한 채찍의 역할을 할 수도 있기를 바란다. 그럴 때 예의 공동체가 좀 더 격조 있는 문화예술의 공동체로 차원을 바꾸어 나갈 수 있으리라고 생각하기 때문이다.

물론 『시와시』가 하려는 이러한 일은 반추와 반문, 반성과 성찰의 차원을 크게 벗어나지 못할 것이 뻔하다. 그럼에도 불구하고 『시와시』는 다소라도 의미 있는 역할을 하기 위해 오늘의 현실과 관련된 반추와 반문, 반성과 성찰에 게으르지 않을 생각이다. 이렇게 계속될 반추와 반문, 반성과 성찰이 앞으로 어떻게 구체화될는지는 『시와

시』도 정확히 알지 못한다. 반추와 반문, 반성과 성찰이 문제의식과 비판정신을 바탕으로 이루어지는 만큼 일정한 정도는 소리를 낼 수도 있으리라.

물론 이때의 소리는 성장이라는 이름으로 행해지는 산업화나 정보화, 곧 발전의 근대화와 관련된 부정과 거부의 몸짓에서 비롯되기 쉽다. 『시와시』는 그것이 발전의 근대화와 관련된 이런저런 딴지걸기나 빈정거리기, 시비걸기나 발목잡기의 모습을 취하게 되더라도 기꺼이 감수할 생각이다. 『시와시』는 그것을 시나 소설, 즉 문학이라고 하는 예술이 지니고 있는 본원적인 숙명이라고 믿는다. 거듭 강조하건대 『시와시』가 나날의 현실에 대한 비판과 문제제기를 회피하지 않으려 하는 것은 다름 아닌 이 때문이다. 시나 평론이 지니고 있는 다양한 비판과 문제제기를 될 수 있는 한 긍정적으로 수용하려 하는 것이 『시와시』라는 이야기이다.

『시와시』는 저 자신의 딴지걸기나 빈정거리기, 시비걸기나 발목잡기가 이 나라의 정치와 경제를 바꾸는 데 커다란 역할을 하리라고 기대하지는 않는다. 하지만 『시와시』는 『시와시』에 수록되어 있는 시나 평론을 쓰고 읽는 사람들이 그것을 통해 자신의 감성을 바르게 갈고 닦고 나누는 일까지 못하리라고 생각하는 것은 아니다. 이러한 점에서 『시와시』가 추구하는 일차적인 일은 죽음의 정서를 고양시키는 것이 아니라 생명의 정서를 고양시키는 것이다.

돌이켜 보면 생명의 정서보다는 죽음의 정서로 가득 차 있는 것이 자본주의적 근대로서의 나날의 삶이다. 이러한 나날의 삶에서 『시와시』는 무엇보다 죽음의 정서가 아니라 생명의 정서를 바르게 갈고 닦고 나누는 데 기여할 수 있기를 바란다. 생명의 정서를 갈고 닦고 나누는 것은 그 자체만으로도 지속적으로 오늘의 현실에 대해 비판을 가하고 문제를 제기하는 일이라고 할 수 있다. 내버려두면 순식간에 우울증 등 죽음의 정서에 빠지기 쉬운 것이 자본주의적 근대를 살아가는 대부분의 자아다. 우울증으로 대표되는 정신질환인 죽음의 정서는 공동체와 자아에 대한 긍정적인 자아 개념이 상실될 때, 곧 부정적인 자아 개념이 확대될 때 나타나기 쉽다. 부정적인 자아 개념은 실패나 좌절의 체험에서 비롯되거니와, 이를 극복하기 위해서라도 공동체와 자아에 대한 정당한 비판과 문제제기는 중요하다.

따라서 지금의 현실에서는 무엇보다 중요하게 요구되는 것이 온전한 반추와 반문, 반성과 성찰에 기초하고 있는 지성이라고 하지 않을 수 없다. 지성이 축적되어 있지 않고서는 오늘이라는 이 역사, 사회적 현재에서 공동체와 자아가 처해 있는 상황을 바르게 파악할 수 없기 때문이다. 이를 바르게 파악할 수 있을 때 지금의 현실을 진전시키는 데 조금이라도 도움이 되는 힘을 기를 수 있으리라. 그렇다. 좀 더 의미 있는 가치를 실현하기 위해서라도 공동체와 자아가 처해 있는 역사, 사회적 현재를 바르게 파악할 수 있는 지성을 갖추는 일은 중요하다.

물론 여기서 말하는 지성을 너무 복잡한 의미로 받아들일 필요는 없다. 이때의 지성은 반추와 반문, 반성과 성찰을 바탕으로 이 나라와 지구, 그리고 저 자신의 오늘과 내일에 대해 끊임없이 근심하고 걱정하는 마음속에서 형성되기 마련이다. 근심하고 걱정하는 마음과 무관하지 않다는 점에서 생각하면 『시와시』가 추구하는 지성은 이른바 1980년대의 정신과도 통한다고 할 수 있다.

대한민국의 국민들에게 1980년대의 정신은 민족 및 민중의 재발견과 깊이 관련되어 있다. 물론 민족 및 민중이 재발견되는 배후에 도사리고 있는 기본정신은 자유와 평등과 사랑이라는 근대정신의 핵심내용이다. 프랑스 대혁명에서 비롯된 근대정신의 핵심내용인 자유와 평등과 사랑은 이제 사람과 사람의 관계를 넘어 사람과 자연의 관계로까지 확장되고 있다. 사람과 사람의 관계에서만이 아니라 사람과 자연의 관계에서도 자유와 평등과 사랑의 정신은 매우 유효한 가치가 되고 있기 때문이다. 누구와의 관계에서도 서로 억압하거나 핍박하지 않고 자유롭고 동등하게 사랑이 구현될 수 있어야 비로소 본래의 목적에 이르게 되는 것이 예의 프랑스 대혁명의 정신이다. 오늘의 대한민국 사회에서도 자유와 평등과 사랑의 정신은 아직 깨어 있는 가치로 생생하게 의미를 구현하고 있다.『시와시』또한 이러한 정신에 토대를 두고 저 자신의 길을 개척해 나가야 하리라는 것은 자명하다.

그렇다면『시와시』가 추구하고 있는 진실 혹은 진리의 개념도 여기서 별로 멀지 않다는 것을 잘 알 수 있다.『시와시』는 일단 이때의 진실 혹은 진리를 리얼리티라고 부르거니와, 실제로는 이를 모더니티라고 불러도 크게 개의치 않으려 한다. 리얼리티와 착종되어 있지 않은 모더니티가 있지 않고, 모더니티와 착종되어 있지 않은 리얼리티가 있지 않기 때문이다.『시와시』가 자신의 지향과 방향을 아래와 같이 정리하고 있는 것도 다름 아닌 이러한 생각에서 연유한다.

1. 지향

1)『시와시』는 모더니티가 있는 리얼리티와 리얼리티가 있는 모더니티를 동시에 추구한다.

2)『시와시』는 서정이 있는 리얼리티와 서정이 있는 모더니티를

동시에 추구한다.

3) 『시와시』는 모더니티와 리얼리티가 이루는 지성미와 정신미, 구체적이고 생생한 신선미를 시적 자질의 근본으로 삼는다.


2. 방향

1) 『시와시』는 지난 시기 민족시와 민중시 운동의 전통을 십분 수용한다. (반독재 민주화 및 통일운동에 앞장서던 지난 1970년대 및 1980년대의 시정신을 잊지 않는다.)

2) 『시와시』는 순도 높은 예술적 서정시를 생산, 보급하여 현대인들의 정서를 함양한다.

3) 『시와시』는 모국어 문자, 곧 한글의 아름다움과 새로움을 선양하는 데 앞장선다.

4) 『시와시』는 파괴된 자연의 현실과 소외된 인간의 현실을 심미적인 서정을 통해 극복한다.

5) 『시와시』는 새롭고 참신한 서정을 담지하고 있는 젊은 시인을 적극적으로 발굴하여 후원한다.


지향과 방향의 어의에 큰 차이가 있지 않지만 『시와시』는 편의상 기본 목표를 이렇게 정리해 홍보용 리플릿을 만든 바 있다. 모더니티가 있는 리얼리티와 리얼리티가 있는 모더니티, 서정이 있는 리얼리티와 서정이 있는 모더니티를 동시에 구현하려는 것이 『시와시』의 미학적 목표인 셈이다. 따라서 『시와시』가 추구하는 미학적 목표는 리얼리티, 모더니티, 서정성이 동시에 작용하여 만드는 지성미, 정신미, 신선미의 성취와 깊이 관련되어 있다고 할 수 있다.

이러한 논의에 덧붙여 좀 더 주목해야 할 것은 리얼리티reality의 개념이다. 기존의 리얼리즘 운동과 관련하여 리얼리티의 개념을 생각하면 우선 사실성이나 현실성이 떠오르기 쉽다. 기존의 인문학에서는 리얼리티reality를 실재 혹은 실재성으로 번역하고 있거니와, 『시와시』가 추구하는 리얼리티의 개념도 사실성이나 현실성보다는 그에 기초한 실재 혹은 실재성을 선호한다. 그뿐만 아니라 『시와시』는 리얼리티의 개념으로 실재 혹은 실재성보다 진실 혹은 진리를 훨씬 더 가깝게 생각하고 있다. 하지만 『시와시』가 엄밀하고 객관적인 사실 혹은 현실에서 형이상학적인 진실 혹은 진리가 비롯된다는 것을 모르지는 않는다. 사실로서의 구체적인 현상이 전제되지 않고서는 진실로서의 추상적인 본질은 태어나기 어렵기 때문이다.

물론 진실 혹은 진리의 개념을 함축하고 있는 리얼리티는 주체의 내부에서 깊이 고양된 정신이나, 자기 수행에서 비롯되는 깨달음의 내포를 지닌다. 시라는 언어형식 자체가 자기 단련, 곧 자기 수행의 한 형식이거니와, 지속적으로 단련된 정신의 깊이와 높이 없이 제대로 된 시의 향기를 생산하기는 불가능하다.

이렇게 정리된 『시와시』의 미학적 목표에는 시가 시 자체로 빛을 발하던 시대에 대한 향수가, 만인에 의해 시가 회자되던 시대에 대한 그리움이 함유되어 있다. 그렇다고는 하더라도 『시와시』는 이러한 시대가 조만간 쉽게 다시 오리라고 기대하지 않는다. 이 나라의 역사, 사회라는 공동체가 거대한 반동의 물결에 휩쓸리지 않고서는 그러한 시대가 쉽게 다시 오지 않으리라고 생각하기 때문이다. 『시와시』는 오히려 그러한 시대, 다시 말해 지난 1980년대와 같은 시대가 다시 오지 않도록 끊임없이 이 땅의 자아와 공동체가 이루는 현재와 미래를 감시하고 감독하는 일에 게으르지 않으려 한다.

『시와시』는 이미 이 나라의 역사, 사회라는 공동체가 문화의 종다양성의 시대에 들어서 있다는 것을 잘 알고 있다. 그뿐만 아니라 『시와시』는 그것이 곧 문화의 민주화가 실현되고 있는 구체적인 증거라고 믿고 있다. 『시와시』가 시의 다양성과 자율성을 존중하면서도 끊임없이 개성 있는 자기 영역을 만들려 노력하는 것도 실제로는 이에서 연유한다. 일단은 우리 시대에 알맞은 사회, 역사적 상상력을 회복해 이 시대의 문화적 흐름을 새롭게 펼쳐 나가려는 의지가 그 예라고 할 수 있다. 그렇다. 『시와시』는 이 나라의 사회를, 이 나라의 역사를, 이 나라의 자연을 깊이 사랑한다. 『시와시』는 무엇보다 이 나라의 시를, 시를 사랑하는 사람을 높이 사랑한다. 이처럼 이 나라의 역사와 사회와 자연에 토대를 둔 아름답고 품격 있는 서정시를 통해 생생하게 깨어 있는 삶의 진실과 진리를 탐구하려 하는 것이 『시와시』이다.

이를 바탕으로 『시와시』는 이 나라의 사회와 역사와 자연이 이루는 새로운 미래를 열기 위해 최선을 다할 생각이다. 『시와시』가 한국 현대시를 개혁하고 혁신하는 일에 적극적으로 나서려 하는 것도 본래는 이러한 기대에서 기인한다. 한국 현대시를 개혁하고 혁신하려면 무엇보다 그에 알맞은 시인과 평론가가 요구되지 않을 수 없다. 따라서 『시와시』는 한국 시단을 새롭게 개혁하고 혁신할 수 있는 새로운 시인과 새로운 평론가를 발굴하는 일에도 게으르지 않으려 한다. 이 자리를 빌려 말하거니와, 이 나라의 사회와 역사를 향해 열려 있는 마음을 갖고 있는 개성 있고 실력 있는 새로운 시인과 새로운 평론가의 적극적인 참여를 바란다.

좋은 문예지, 뛰어난 문예지는 좋은 원고, 뛰어난 글을 통해 만들어질 수밖에 없다. 따라서 다양성과 자율성을 존중하는 『시와시』는 한국 시단의 미래를 열어나갈 의욕적인 필자를 지속적으로 발굴, 소개하는 일에도 적극적으로 나설 생각이다. 『시와시』와 뜻을 함께할, 한국 시단을 새롭게 일구어 나갈 필자들의 적극적인 투고를 바란다.

『시와시』는 세계화 시대를 전제로 해외 동포들의 시에 대해서도 지속적인 관심을 가지려 한다. 디아스포라 운운하지 않더라도 그들 또한 한글로 시를 쓰고 있는 만큼 『시와시』는 좀 더 능동적으로 그들의 시를 수용할 생각이다. 그뿐만 아니라 가능하다면 세계의 여러 나라에서 생산되는 좋은 시, 모범이 되는 시도 더불어 논의할 수 있는 장을 만들려고 한다. 외래문화를 수용하는 데 적극적이지 않고 자기문화의 활로를 튼 예를, 새롭게 향상된 자기문화를 창출한 예를 찾기는 힘들다.

이 글에서 말하는 모든 것은 오늘과 내일의 독자들을 감동시키고 변화시킬 수 있는 걸작을 생산하는 일과 연결되어 있지 않으면 안 된다. 또한 그것은 걸작을 생산할 수 있는 시인과 평론가를 키워내는 일과 연결되어 있지 않으면 안 된다. 따라서 『시와시』는 무엇보다 좋은 시와 좋은 평론, 그리고 좋은 시인과 좋은 평론가를 바르게 평가하고 기리는 일에 주력하려 한다. 『시와시』가 『시와시』에 수록된 가장 좋은 작품을 골라 『시와시』 작품상을 시상하려는 것도 실제로는 이러한 마음 때문이다. 말하자면 『시와시』는 대한민국 시사의 구체적이고 실질적인 성과를 만드는 일에도 소홀히 하지 않겠다는 것이다.

지금까지 논의해온 것처럼 『시와시』가 앞으로 실천해야 할 일은 무궁무진하다. 하지만 『시와시』는 이 일을 실천하기 위해 터무니없는 과욕을 부리지는 않을 생각이다. 한 걸음 한 걸음 앞으로 나아가며 매사에 내실을 다지고 실력을 갖출 작정이다. 새롭게 출발하는 계간 시전문 문예지 『시와시』에 대한 여러분 모두의 관심과 애정을 부탁드리며 이것으로 창간사를 대신하는 바이다. (2009)

# 기독교 운동과 1980년대의 시
## ─김정환, 김진경, 김창규의 시들을 중심으로

　우리나라에 기독교가 맨 처음 소개된 것은 일천 수백여 년 전 통일신라시대라고 한다. 경주 불국사 경내에서 돌로 만든 경교景敎 십자가가 발견된 바 있기 때문이다. 물론 이 경교로서의 기독교가 그 뒤에 어떻게 되었는지는 잘 알지 못한다. 조선 중기 임진왜란 때에는 왜장인 소서행장을 따라 예수회파 신부 '세스페데스'가 경주 웅천에 상륙해 선교활동을 폈다고도 한다. 그러나 이때의 기독교 전래는 지속성을 갖지 못했고, 따라서 오늘날의 기독교와는 전혀 연맥이 닿지 않는다. 따라서 기독교 전래 200여 년이라고 할 때의 그것은 허균, 이수광, 유몽인 등에 의해 받아들여진 초기의 천주교 이후를 말하는 것이 된다.

　천주교 전래 200여 년, 개신교 전래 100여 년, 아무튼 이제 우리나라는 제법 육중한 기독교의 역사를 갖게 되었다. 그 과정에 기독교는 거듭되는 순교를 체험한 바 있고, 바로 그 순교의 체험이 밑거름 되어 오늘날과 같은 엄청난 힘과 세력을 확보하게 된 것이리라. 골목골목을 내려 비추는 끝없는 교회의 십자가 불빛을 보라. 교회는 지금 순식간에도 이 땅을 십자가로 덮어버리기라도 할 듯 성장하고 있다.

　물론 교회의 성장은 교회 문화의 성장을 뜻하고, 교회 문화의 성장은 기독교 문화의 성장을 뜻한다. 문화는 그것이 무엇이든 본질의 드러냄,

정신의 드러냄 속에서 가능하기 마련이다. 그것은 당연히 기독교 문화의 경우에도 마찬가지이다. 따라서 겉으로 드러나 있는 삶의 현상, 곧 문화를 통하지 않고서는 그것의 본질, 정신을 제대로 알기 어렵다.

기독교의 전래는, 적어도 우리나라의 경우에는 그 대부분 서세동점과 함께해온 것이 사실이다. 서구의 제국주의 침략정신과 묘한 접점을 이루는 가운데 기독교의 자유와 사랑과 평등과 평화의 정신이 이 땅에 밀려 왔다는 것이다. 이처럼 엄연한 역사적 사실을 오늘날 우리나라의 기독교는 어떻게 설명할 것인가. 삶의 현상, 문화를 통하지 않고서는 그것의 본질을 알 수 없다고 할 때 기독교의 이 양가적 특징은 그것의 본질이라고도 할 수 있는가. 그렇다. 이들 양가적 특징은 기독교의 본질이다. 적어도 현재의 대한민국 기독교 전체를 개괄해 보면 그 점에서만큼은 적어도 그렇다. 두 개의 얼굴을 갖고 있는 기독교!

물론 2000여 년 전 골고다 언덕에서 십자가에 못 박혀 죽은 예수 그 자신의 정신은, 본질은 그렇지 않으리라. 하지만 콘스탄티누스 대제에 의해 공인되면서, 세계적 종교로 자리하면서 기독교는, 예수의 정신은 두 개의 얼굴을 갖게 된 것이 사실이다. 한편으로는 지배세력에 영합하면서도, 다른 한편으로는 피지배 세력을 부추겨온 것이, 그렇게 보수와 진보가 묘하게 결합해온 것이 기독교의 역사이다. 그렇다고는 하더라도 이제 기독교는 한쪽의 얼굴, 앞장서 조찬기도회나 여는 얼굴 따위는 버려야 한다. 목수의 아들, 곧 예수의 본래 얼굴로 돌아가 그 얼굴로 자유와 사랑과 평등과 평화를 말하고 실천해야 한다. 인류는, 특히 우리 민족의 현실은 이제 더 이상 변혁의 의지를 포기한 기독교를 필요로 하지 않는다.

하지만 필자의 이러한 논의는 한갓 기우에 불과할지도 모른다. 오늘날 기독교 문화는, 점차 가시적으로 드러나는 새로운 기독교의 현상은 충만한 생명으로 끝없이 저 자신을 변화시켜 가고 있기 때문이다. 누구라도 그 실례를 두루 발견할 수 있는바, 여기서는 그것을 1980년대의 몇몇 시작품을 통해 검증해보기로 한다

주지하다시피 기독교계는 지금 이 시대의 민주화운동에 적지 않은 실천력을 갖고 참여해온 바 있다. 그것은 먼저 예수의 의미를 재해석하는 과정에서 시작되었는데, 가장 선명하게 떠오른 것은 가난한 이웃들과 고통을 함께 나누는 해방자로서의 이미지이다. 사람의 아들로서 이웃들의 아픔을 공유하는 예수, 민중 속에서 민중의 이름으로 거듭나는 예수, 1980년대의 젊은 기독교 정신의 시인들은 바로 이러한 예수의 형상을 창출하는 데 주력한 바 있다.

다음은 김정환의 『황색예수전』 중 「서시」의 일부이다.

> 그대는 살과 뼈와 피비린 인간의 모습
> 인간됨의 가장 비참한 모습
> 사람들은 믿지 않는다.
> 그대는 하늘 그냥 늘 푸르른 하늘일 뿐
> 그대 못 박힌 손발의 상처에
> 갈수록 아픔이 생생한 살이 돋는 사랑을
> 사람들은 믿지 않는다.
> 그래도 어쩔 수 없다, 사랑의 힘은 그대를 다시 태어나게 하고

이 시에서 서정적 자아는 예수가 "피비린 인간의 모습"을 하고 있다는 것을 강조한다. 더불어 예수가 "못 박힌 상처에", "생생한

살"을 돋게 하는 "사랑의 힘"도 갖고 있다는 것을 말한다. 그러나 이 시에 인식되어 있는 사람의 아들로서 예수의 형상은 아무래도 다소간 추상적이다. 그에 비해 김진경의 시집 『우리 시대의 예수』에 이르면, 이러한 예수의 형상은 훨씬 더 구체화된다. 사랑으로서의 예수, 예수로서의 사랑은 무엇을 향해 움직이는가, 누구를 향해 움직이는가. 김진경은 그의 시 「우리 시대의 예수」에서 예수의 형상을 다음과 같이 선명하게 창조한다. 그의 시에서 화자의 어조는 매우 단호하다.

> 예수는 그 사람들 속에 있지 않다.
> 너에게 회개하라고
> 빵 몇 조각을 던져 주고 간 그 사람들 속에 있지 않다.
> 크리스마스 캐롤 속에 있지 않다.
> 예수는 예루살렘의 더러운 말구유 속에
> 서울의 냄새나는 서대문 구치소
> 빵끼통 곁에 쭈그려 앉아
> 강도나 강간 미수의 얼굴을 하고 있다.

이 시 속에 드러나 있는 예수의 형상은 매우 명확하다. 시인 김진경이 볼 때, "예수는 늘 버려진 자 속에"서 "강도나 강간 미수의 얼굴"을 하고 존재한다. 그렇다면 버려진 자, 소외된 자는 이 땅, 이 사회에서 구체적으로 어떠한 사람들인가. 사람들은 흔히 그들을 민중이라고 부르는바, 따라서 이에는 당연히 계급 개념이 포함되어 있다.

예수는 목수의 아들로, 다시 말해 노동자의 아들로 이 세상에 등장한다. 왜, 무엇 때문에, 예수는 그러한 모습으로 사람들에게 존재하는가.

이러한 물음은 곧바로 예수의 해방운동이 지향하는 세계를 암시한다. 그러나 이러한 논의는 오늘의 현실에서 아직은 하나의 이상이고 희망일 뿐이다. 예수의 얼굴을 하고 온 하나님, 노동자의 하나님을 청주 '빛고을' 교회의 전도사이기도 한 젊고 패기 있는 시인 김창규는 다음과 같이 갈구하고 있다.

> 짐꾼인 내가 리어카에 밀려나면
> 하나님은 나에게
> 막걸리 한 잔을 권합니다.
> 이마에 배이고 손에 배이고 한
> 한 많은 세월이 나를 울립니다.
> 못 배우고 무식한 노동자의 하나님
> 당신은 지금 어디에 계십니까.
>
> ─「노동자의 하나님」 부분

이 시의 서정적 자아는 노동자와 함께하고 있는 하나님의 형상을 그리고 있다. 하지만 하나님은 사람의 형상으로, 노동자의 아들로 이 땅에 왔지만, 실제로 그분이 아직 완전히 노동자로 노동자와 함께하고 있지는 못하다. 그렇기 때문에 오늘날 젊은 기독교 운동가들이, 그리고 기독교 시인들이 초대교회의 신도들이 보여주었던 저 예언성, 그때의 예수상을 되찾기 위해 이처럼 헌신하는 것 아닌가.

예수의 본질에 대한 이러한 질문, 즉 예수는 누구인가, 예수는 누구와 함께하는가 하는 질문은 매우 소박하고 유치해 보일 수도 있다. 그렇다고는 하더라도 깨어 있는 사람은 거듭해 이러한 질문을 던지고 또

던져야 하리라. 그럴 때나 기독교 운동은 전체 역사의 변혁운동과 그 맥을 함께할 수 있기 때문이다. 물론 그것은 기독교 문학의 경우에도 마찬가지이다.

지금까지 필자는 예수의 형상을 새롭게, 아니 원래의 본질 그대로 인식해온 몇몇 젊은 시인들의 작품을 살펴본 바 있다. 하지만 그것만으로는 아직 예수를 바라보는 시인들의 시각을 바로 알기에 부족하다. 기독교계의 적지 않은 실세가 아직도 여전히 보수의 벽 속에 갇혀 구태의연한 기득권의 향유에 급급해 있기 때문이다. (1988)

# 완충과 중립으로 표상되는 원시대지와
# 생명의 노래
## —신동엽의 시와 몇 가지 질문

시인 신동엽과 관련해 맨 처음 떠오르는 것은 '민족'이라는 단어이다. 수많은 사람들이 그를 가리켜 '민족시인'이라고 말하고 있거니와, 이제는 그것이 하나의 관용구로 되어 있다는 느낌까지 든다.

'민족시인 신동엽'이라는 관용구 속에는 그가 당대의 민족문제 전반에 대해 매우 민감하고 진지한 비판적 자세를 견지했다는 뜻이, 나아가 폭넓은 진보적 자세를 보여주었다는 뜻이 포함되어 있다. 그렇다. 그의 시에는 동학농민전쟁, 4·19혁명 등과 함께해온 민족사 전반에 관해 자못 비판적이고 진보적인 시각이 폭넓게 드러나 있는 것이 사실이다.

신동엽은 1989년까지만 해도 시집이 출판과 판매가 금지되어 있었던 시인이다. 1950년대와 1960년대 남한에서 활동한 시인 중에서는 거의 유일무이하게 1989년까지 출판과 판매가 금지되어 있었던 것이 그의 시집이라는 것이다. 물론 이는 그의 시가 포괄하고 있는 시대성과 역사성, 그리고 그것을 토대로 하고 있는 비판성과 진보성이 당대 사회를 지배하고 있던 사람들의 눈에는 불온하고 부정하게 비추어졌기 때문이다. 당대 사회를 지배하고 있던 문화적 상식이 참으로 보잘것없는 군부독재 세력의 눈으로는 그의 시가 지니고 있는 비판성과 진보성이 단지 마르크스주의적 경향으로만 읽혀졌을는지도 모른다. 나아가 그의 시에 담겨 있는 마르그스주의의 경향이 미치게 될 대중적 감염력을 크게 염려했을는지도 모른다.

그렇다면 그것은 그의 시에 대한 잘못된 판단에 따른 엉뚱한 난센스에 불과하다고 해야 옳다. 민족사와 함께하는 한편, 제반 현실에 대한 비판적이고도 진보적인 시각을 토대로 하고 있기는 하지만 그의 시와 함께하고 있는 세계관의 경우 마르크스주의적 일원론적 세계관, 곧 선조적線條的이면서도 발전론적 세계관과는 다소 거리가 있기 때문이다. 이와 관련해서는 일단 먼저 그가 자신의 시를 통해 인간의 역사를 평면적이고도 임의적인 진보 및 발전의 개념으로만 파악하고 있지는 않다는 것부터 알아야 한다.

그의 유명한 에세이 「시인 정신론」에 따르면 인간의 역사는 원수성의 세계에서 차수성의 세계로, 차수성의 세계에서 귀수성의 세계로, 귀수성의 세계에서 다시 원수성의 세계로 순환하는 과정을 밟는다. 그의 문학과 함께하고 있는 이러한 역사인식은 노자나 장자, 나아가 수운이나 증산 등 동양사상 및 민족사상 등에서 흔히 찾아볼 수 있는 순환론적 세계관과 함께한다. 그가 추구하는 원수성의 사상이 기본적으로는 천도교나 증산교에서 말하는 원시반본의 사상과 별로 다르지 않다는 것부터 기억할 필요가 있다.

시에 드러나 있는 민족현실에 대한 그의 제반 우려와 비판이 기본적으로는 앞에서 말한 바와 같이 넓은 의미에서의 순환론적 세계관에 기초해 있다는 것은 자명하다. 그가 현대의 도시 중심적 산업문명의 사회도 궁극적으로는 이 원수성의 세계, 다시 말해 원시적 대지와 생명의 자연으로 회귀하리라고 믿고 있기 때문이다.

이로 미루어 보면 시를 통해 그가 꿈꾸는 원시적 대지와 생명의 자연은 농촌공동체적 자주성의 모습으로 구체화되어 있다고 해야 마땅하다. 농촌공동체적 자주성은 마을 단위의 공동체를 바탕으로 할 수밖에 없거니와, 그렇다면 그가 자연의 파괴 및 그와 함께하는 성장의 근대, 곧 발전의 근대에 대해 매우 부정적이리라는 것은 너무도 당연하다. 그의 시가 비도시적이고 탈산업적이며 비기하학적인 정신 지향을 보여주는 것도 실제로는 이와 무관하지 않다.

신동엽 시의 이러한 정신지향은 심지어 아나키즘적이면서도 노장적 인 인간의 자율성과 자유의지에 토대를 두고 형상화되어 있기까지 하다. 그가 국가나 정부의 권력이 개입하지 않은 순수한 자연 그대로의 마을공동체를 바탕으로 하는 전경인全耕人의 삶을 이상으로 삼고 있었다 는 점을 기억해야 한다. 다음의 시에서 그가 마을공동체에 바탕을 둔 쟁기꾼의 대지를 노래하고 있는 것도 이러한 정신지향과 무관하지 않다.

> 태백 줄기 고을고을마다 강남제비 돌아와
> 흙 물어 나르면, 산이랑 들이랑 내랑 이뤄
> 그 푸짐한 젖을 키우는
> 울렁이는 내 산천인데……
>
> 맛동 마을 농사집 태어나 말썽 없는 꾀벽동이로
> 덩굴병굴 자라서, 씨 뿌릴 때 씨 뿌리고
> 거둬들일 때 거둬들일 듯, 이웃 마을 어여쁜 아가씨와
> 짤랑짤랑 꽃가마도 타보고,

환갑잔치엔 아들 손주 큰절이나 받으면서
한평생 살다가 묻혀 가도록 내버려나 주었던들.

(중략)

우리하고 글쎄 무슨 상관이 있단 말요.
왜 자꾸 와 귀찮게 찝적이냐 말요.
내 멀쩡한 사지로 땅을 일궈서
강냉이, 고구마, 조를 추수하고
옆 마을 해삼장, 전복과 바꿔오구
시집 보내구, 장가 보내구, 잘 사는데
글쎄 뭘 어떡허겠단 말이랑요.

　　　　　　—「이야기하는 쟁기꾼의 대지」 제4화 부분

　이 시 위의 구절들에는 "산이랑 들이랑 내랑 이"루는 곳, 곧 자연이
"푸짐한 젖을 키우는" 산천에서 "씨 뿌릴 때 씨 뿌리고 / 거둬들일
때 거둬들"이며 살아가는 삶에 대한 시인의 강한 의지가 담겨 있다.
물론 이러한 삶은 "멀쩡한 사지로 땅을 일궈서 / 강냉이, 고구마,
조를 추수하고 / 옆 마을 해삼장, 전복과 바꿔오"는 무위자연의 나날을
가리킨다. 이때의 삶이 원시적 대지와 생명의 자연으로 가득 차 있는
세계, 곧 신동엽이 강조하는 원수성의 세계라는 것은 불문가지이다.
　따라서 원시적 대지와 생명의 자연인 원수성의 세계로 회귀하는
것이 그의 시가 지니고 있는 가장 핵심적인 정신지향이라고 해야
옳다. 물론 이러한 정신지향은 그의 시의 역사관과 세계관의 토대를

이루고 있거니와, 이로 미루어 보더라도 그의 시에 함유되어 있는 비판성과 진보성의 뿌리가 어디를 향해 내리고 있는가를 알기는 어렵지 않다.

실제의 그의 시에서 역사관과 세계관의 토대를 이루는 원시적 대지와 생명의 자연, 곧 원수성의 세계를 향한 강한 의지는 이런저런 변용을 낳을 수밖에 없다. 그의 시에서 '중립'이라든지 '완충'이라든지 하는 언표로 요약되는 정신지향도 실제로는 원시적 대지와 생명의 자연을 향한 의지의 한 변용이라고 해야 마땅하다. 다소 관념적으로 보이기는 할지라도 그가 자신의 시에서 '중립' 혹은 '완충'의 공간을 꿈꾸는 것도 사실은 원수성의 세계가 함유하고 있는 원시적 대지와 생명의 자연을 향한 의지를 구체적으로 형상화한 것이라는 이야기이다.

물론 그의 시에 드러나 있는 이러한 의지가 다소간 추상적으로 보이는 것은 분명하다. 그러나 이때의 추상적으로 보이는 것이 당대적 삶의 구체적 현실과 전혀 무관한 채 추상 그 자체로 존재하는 것은 아니다. 그의 시에 함유되어 있는 '중립' 혹은 '완충'이라는 언표가 포괄하는 의미망이 실제의 나날에서는 구체적이고도 생생한 역사적 삶의 공간과 뒤얽혀 있기 때문이다.

다음의 예를 보자.

하루해
너의 손목 싸쥐며
고드름은 운하 이켠서
녹아버리고

풀밭

부러진 허리 껴 건지다 보면

밑둥 긴 폭포처럼

역사는 철철 흘러가버린다.


피 다순 쭉지 잡고

너의 눈동자, 영 넘으면

완충지대는,

바심하기 좋은 이슬 젖은 안마당.


고동치는 젖가슴 뿌리 세우고

치솟는 삼림 거니노라면

초연 걷힌 밭두덕 가

풍장 울려라

—「완충지대」 전문


술을 많이 마시고 잔

어젯밤은

자다가 재미난 꿈을 꾸었지


나비를 타고

하늘을 날아가다가

발아래 아시아의 반도

삼면에 흰 물거품 철썩이는

아름다운 반도를 보았지.


그 반도의 허리, 개성에서
금강산 이르는 중심부엔 폭 십리의
완충지대, 이른바 북쪽 권력도
남쪽 권력도 아니 미친다는
평화로운 논밭.


술을 많이 마시고 잔 어젯밤은
자다가 참
재미난 꿈을 꾸었지


그 중립지대가
요술을 부리데.
너구리 새끼 사람 새끼 곰 새끼 노루 새끼들
발가벗고 뛰어노는 폭 십리의 중립지대가
점점 팽창되는데, 그 평화지대 양쪽에서
총부리 마주 겨누고 있던
탱크들이 일백팔십도 뒤로 돌데.


하더니, 눈 깜짝할 사이
물방개처럼
한 떼는 서귀포 밖
한 떼는 두만강 밖

거기서 제각기 바깥 하늘 향해
총칼들 내던져버리데.


꽃피는 반도는
남에서 북쪽 끝까지
완충지대
그 모오든 쇠붙이는 말끔히 씻겨가고
사랑 뜨는 반도
황금 이삭 타작하는 순이네 마을 돌이네 마을마다
높이 높이 중립의 분수는
나부끼네.


술을 많이 마시고 잔
어젯밤은 자면서 허망하게 우스운 꿈만 꾸었지.

　　　　　　　　　—「술을 많이 마시고 잔 어제 밤은」 전문


　　이들 시에서 '완충지대'나 '중립'이라는 기표로 표현되어 있는 여러
공간은 말할 것도 없이 분단 이후 남북이 대치하고 있는 상황하의
비무장지대를 가리킨다. 하지만 여기서 정작 주목해야 할 것은 이때의
'완충지대'나 '중립'이라는 개념이 있는 그대로의 비무장지대를 표피
적으로 지시하는 데 그쳐 있지 않는다는 점이다. 말하자면 이들 언표에
는 이미 통일조국의 미래에 대한 시인 신동엽의 정치적 상상력이
깊이 내재해 있다는 것이다.
　　정치적 상상력이라고 할 때의 그것의 내포는 자못 분명하다. 그가

미래의 통일조국을 자본주의 및 사회주의의 영향으로부터 공히 자유로운 중립국으로 설정하고 있기 때문이다. 이러한 그의 상상력은 소비에트를 비롯한 현실사회주의 국가가 몰락해버린 오늘날의 입장에서는 비실재적 이상을 표현한 것이라고도 할 수 있다. 하지만 당시로서는 그것이 매우 큰 용기를 필요로 하는 뜻깊은 발상이고 제안이었다고 해야 마땅하다. 물론 가능하기만 하다면 중립국으로서의 남북통일이야말로 지금도 의미심장한 대안으로 제시될 수 있다. 경제체제의 선택을 떠나 주변의 강국, 즉 미일중소로부터 안전보장만 받을 수 있다면 중립국으로서의 남북통일이 얼마든지 가능할 수 있기 때문이다.

하지만 정작의 문제는 그의 시에서 이 '완충'과 '중립'의 의미망이 반드시 정치적 상상력으로서의 중립국에 대한 의지만을 포괄하지는 않는다는 점이다. 무엇보다 이에는 민족사 전체의 올바른 진행방향과 관련한 '참된 중도'의 실현, 그에 따른 변증법적 지양, 그리고 당대 사회의 제반 모순을 극복하고자 하는 신동엽 나름의 깊은 통찰과 고뇌가 들어 있다는 것을 잊어서는 안 된다.

이상의 논의로 보면 분단현실의 변증법적 지양이라고 할 수 있는 '완충'과 '중립', 그리고 그것으로 표상되는 '원시적 대지와 생명의 자연'을 향한 자신의 의지를 온갖 폭압이 횡행하는 당대의 사회상황하에서도 매우 용기 있게 노래했던 것이 시인 신동엽이라고 할 수 있다. 물론 그가 시를 통해 꿈꾸어온 중립으로서의 '씨앗의 세계', 곧 '알맹이의 세계', 곧 '원수성의 세계'에 대한 꿈은 여전히 유효한 면이 많다. 바로 이러한 점에서 그가 꿈꾸어왔던 정신가치와 정신지향은 매우 소중하게 탐구되고 선양되어야 마땅하다. 알맹이는 넓히고 껍데기는 줄여 '완충'과 '중립'의 땅을 이루고자 하는 꿈, 곧 '원시적 대지와

생명의 자연'을 이루고자 하는 꿈, 다시 말해 원수성의 세계를 실현하고
자 하는 꿈을 꾸고 있는 것이 그의 시세계이기 때문이다.

　이러한 점은 다음의 시 「껍데기는 가라」에서도 마찬가지로 찾아볼
수 있다.

　　　껍데기는 가라.
　　　사월도 알맹이만 남고
　　　껍데기는 가라.

　　　껍데기는 가라.
　　　동학년 곰나루의, 그 아우성만 살고
　　　껍데기는 가라.

　　　그리하여, 다시
　　　껍데기는 가라.
　　　이곳에선, 두 가슴과 그곳까지 내논
　　　아사달 아사녀가
　　　중립의 초례청 앞에 서서
　　　부끄럼 빛내며
　　　맞절할지니

　　　껍데기는 가라.
　　　한라에서 백두까지
　　　향그러운 흙가슴만 남고

그, 모오든 쇠붙이는 가라.

　　　　　　　　　　　　　　　　　　—「껍데기는 가라」 전문

　이 시 「껍데기는 가라」의 주제는 앞에서 인용한 「술을 많이 마시고 잔 어제 밤은」과 매우 유사하다. 「술을 많이 마시고 잔 어제 밤은」의 축약본이라고도 할 수 있을 만큼 유사한 발상을 담고 있는 것이 이 시 「껍데기는 가라」이다. 물론 「껍데기는 가라」의 "이곳", "중립의 초례청" 등의 언표가 「술을 많이 마시고 잔 어제 밤은」에는 "완충지대", "중립지대", "평화지대" 등의 언표로 변용되어 드러나 있다. 그뿐만 아니라 「껍데기는 가라」의 껍데기의 구체적인 내포인 "쇠붙이"는 「술을 많이 마시고 잔 어제 밤은」에도 그대로 반복되어 나타난다. 비록 기표는 다르지만 기의는 다르지 않은 것이 그의 시의 이들 이미지라는 것이다.

　「껍데기는 가라」가 처음 발표된 것은 1967년(『52인시집』)이고, 「술을 많이 마시고 잔 어제 밤은」이 발표된 것은 1968년(『창작과비평』 여름호)이다. 따라서 발표된 해를 창작된 해로 보면 「껍데기는 가라」의 창작년도가 「술을 많이 마시고 잔 어제 밤은」의 창작년도보다 다소간 빠르다. 그것이 사실이라면 「껍데기는 가라」의 내포를 확장해 쓴 시가 「술을 많이 마시고 잔 어제 밤은」이라고 해야 옳다.

　하지만 창작년도의 선후 관계를 떠나 이들 두 편의 시가 시인 신동엽의 민족통일론 및 조국의 미래에 대한 전망을 담고 있는 것은 사실이다. 민족통일론 및 조국의 미래에 대한 전망이라고 할 때의 그것이 중립화 통일론이라는 것은 이론의 여지가 없다. 쇠붙이로 상징되는 껍데기, 곧 남쪽 권력과 북쪽 권력, 그리고 그 배후에 자리해 있는 권력으로

426

하여금 모든 "총칼들"을 내던져버리게 하고, 중립화 통일을 이루려 하는 것이 그의 이상이기 때문이다. 좀 더 구체적으로 말하면 비무장지대, "폭 십리의 중립지대가 / 점점 팽창되"도록 하는 데, "그 평화지대 양쪽에서 / 총부리 마주 겨누고 있던 / 탱크들이 일백팔십도 뒤로 돌"도록 하는 데, 그리하여 "꽃 피는 한반도" "남에서 북쪽 끝까지 / 완충지대"를 이루려 하는 것이, "사랑 뜨는 반도"를 이루려 하는 것이 그의 꿈이라는 것이다. 이때의 "완충지대", "사랑 뜨는 반도"가 앞에서 말한 원시적 대지와 생명의 자연으로 가득 찬 세계라는 것은 불문가지이다. 이를테면 이야기하는 쟁기꾼의 세상, 곧 전경인의 마을 공동체 말이다. 시인 신동엽이 보기에는 바로 그러한 세계가 곧 "알맹이"의 세계, "향그러운 흙가슴"의 세계인 것이다. (1994)

# 초월적 죽음과 튼실한 울음의 세계
## —김수영과 조태일의 시정신

### 1

　김수영의 시세계를 간략히 정리해 보면 초월, 새로움, 자유, 사랑, 그리고 이 모든 것들의 바탕이 되는 죽음의 정신으로 나누어 생각해볼 수 있다. 그의 시에서 특히 죽음의 문제는 초월, 새로움, 자유, 사랑의 세계로 나아가기 위한 일종의 통과제의로서 정신의 한 과정이며, 한 첨단이라고 할 수 있다.

　'초월에의 의지'는 본래 오늘의 삶의 현실을 고통으로 인식하게 될 때 촉발되기 마련이다. 자아가 일상의 현실과 부조화를 거듭하게 될 때 꾸게 되는 아픈 꿈을 기저로 하는 것이 초월에의 의지이다. 물론 이는 김수영의 경우에도 마찬가지이다. 그의 시의 경우 초월에의 의지는 파괴되고 일그러진 해방공간 및 분단 직후 일상의 삶을 좀 더 철저하고 명징하게, 그리고 떳떳하게 영위하기 위한 의식의 한 형태로 추구되고 있기 때문이다. 자아와 세계의 파괴된 관계, 곧 갈등과 혼돈의 현실 속에서도 자신을 온전히 지키면서 삶을 완성시켜 나가기 위한 의지의 한 형태로 나타나는 것이 그의 시에 드러나 있는 초월에의 의지라는 것이다. 「공자의 생활난」, 「九羅重花」 등의 시에서 이러한 예를 살펴볼 수 있는데, 그것은 물론 정면으로 '죽음'의 정신과정을 통과하는 가운데 획득된다. 「공자의 생활난」 마지막 연에 드러나 있는 "그리고 나는 죽을 것이다", 「九羅重花」의 마지막 연에 나타나 있는 "죽음 위에 죽음을 거듭하리"와 같은 구절에서 그 실례實例가 확인된다. 초월에의 의지가 더 높은 단계의 정신적인 삶에 이르려는 의지와 무관하지 않다는 점과 관련시켜 생각하면 그의 시 「달나라 장난」의 "영원히 나 자신을 고쳐가야 할 운명과 사명에 놓여 있"다는 인식도 마찬가지의 맥락에서 이해해야 한다.

'새로움의 정신'은 모든 낡은 것은 상투적인 것이라고 인식하는 가운데 태어나기 마련이다. 본래 낡은 것은 반성과 자각을 이루지 못하고 인간을 나태와 타성으로 이끌어 가는 것이 보통이다. 김수영이 생각하는 상투적인 것은 시의 어휘로부터 심지어 생활태도, 제도와 가구, 그리고 도덕과 윤리 등에까지 이르고 있다. 이러한 점에서 생각하면 그에게 새로움의 시정신은 삶의 중요한 일부라고 해도 과언이 아니다. 산문 「삼동유감」에서도 확인할 수 있듯이 그는 항상 삶의 모든 일상에서 자신과 자신의 시가 혹시라도 낡거나 마비되지 않았는가 하고 반성한다. 이러한 낡거나 마비되지 않으려는 정신은 그가 생각하는 기존의 모든 것들에 대한 반란과 저항의 형태로 나타나는데, 「말복」과 같은 시에서는 아예 "거역하라 거역하라"고 하며 일종의 구호를 외치기까지 한다. 나아가 「폭포」와 같은 작품에서는 "쉴 사이 없이 떨어"지는 폭포의 이미지로부터 끊임없이 "懶惰와 안정을 뒤집"고 있는 새로움의 정신을 발견하기도 한다. 특히 이 시에서 그는 폭포가 갖는 '떨어짐'의 이미지를 통해 죽음의 과정을 통과하는 가운데 획득하게 되는 새로움의 정신을 노래한다. 새로움의 정신 역시 여타의 정신과 마찬가지로 죽음의 과정을 돌파할 때 획득될 수 있는 정신의 한 경지라는 것인데, 이는 「꽃잎(一)」에서도 확인할 수 있는 것처럼 대개 '떨어짐' 의 이미지, 하강의 이미지를 매개로 해서 드러난다.

김수영이 갖고 있는 시정신의 하나로 '자유'를 거론하는 것은 새삼스 러울 것이 못된다. '자유의 시정신'은 시인으로서 그의 신앙이었으며 종교였고 문학적 가치척도였다고 해도 과언이 아니다. 그의 시에 의하 면 자유는 일종의 신의 섭리로서 인간의 근원적인 본성에 속한다. 그의 시 「記者의 情熱」에서 말하고 있는 것처럼 "太陽의 다음가는" 것이 자유라는 것으로, 인간의 표상인 동시에 기본적인 조건인 이 자유를 그는 도달해 향유하는 것이 아니라 끊임없이 움직이고 행동하는 삶의 과정에 존재하는 것이라고 파악한다. 따라서 자유는 그가 자신의 시 「헬리곱터」에서 표현하고 있는 것처럼 "비애"를 동반하는 것일 수밖에 없고, 산문 「시여 침을 뱉어라」에서 강조하고 있는 것처럼 "고독한 것"일 수밖에 없다. 물론 비애와 고독의 감정은 죽음의 감정 중의 하나이거니와, 이러한 죽음의 감정을 통과하지 못하고서는 엄밀 한 의미에서의 자유를 이행하는 일은 불가능하다. 그가 자신의 시 「死靈」에서

> 활자는 반짝거리면서 하늘 아래에서
> 간간이
> 자유를 말하는데
> 나의 靈은 죽어 있는 것이 아니냐

라고 노래하고 있는 것도 사실은 이 때문이다. 자유의 정치적 이념인 민주주의를 소재로 하고 있는 그의 시 「하……그림자가 없다」에서

"민주주의의 싸움에는 그림자가 없"어야 한다고 노래하고 있는 것도 이때의 그림자가 칼 융이 말하는 '그림자', 즉 죽음의 자아라는 점을 생각하면 그가 말하는 자유가 죽음을 통과할 때 비로소 정작의 의미를 얻는다는 뜻을 알 수 있다. 이러한 맥락에서의 자유에 대한 성찰은 그의 다른 시 「눈」의 "죽음을 잃어버린 靈魂과 肉體를 위하여"와 같은 구절을 통해서도 확인이 된다. 이 구절이 의미하는 것을 '완전한 자유, 영원한 자유를 획득한 하나의 생명을 위해'라고 의역할 수도 있기 때문이다.

'사랑의 정신'은 김수영의 말년의 시세계를 특징짓는 가장 중요한 가치이다. 그의 시에서 사랑의 정신은 현대사회에 만연되어 있는 인간상실의 고통을 치유하기 위한 가장 의미 있는 정신의 영역으로 설정되어 있다. 인간상실의 고통은 인간소외의 고통이고, 인간소외의 고통은 자아 및 세계로부터의 분리의 고통인바, 이때의 상실감, 소외감, 분리감은 베르쟈예프도 말하고 있듯이 생명의 감정이 아니라 죽음의 감정이라고 할 것이다. 따라서 그의 시 「강가에서」, 「구름의 파수병」, 「후란넬 저고리」 등에서 살펴볼 수 있는 상실감, 소외감, 분리감으로서의 죽음의 정서는 오직 자아 및 세계와의 하나됨, 즉 사랑의 실천을 통해서만 극복될 수 있다. 김수영의 시에서 사랑의 정신은 바로 이러한 맥락에서 그 본연의 의미망을 갖는다. 산문 「한국인의 애수」에서 사랑이 "죽음을 초극"할 때 비로소 획득될 수 있다고 말하고 있는 것도, 시 「世界一周」에서

　　二十一개국의 정수리에
　　사랑의 깃발을 꽂는다

라고 하는 것도, 「사랑의 變奏曲」에서 "사랑을 만드는 기술을 안다"고 하는 것도 마찬가지이다. 사랑의 정신에 대한 이러한 이해는 그의 시 「巨大한 뿌리」나 「現代式 橋梁」에서도 동일하게 찾아볼 수 있다. 하지만 「사랑의 變奏曲」은 특히 그가 산문 「시여 침을 뱉어라」에서 말하고 있는 "온몸에 의한 온몸의 이행이 사랑"이라는 사유가 가장 설득력 있게 성취되어 있는 시라는 점에서 주목을 해야 한다.

이상에서 살펴본 것처럼 김수영의 시는 죽음의 과정을 통과할 때 정작으로 획득할 수 있는 초월, 새로움, 자유, 사랑의 정신을 토대로 하고 있다. 물론 김수영의 시에 드러나 있는 이러한 것들은 기본적으로 프랑스 대혁명 이후 전 세계의 보편적 가치로 전화된 자유, 평등, 사랑의 정신을 변용하고 있다. 이를테면 김수영은 자신의 시를 통해 아직도 채 이루지 못한 깨어 있는 시민부르주아의 건강한 제정신을 육화肉化하고, 실천하고 있다는 것이다. 특히 유작시의 하나로 인구에 회자되고 있는 「풀」과 같은 작품에서는 산문 「아직도 안심하긴 빠르다」에서 그가 말하고 있는 것과 같은 "나라와 역사를 움직여가는 힘이 정부에 있지 않고 민중에게 있다는 자각"까지 보여주고 있어 그의 돌연한 죽음을 맞이하는 사람들을 안타깝게 하고 있다. (1995)


2

조태일의 시정신을 간략히 정리하면 '씩씩한 울음, 튼실한 눈물의 세계'라는 말로 요약할 수 있다. 이와 관련해 우선 먼저 떠오르는 그의 시정신은 '순결 혹은 원초적 정의에의 몸부림'이라는 말로 대변된다.

시인 조태일이 동시대의 여러 사람들에게 널리 알려지게 된 것은 출간 직후 곧바로 판매금지 처분을 받은 그의 제3시집 『국토』로 인해서이다. 이 시집의 발문에서 평론가 염무웅은 그의 시의 특징을 "그만한 체구를 가진 사람이나 쏨직한 튼튼하고 완강하고 우렁찬 것"으로서 "흔히 우리가 시적이라고 생각하기 쉬운 선병질적인 것과는 거리가 멀다"고 말한다. 염무웅의 이러한 말은 시집 『국토』의 세계에만 한정해 언급하면 여전히 옳다. 『식칼론』과 『국토』로 대표되는 그의 초기시의 경우 대부분 역동적 에너지를 바탕으로 하는 원체험의 육성이 정서의 기초를 이루고 있다. 그런가 하면 그것은 또한 순결하고 순수한 대지적 삶, 곧 신화적 일치의 세계에 대한 강한 열망을 바탕으로 하고 있기도 하다.

초기의 시에서 조태일의 이러한 열망은 원초적 정의에 기반을 둔 자유와 민주를 향한 순결한 의지로부터 발현되고 있다. 여기서 말하는 원초적 정의는 그의 초기시의 세계가 '된장'이라든지 '처녀'라든지 '눈깔사탕'이라든지 '쌀'이라든지 하는 본원적이고도 즉물적인 이미지를 바탕으로 출발하는 것과도 무관하지 않다. 그의 시가 보여주는 이러한 의식지향, 즉 시원적 자유와 민주를 향한 순결한 행진은 그의 데뷔작인 「아침 선박」에 드러나 있는,

> 당황하던 파도를
> 식욕을 거느린 별들이 주워들고 멀리 떠났다.
> 험한 해협엔 그러나
> 의지를 철썩이는 잔잔한 파도의 무료

와 같은 구절에 의해서도 확인할 수 있다. 이들 구절이 내포하는 의미의 경우 당시의 시대상황이나 시인의 정신편향과 관련해 생각할 때 '파도'가 4·19 혁명을, '별들'이 5·16 쿠데타를 상징한다는 것을 알 수 있기 때문이다.

이처럼 그는 시작詩作의 초기부터 자기 시대의 현실 문제에 매우 깊숙이 참여해온 바 있다. 인간에게 본래부터 주어져 있는 무구하고 순수한 정신을 옹호하는 가운데 그것을 불가능하게 하는 것들에 대한 강한 저항의 마음을 드러내왔던 것이 그의 시이다. 그리하여 급기야 그는 「눈깔사탕」 연작에 이르러 5·16 쿠데타 이후 "눈깔사탕을 받아들자 히히히 호호호 웃"으며 "쫄랑쫄랑 따라나"서는 사람들을 격렬히 풍자하기도 하고, 「나의 처녀막」 연작에 이르러 그로 인해 파괴된 4·19 혁명의 정신을 "학동들의 상학길에 / 처량하게 처량하게 널려 있는 / 나의, 당신의 상한 처녀막", "파열돼서 부끄러"운 "쪼가리 쪼가리난 처녀막"으로 비유하며 몸부림치기도 한다.

이 시기의 조태일의 시에는 동시대의 다른 많은 시들이 항용 그렇듯이 모더니즘 취향에 따른 관념과 추상이 짙게 배어 있고, 그것들이 만드는 난해한 이미지들이 유기적으로 통합되고 있지 못하는 가운데 이리저리 발산하고 있는 점도 또한 주목하지 않을 수 없다. 현학적인 포즈의 짐작하기 어려운 구절들, 이를테면 "피맺힌 목구멍에 코리아를 매달고"(「문풍지와 나무와 나와」), "식욕이 부족한 태양"(「處女鬼神前上書」), "두개골 속에서 귀신 옷 갈아입는 듯한"(「간추린 日記」) 등과 같은 구절들의 경우 독자의 손쉬운 접근을 가로막고 있는 것이 사실이다.

하지만 그는 이러한 모더니즘의 폐해, 즉 지적 허세를 1960년대 후반을 거쳐 1970년대 초반에 이르면서 말끔히 극복하게 된다. 이러한 의미에서 1970년대는 시인 조태일에게 남달리 새로운 비전을 제시하고 있는 것으로 보이는데, 그에는 '국토'의 발견이 무엇보다 중요한 원인으로 작용한다. 여기서 '국토'의 발견을 중요하게 생각하는 것은 그것이 그의 시에서 항상 대지적 생명력과 신화적 일체감을 향한 강한 의지로 전화되어 분출하고 있기 때문이다. 그리고 그것이 건강하고 활달한 기개, 씩씩하고 튼실한 정서를 바탕으로 하고 있다는 것에 대해서는 새삼스럽게 강조할 필요가 없다.

따져 보면 그의 시가 함축하고 있는 이러한 특징은 후기의 시들, 특히 제7시집 『풀꽃은 꺾이지 않는다』(1995)의 시들에 이르러 훨씬 밀도 있는 모습을 갖춘 것으로 파악된다. 하지만 그와 상관없이 연작시 「國土」의 몇몇 작품들이 보여주는 낙관적 원체험의 추구, 원시적 일체감에의 의지는 그의 시세계 전체를 떠받치는 간과할 수 없는 정신 경향으로 자리하고 있는 것이 사실이다. 풀잎, 돌멩이, 바람, 햇빛, 꽃, 물 등의 자연물들이 당대의 현실에 대한 시인의 자각과 어우러져 한바탕 굿판을 벌이고 있는 것이 연작시 「國土」의 몇몇 작품이다.

두 번째로 살펴볼 수 있는 조태일의 시정신은 '민족 현실의 반영 혹은 눈물과 울음'이라는 말로 요약된다. 그의 초기시는 기본적으로 질풍노도疾風怒濤하는 낭만적 정서를 바탕으로 하고 있다. 이러한 초기시의 낭만적 정서는 1970년대 중반을 거쳐 1980년대에 이르면서 점차 안정된 서정의 면모를 취하게 된다. 대지와 자연에 대한 원초적 감성의 발현을 여전히 감싸 안고 있기는 하지만 당대의 삶의 문제에 좀 더 예민한 촉수를 들이대는 가운데 서정의 농도를 한층 강화해 가는 것이 이 무렵의 그의 시가 갖는 특징이다. 이즈음의 시에 이르러 눈물이니 울음이니 하는 언표가 좀 더 강화되어 드러나는 것도 그러한 정서가 산출되는 중요한 원인일 것이다. 물론 이에는 그의 인간적 성숙도 적잖은 역할을 했을 것으로 보인다. 그도 벌써 귀신이 보인다는 불혹의 나이를 넘겨 어느덧 중년에 이르러 있기 때문이다.

1970년대 말은 점차 강화되어 가는 유신독재로 말미암아 인간이 지니고 있는 근원적인 자유의지마저 하얗게 얼어붙던 시기이다. 따라서 그의 열정도 거듭되는 탄압에 쫓겨 얼마간은 내성의 시간을 갖지 않을 수 없게 된다. 1977년에 이르러 그의 시 「겨울새」가,

　　　　하늘을 날아가던 새떼들
　　　　푸른 자리에 박혀버렸다.

　　　　눈보라 속을
　　　　그 작은 눈으로 깜박거리며

　　　　매운 눈물을 흘리며

와 같은 상징적 표현을 함유하고 있는 것은 당시의 이러한 사회적 상황과 무관하지 않다.

자기 시대의 현실문제에 대한 즉각적인 반응 역시 그의 시를 이루는 중요한 정신 축의 하나라면 1980년대 초의 사회상황에 대한 반응 역시 예외일 수 없다. 이와 관련해 주목하지 않을 수 없는 것이 있는데, 그의 고향에서 일어난 5·18 광주민주화운동이 다름 아닌 그것이다. 사실 그는 이미 1976년에 쓴 시 「겨울 소식」에서 "찬바람 속에서

광주는 / 큰 애를 뱄다더라. // 찬 눈에 덮여서도 무등산은 / 그렇게도 우람한 만삭이더라"라고 하며 이 일을 예언적으로 노래한 바 있다. 이러한 5 · 18 광주민주화운동이 1980년대 초중반 그의 시세계를 결정하는 가장 중요한 동인으로 자리해 있다는 것에 대해서는 딱히 상론할 필요가 없다. 물론 그의 시적 자양분이 오직 이에만 뿌리내리고 있었던 것은 아니지만 말이다. 한편으로는 '국토'의 정신을 더욱 강화해 그것들의 터전인 대지와 자연의 구석구석이 갖는 의미를 좀 더 구체화해 간 바도 있기 때문이다. 이는 특히 「가거도」와 「백두산」 같은 시에서 그 생생한 모습을 살펴볼 수 있다. 다른 한편으로는 이처럼 국토의 구석구석을 건강한 육체로 노래했던 것이 그이다.

그런가 하면 그는 동일한 정신적 기조하에서도 전혀 다른 정서적 반응을 보여주고 있어 독자들의 시선을 사로잡는다. 「통곡」에서는,

캄캄한 밤하늘
아래서
키 큰 전봇대는
몸을 숨기고
종일 울었다

라고 고백하기도 하고, 「우는 마음으로」에서는,

서울도 울고
산천도 울고
울음에 울음에 울고 울어서

전국은 지금 한창 눈물이

라고 노래하며 비애에 젖기도 한다. 물론 그가 이처럼 슬픔에 겨워하는
정신의 배후에는 무엇보다 5 · 18 광주민주화운동 이후의 민족민중의
현실에 대한 그의 비극적 이해가 자리 잡고 있다.

기본적으로 그는 이러한 울음과 눈물의 근원을 이 시기의 민족민중
의 현실이 끌어안고 있는 돌이킬 수 없는 파괴와 분열, 그로부터 야기된
소외와 불평등을 통해 탐구하고 있다. 따라서 그것은 당연히 세상의
모든 울음과 눈물을 자신의 울음과 눈물로 받아들이는 가운데 전개될
수밖에 없다. 세상의 울음과 눈물은 그의 울음과 눈물이 되고, 그의
울음과 눈물은 우리의 울음과 눈물이 되거니와, 그렇다면 그의 울음과
눈물에 대한 탐구는 참으로 정성스럽고 미더운 일이라고 하지 않을
수 없다.

자신의 시와 더불어 이처럼 치열하게 살아온 것이 시인 조태일이
지만 그 역시 연륜이 쌓여가면서 삶의 전반에 대해 점차 너그러움을
획득하게 된다. 1987년의 6월 항쟁, 그리고 1990년대를 맞으면서 형식
적으로는 다소나마 민주화가 이루어져 온 것도 그로 하여금 일정한
여유를 획득하게 하는 중요한 원인으로 작용했을 것이다.

세 번째로 살펴볼 수 있는 조태일의 시정신은 '자연과 대지 혹은
동심과 모성'이라는 말로 요약된다. 조태일 시의 이러한 특징과 관련해
생각할 때 무엇보다 주목이 되는 시집은 『산속에서 꽃속에서』이다.
이 시집은 조태일의 후기시가 함유하고 있는 여러 조짐들을 두루
포괄하고 있어 관심을 끈다. 발간 시기가 1991년이니만큼 이 시집에는
마땅히 그때까지의, 즉 1980년대 말과 1990년대 초까지의 그의 정서적

현존이 담겨 있다. 따라서 여전히 당대의 정치, 사회적인 문제에 대한 즉각적인 반응을 감추고 있지 않은 면이 상당하기도 하다. 이른바 박종철 고문치사사건의 내용이 직접적으로 담겨 있는 「짧은 시」, 「탁과 억 사이에서」 등의 시에서 그 실제의 예를 살펴볼 수 있다.

하지만 여기서 정작 주목해야 할 것은 이즈음에 이르러 또다시 「국토」 연작시가 창작되고 있다는 점이다. 「국토」 연작시와 관련해 필자는 앞에서 그 특징으로 대지적 생명력과 신화적 일체감, 활달한 기개와 씩씩하고 튼실한 정서, 낙관적 원체험의 추구 등을 적시한 바 있거니와, 결국 이는 시인 조태일이 다소간 모습을 달리하기는 하더라도 다시 한 번 그와 유사한 종류의 상상력을 표출하기 시작했다는 것을 뜻한다.

이 무렵에 이르러 그의 시에는 꽃이니 풀이니 나무니 산천이니 들판이니 하는 언어들이 부쩍 많이 등장한다. 그리하여 그의 시는 점차 자연과 대지의 한복판에서나 가능한 원초적 일치, 신화적 통합의 공간을 꿈꾸게 된다. 그로서는 이제 조금쯤 홀가분한 마음으로 자기 문학의 원천적 터전인 대지와 자연 그 자체의 세계로 돌아와 있다고 해도 좋다. 「국토」 연작시가 갖는 이러한 점이야말로 조태일 문학의 근원적 발판이라는 점을 잊지 말아야 한다.

그가 자연과 대지의 세계로 눈길을 돌리는 데는 1990년대 들어 부쩍 고양된 생태환경 문제에 대한 전 국민적 의식의 환기도 한몫을 한다. 그러고 보면 시인 조태일로서는 여전히 당대의 현실문제에 대한 시적 대응의 한 형식으로 이러한 경향을 추구해왔다고 해도 과언이 아니다. 이는 그의 시에서 대지와 자연의 사물들이 대지와 자연의 사물 그 자체로 노래되기보다는 사람살이의 알레고리로 노래되고 있다는 것을 통해서 잘 알 수 있다. 「반기는 산」의 "하이얀 살들을 드러내 놓고 / 누구나 와서 뒹굴라고 / 겨울산은 말없이 누워 있다 / 세상의 온갖 욕설 괜찮다고"와 같은 구절에서 그 예를 찾아볼 수 있다.

시인 조태일의 대지와 자연에 대한 이러한 통찰은 고향에 대한 재인식과 맞물려 있다는 점에서도 또한 주의를 요한다. 본래 대지와 자연으로 상징되는 것이 고향이기도 하거니와, 그 고향이 어머니의 품 안이고, 유년의 공간이라는 점을 간과해서는 안 된다. 실제로도 그는 시집 『산속에서 꽃속에서』 이후 시적 공간의 대부분을 고향의 산천으로 옮겨온다. 그리고 시선집 『다시 山河에게』(1991)의 서문에서는 급기야 자신의 시적 출발이 유년 시절 고향에서 겪었던 원체험들로부터 형성된 원초적 생명력에서 비롯되었다고 밝히기까지 한다.

그가 대지와 자연 그 자체에 몰입해서 심미적 황홀의 순간을 당당하게 시로 포착하게 되는 것은 제7시집 『풀꽃은 꺾이지 않는다』에 와서이다. 물론 이 시집이라고 해서 당대의 사회상황에 대한 즉자적 감정의 표출이 전혀 드러나 있지 않은 것은 아니다. 「대선 이후」와 같은 시가 그 예이다. 한편 「풀씨」, 「황홀」, 「달빛」, 「노을」 등의 작품에서 알 수 있는 것처럼 이제 조태일의 시는 극단의 심미적 완결성을 보여주게 된다. 이러한 심미적 완결성은 그의 시의 정서적 토대를 이루는 원초적 생명력이 바탕이 되는 가운데 작품에 참여하는 모든 존재들이 한데 어우러져 놀고 합궁하는 형상을 갖는다. 위에서 예로 든 몇몇 시들의 경우 특별히 신화적 자연의 세계에서나 있을 법한 '놀이'와 합궁의 이미지들이 강화되어 있음을 주목할 필요가 있다. 예컨대 그의 시 「홍시들」의,

빨갛구려, 알알이 밝혔구려,

청사초롱, 홍사초롱.

아아, 눈 감으리
까치밥으로 두어 개 남을 때까지
발가벗고 신방 차리는 소리

와 같은 구절 등에 의해서도 이는 확인이 된다. 물론 이러한 이미지는
연작시 「국토」 시절의 「바람」, 「甕器店 風景」 등의 시에서도 충분히
찾아볼 수 있다. 하지만 그것이 제대로 된 시로서의 품격과 심미적
경지를 이루는 것은 이들 후기의 시에 들어서라고 해야 옳다.

　『풀꽃은 꺾이지 않는다』의 시들에서 그가 이러한 심미적 성취를
보여주는 것은 「가을날에」 등의 시에서도 확인할 수 있는 것처럼
무엇보다 대지와 자연의 이치理致를 깨닫는 가운데 무위와 소요로서의
자족한 삶을 실천하고 있기 때문이다. 대지와 자연의 원리原理를 따르다
보면 누구라도 모성과 동심으로서의 시원적 사랑의 세계를 살지 않을
수 없다. 『풀꽃은 꺾이지 않는다』 이후에 창작된 그의 시가 추구하는
것이 다름 아닌 이러한 세계, 즉 모성과 동심으로서의 시원적 사랑의
세계이다. (2001)

# 1994년 민족문학계 동향에 대하여
## ── 분단상황과 민족문학 이데올로기를 중심으로

1994년 4월 5일자 국내의 한 일간지 <조선일보>는 1면 우상단에 다음과 같은 기사를 실은 바 있다.

> 북한은 인접한 중국과 러시아 국경을 통해 급증하고 있는 망명자 등 탈출자들을 강력히 저지하기 위해 국경 경비대에 이를 발견하는 즉시 현장에서 발포, 사살토록 하는 명령을 내렸다.

이 기사는 홍콩에서 간행되는 『사우스 차이나 모닝 포스트』지의 보도를 요약하고 있다. 중요한 것은 그 내용이 아니라 그 내용을 많은 사람들이 별다른 의심 없이 받아들이고 있다는 점이다. 그렇다. 이 기사의 내용이 허위이고 조작된 것이라고 믿는 사람은 거의 없다. 연변과 시베리아 벌목장 주변에 수천의 인민들이 북한 땅을 탈주해 방황하고 있다는 기사가 실린 지 이미 오래되었기 때문이다. 국회에서는 이들을 돕기 위한 특별위원회를 구성하겠다고 나설 정도이다.
이러한 점들과 관련해 보면 북한 사회의 미래는 그다지 밝아 보이지 않는다. 혹자 중에는 북한의 앞날이 소비에트며 기타 동구권, 특히 동독의 운명과 궤를 함께하지 않겠는가 하고 예측하는 사람도 없지 않다.

그동안 이른바 민족문학 진영은 이 땅의 민주화와 통일을 위해 최선을 다해온 바 있다. 그렇다면 이러한 상황과 관련해 민족문학 진영은 어떻게 그간의 과제를 심화, 발전시켜 나갈 수 있을 것인가.

지난 1980년 민족문학 진영의 경우 비록 일부에서이기는 하지만 사회주의적 전망을 추구한 바도 있다. 하지만 대부분 그것은 반독재 투쟁의 의지에서 비롯된 일종의 낭만적 포즈 이상의 것이 아니다. 실천적 세계관에 토대를 둔 조직적 운동이라기보다는 반독재 투쟁의 열정에서 분화된 개별적 이상의 탐구에 지나지 않는다는 것이다.

과거에 부분적으로 오류가 있었다고 하더라도 민족문학 진영의 그동안의 노력을 전면적으로 부정할 필요까지는 없다. 한계는 한계대로 인정하면서도 충분히 새로운 전망을 모색할 수 있기 때문이다. 이러한 모색과 관련해 우리가 여기서 생각해야 할 것은 '실사구시의 정신'이다. 변화하는 실제의 삶에서 진리를 구하고자 하는 이 실사구시의 정신은 무엇보다 오늘의 살아 있는 현실을 바르게 파악할 것을 요구한다. 살아 있는 현실이란 요컨대 북한에서의 실물 사회주의의 위기, 그리고 남한에서의 문민정부의 수립을 뜻한다. 이러한 현실을 십분 인정하는 가운데 민족문학의 주요 이념인 민주화와 통일의 문제를 추진해야 한다는 것이다.

남한의 입장에서 보면 민주화의 문제는 이제 그 형식보다는 내용을 채우는 일이 쟁점이 되고 있다. 물론 이 과제는 좀 더 성숙된 시민의식을 함양해 가는 가운데 가능해질 수밖에 없다. 이와 관련해 생각할 것은 여기서 강조하고 있는 민주화가 근대화의 성숙, 다시 말해 자본주의의 성숙과 궤를 함께한다는 점이다. 한국의 민주화는 결국 선진화된 근대

사회, 선진화된 자본주의를 이루는 길 위에서 좀 더 명확해지리라는 뜻이다. 하지만 이러한 측면에서의 민주화는 문학인이기보다는 정치인이나 경제인이 이룩해야 할 몫이다. 말하자면 문학인의 몫은 따로 있다는 것이다.

나로서는 이때의 문학인의 몫을 근대 이후, 즉 자본주의 이후를 탐구하고 꿈꾸는 데에 있다고 생각한다. 아직까지는 문학인 또한 자본주의적 근대에, 좀 더 섬세하게 말하면 자본주의적 근대의 후기에 살고 있기는 하지만 말이다. 근대 이후의 세상, 자본주의 이후의 세상이 곧바로 실현된다고 하더라도 물론 내일의 그 세상이 지금의 이 세상보다 모든 면에서 더 낫거나 훌륭하다고 할 수는 없다.

따라서 이러한 측면에서의 탐구와 꿈은 문학이기에, 문학이라는 예술이기에 더욱 의미가 있다. 그것이 비록 하나의 이상에 불과하다고 하더라도 말이다. 그렇다면 정작 중요한 것은 그러한 꿈을 꾸기 위해 오늘의 현실을 바로 인식하는 일이라고 하지 않을 수 없다. 급하게 서둘러 해결해야 할 구체적인 일들이 민족문학 진영의 눈앞에 수없이 다가와 있기는 하지만 말이다.

그 구체적인 일들의 경우에는 그것을 앞장서 추진해야 할 주체가 필요하지 않을 수 없다. 그때의 주체는 마땅히 일종의 운동적 성격의 문학단체일 것인데, 그럴 수 있는 문학단체로 역사와 정통성을 갖는 조직은 말할 것도 없이 '민족문학작가회의'이다.

문학운동은 어떠한 것이든 '작품운동'과 '사회운동'으로 대별된다. 문학운동의 경우 훌륭한 작품을 생산해내는 '창작운동'과, 그것을 바탕으로 문학인의 사회적 참여에 토대를 둔 '실천운동'으로 대별된다는 것이다. 이러한 점에서 볼 때 현 단계 민족문학운동의 동향과 관련해 주목해야 할 것은 후자, 즉 문학인의 사회적 실천운동이다.

민족문학운동, 특히 문학인의 사회적 실천운동과 관련해 '민족문학작가회의'의 올해 사업으로 가장 두드러지게 드러나는 것은 세 가지로 요약된다. 첫째는 7, 8월로 예정되어 있는 '전국문학자대회'의 참석에 관한 일이고, 둘째는 '사단법인화'에 따른 일이며, 셋째는 '남북작가회의'의 개최에 대한 일이다. <한국일보>가 주최하는 전국문학자대회는 민족문학작가회의와 한국문인협회, 그리고 펜클럽이 참가의 대상으로 논의되고 있다. 그동안 문학에 대한 태도가 달라 서로 외면해왔던 이들 단체들이 문민정부의 수립과 더불어 상호 자기점검과 자기반성의 모임을 갖는 것은 매우 의미 있는 일이다.

하지만 일관되게 반독재 민주화투쟁의 노선을 걸어왔던 민족문학작가회의로서는 그에 대해 몇 가지 조건이 없을 수 없다. 몇 가지 조건이라고 할 때 그것은 과거 독재정권에 영합해왔던 단체들의 경우 명확한 자기비판이 필요하고, 더불어 대회의 현장에서 국보법 폐지, 구속문인 석방 등에 대한 결의가 이루어져야 한다는 것 등이다. 이러한 조건들이 성취된다면 아마도 민족문학작가회의에서는 올해 여름의 전국문학자대회에 적극적으로 참여할 것이고, 그간의 민족문학의 성과에 대한 활발한 토론을 시도하게 될 것이다.

민족문학작가회의의 사단법인화 문제에 대해서는 이미 지난해부터 꾸준히 거론되어온 바 있다. 일반 회원들의 경우는 이 일에 대해 긍정적으로 생각하고 있다. 하지만 회장단 등 지도부에서는 아직도 더 두고 관망할 필요가 있다고 생각하는 듯하다.

물론 사단법인이 될 때 문제점이 아주 없지는 않을 것이다. 경제적 지원을 받을 수는 있겠지만 얼마간 자율성이 침해될 수도 있을 것이기 때문이다. 그럼에도 불구하고 아마도 올해에는 사단법인화가 정식으로 추진될 것으로 보인다. 대다수의 회원들이 그것을 원하고 있고, 또 그렇게 하는 것이 자연스럽기 때문이다.

남북작가회의 추진 문제는 핵문제 등 정부 차원의 남북관계가 어떻게 진전되느냐에 따라 달라질 것이다. 하지만 전국문학자대회가 제대로 성사되고, 8·15 광복절을 전후해 정부 차원의 남북관계에 일정의 변화가 온다면 남북작가회의의 실제적인 개최도 충분히 가능하리라고 생각된다. 하지만 그것이 범민련의 협조를 받거나 그 산하에서 추진된다면 제대로 성사될 것으로 보이지 않는다. 그보다는 오히려 남한의 여타 문학단체와 협조하면서 민족문학작가회의가 강하게 주도권을 행사하는 가운데 이루어질 것으로 예측된다.

그 밖에도 민족문학작가회의의 올해 사업계획 중에는 연례적으로 추진되어온 일들이며 새롭게 처음으로 추진하는 일들이 적잖다. '4·3 문학제', '5월 문학의 밤', '민족문학교실', '전국순회 시낭송회' 등은 연례적으로 추진되어온 사업이고, '분단문학사 연구발표회', '전국고교생백일장대회', '청소년을 위한 여름 문학캠프', '자유실천문인협의회 창립20주년 기념 민족문학 큰잔치' 등은 올해 들어 새롭게 추진되고 있는 사업이다.

참된 민족문학 건설을 위한 이러한 노력에 여러분 모두의 힘찬 격려가 있으리라 믿으며 서둘러 글을 맺는다. (1994)

# 도로명 주소를 반대하는 문화예술의 시각

### 1

먼저 지극히 사적인 경험부터 먼저 이야기하려 한다. 내 고향은 지금의 주소로 말하면 세종특별자치시 다정동의 어느 곳이다. 하지만 옛날의 주소로 말하면 충남 공주군 장기면 당암리 245번지(막은골)이다. 이제 이 주소는 지구상에서 사라지고 없다. 세종시라는 이름의 행정중심복합도시, 행복도시가 건설되면서 마을 자체가, 동네 자체가 없어졌기 때문이다. 그뿐만 아니라 앞뜰도 뒷산도 없어졌다.

마을 자체가, 동네 자체가 사라지게 되면 그와 함께해온 언어도 사라지게 마련이다. 언어가 사라지게 되면 그 언어와 함께해온 문화도 사라지게 된다. 존재가 의식을 규정하기 때문이다.

고향의 지명地名, 동명洞名이 사라지면서 그곳의 문화, 그곳과 얽힌 서사, 그곳이 생산한 수많은 사연이 사라진다는 것은 슬프고도 아픈 일이다. 그렇다. 충남 공주군 장기면 당암리 245번지(막은골)라는 내 고향마을의 수많은 에피소드는 지금 나와 몇몇 사람들의 기억 속에만 쓸쓸하고도 슬프게 남아 있을 뿐이다.

세종특별자치시의 건설로 이곳 마을이 사라지면서 이곳 마을과 함께해온 수많은 언어가, 곧 수많은 사연이 사라진다는 것은 그만큼 문화적으로 손실이 크다는 것이 된다. 마을문화는 모든 문화의 원천이라는 것을 잊어서는 안 된다. 마을이 사라지고, 마을의 이름이 사라지게 되면 마을과 얽혀 있는 수많은 이야기, 곧 신화, 전설, 민담이 사라지게 된다. 그렇게 될 때 나타날 문화적 빈곤을 간과해서는 안 된다.

세종특별자치시가 건설되면서 내가 가장 가슴 아파한 일 중의 하나가 바로 이것이다. 내 고향마을의 수많은 지명과 동명이 사라진다는 것은 그와 동시에 그곳의 수많은 설화, 곧 신화, 전설, 민담이 사라진다는 것을 뜻한다. 지명과 동명이 사라지게 되면 그곳의 모든 역사는 물론 그곳과 관련된 모든 문화, 나아가 사사롭게는 모든 기억과 추억이 사라지게 된다는 것을 소홀히 여겨서는 안 된다.


## 2

지금 여기서 내가 이러한 이야기를 하는 까닭은 비교적 단순하다. 정부의 행정안전부가 지금 단지 세종특별자치시와 관련된 마을문화만이 아니라 이 나라 전체의 마을문화를 말살하려 하고 있기 때문이다. 최근 이명박 정부의 행정안전부는 누천년을 두고 축적되어온 지명과 동명 중심의 풍성하고 구체적인 기존의 주소를 버리고 도로명 중심의 건조하고 추상적인 주소를 새로 만들어 실시하려고 한다.

지명과 동명 중심의 풍성하고 구체적인 주소에는 그동안 그곳에 전해 내려온 심미적 가치가 충만하게 들어 있다. 지명과 동명의 주소에는 무엇보다 그곳에서 살아온 사람들 모두의 기억과 추억이, 전통과 역사가 살아 있다. 기억과 추억이, 전통과 역사가 다 사라져 존재하지 않는 곳에서는 새로운 문화가 태어나기 어렵다. 기억과 추억은 전통의 근거이거니와, 전통에 뿌리내리지 않고서는 근본적으로 참다운 새로운 문화가 태어나기 힘들다.

지명과 동명을 없애는 일이 새로운 문화가 태어나지 못하도록 막는 아주 끔찍한 일이 되는 까닭이 바로 여기에 있다. 그렇다. 이명박 정부의 행정안전부는 지금 새로 도로명 주소를 만든다는 미명하에 이처럼 끔찍한 일을 저지르고 있는 것이다. 새로 도입된 주소를 따르게 되면 4만여 개에 이르는 전국 시, 군, 구의 동, 면, 리, 골 등이 일시에 사라지게 된다는 것을 잊어서는 안 된다.

도로명 주소로 바꾸어 지명과 동명을 없애는 일은 나날의 삶에서 공간을 없애는 일이기도 하다. 나날의 삶에서 공간은 시詩에서 이미지가 태어나는 토대이고 뿌리이다. 나날의 삶이 이루는 공간을 바탕으로 시의 모든 이미지가 태어난다는 것을 알아야 한다. 나날의 삶과 함께하는 공간에 기반을 두지 않으면 어떠한 형태의 것이든 시의 이미지는 태어나지 않는다. 시각, 청각, 후각, 미각, 촉각 등 모든 시의 이미지가 나날의 삶이 이루는 공간을 바탕으로 생성된다는 것을 알아야 한다. 따라서 나날의 삶에서 공간을 지우는 일은, 곧 일상의 삶에서 지명과 동명을 지우는 일은 시의 이미지를 지우는 일일 수밖에 없다.

나날의 삶에서 공간과 함께하는 이미지, 특히 지명地名이나 동명洞名과 함께하는 이미지가 없이는 좋은 시가 태어나기 어렵다. 일찍이 공자는 『논어』에서 시경의 시를 읽으면 조수초목지명鳥獸草木之名을 많이 알게 된다고 말한 바 있다. 이는 시가 조수초목지명을 바탕으로 창작된다는 뜻이기도 하다. 조수초목지명鳥獸草木之名은 구체적인 사물의 이름, 자연의 이름, 곧 고유명사라는 점에서 지명이나 동명과 다를 바 없다. 실제로도 수많은 시인과 작가들이 조수초목지명만이 아니라 지명이나 동명을 바탕으로 작품을 쓰고 있다. 지명이나 동명이 사라지게 되면

황석영의 소설 「삼포 가는 길」, 양귀자의 소설 「원미동 사람들」, 백석의 시 「남신의주 유동 박시봉 방」, 정지용의 시 「구성동」, 천양희의 시 「마들 종점」, 곽재구의 시 「사평역에서」와 같은 작품들은 창작되기 어렵다. 시인과 작가들은 이러한 사실을 잊어서는 안 된다.

### 3

지명과 동명을 없애는 일은 공간의 이름을 없애는 것일 뿐만 아니라 공간 자체를 없애는 것이다. 언어가 사라지게 되면 그것이 지시하는 실재도 사라지게 된다. 언어가 사라지게 되면 언어가 지시하는 의식도, 의미도 사라지기 때문이다. 강조하거니와, 사람들의 마음속에서 지명과 동명이 사라지게 되면 지명과 동명이 지시해온 공간도, 공간과 함께해온 문화도, 역사도 사라지게 된다. 마음속의 공간이 사라지게 되면 그 공간과 함께해온 추억과 기억도, 전통도 사라질 수밖에 없다는 뜻이다.

추억과 기억은, 문화와 역사와 전통은 모든 상상력의 원천이다. 추억과 기억, 문화와 역사와 전통이 약화되면 상상력도 약화되기 마련이다. 추억과 기억, 문화와 역사와 전통은 본래 고향의 산물이다. 따라서 지명과 동명을 없애는 일은 고향을 없애는 일이기도 하다. 고향이 없어졌을 때 받게 될 문화적, 심리적 충격을 생각해 보라. 사람들은 문화적 정체성을 잃고, 다시 말해 그리움의 원천을 잃고 파괴되고 일그러진 정신으로 사막과 같은 도시를 헤매게 될 것이다. 인간의 인성은 훨씬 더 타락하게 될 것이고, 인간의 심성은 훨씬 더 피폐하게 될 것이다.

그뿐만 아니다. 이제는 어떤 특정한 지역이나 장소를 배경으로 하는 시가 생산되지 않을 것이다. 어떤 특정한 지역이나 장소, 곧 어떤 특정한 공간이 시에서 이미지의 원천이 되고, 장면의 원천이 되고, 풍경의 원천이 된다는 것을 기억해야 한다. 그렇게 되면 더 이상 고향의 시가 창작되지 않을 것이다. 정지용의 「고향」이나 「향수」, 오장환의 「고향 앞에서」와 같은 시는 더 이상 창작되지 않으리라는 것이다.

정지용이나 오장환의 시 또한 이미지를 토대로 하는 사유, 곧 상상력이라는 인간의 원초적 인식능력에 의해 창작되었다는 것을 잊어서는 안 된다. 상상력은 이미지를 단위로 하는 인간의 인식능력이다. 이미지를 단위로 하는 인식능력, 곧 상상력은 그 자체로 문학적이고 예술적인 인식능력이다. 이해력이 과학적이고 학술적인 인식능력이라면 상상력은 창조적이고 창의적인 인식능력이다.

상상력은 이해력과 함께 인간이 세계를 인식하는 양대 코드이다. 상상력이 약화되면 이해력도 약화된다. 상상력과 이해력은 서로 다른 사유의 코드이지만 기본적으로는 늘 상보적이고 상생적인 관계에 있다. 일단은 이해력이 이성의 능력, 상상력이 감성의 능력이라는 사실을 알아야 한다.

창조적인 일은 상상력이 약화될 때 실천하기 어렵다. 상상력은 본래 마음의 장애물을 돌파하는 인식능력이다. 순간적이고, 직접적이고, 비약적으로 이미지라는 물질을 징검다리로 사용해 막힌 마음을 뚫고 나가는 사유능력이 상상력이다. 이 상상력이라는 인간의 사유능력은 언제나 지속적으로 축적해온 그동안의 문화적 전통과 역사를 기반으로 펼쳐지기 마련이다. 기억과 추억에 기초한 문화적 전통과 역사 없이 제대로 된 상상력이 펼쳐지기는 어렵다.

지명이나 동명을 없애는 일은 누천년 축적해온 문화적 전통과 역사를 없애는 일이다. 지명이나 동명에는 전통 및 역사와 함께해온 수많은 사연이, 서사가 축적되어 있기 때문이다. 전통 및 역사와 함께해온 수많은 사연, 곧 설화, 다시 말해 신화나 전설, 민담에 기초하지 않고 어떻게 좋은 시가, 좋은 소설이, 좋은 영화가, 좋은 드라마가 창작될 수 있겠는가. 문학은 본래, 특히 시는 장소에 대한 사랑, 공간에 대한 사랑을 바탕으로 창작되는 예술이다. 장소에 대한 사랑, 공간에 대한 사랑이 지명에 대한 사랑, 동명에 대한 사랑과 다르지 않다는 것은 불문가지이다.

행정적으로 편리할지는 모르지만 도로명 주소의 전면 실시는 지명과 동명을 상실하게 해 이 나라 국민들의 상상력을 현저하게 퇴보시킬 것이 뻔하다. 국민들의 인식능력, 사유능력, 곧 상상력 자체를 천박하게 만들 것이라는 이야기이다. 본래 상상력이라는 것이 지명이나 동명, 그리고 조수초목지명鳥獸草木之名 등 구체적이고 가시적인 물질 혹은 물질언어를 교환하는 가운데 태어난다는 점을 잊어서는 안 된다. 가시적인 물질 혹은 물질언어를 토대로 태어나는 상상력이 고갈된 채 우수하고 뛰어난 예술작품이, 특히 시가 창작되기는 원천적으로 불가능하다. 일상의 삶에서 지명이나 동명이 상실되게 되면 백석의 시 「정문촌」, 서정주의 시 「질마재 신화」, 신경림의 시 「산 1번지」와 같은 명편들은 더 이상 태어나지 않을 것이 자명하다. 한국작가회의 실무를 맡고 있는 내가 새로운 도로명 주소를 전면적으로 폐기하자고 촉구하는 까닭이 바로 여기에 있다.

새로운 문화의 창조, 나아가 새로운 문학작품의 창작을 중요하게 여긴다면 누구라도 지명이나 동명을 중심으로 한 기존의 주소를 없애는 일에, 곧 도로명을 중심으로 하는 새로운 주소를 사용하는 일에 찬성하

452

지 않을 것이다. 도로명 주소가 전면화될 때 국민들의 상상력이, 창조적 인식능력이 말살될 생각을 하면 끔찍하기 짝이 없다. 시나 소설 등 문학만이 아니라 모든 창조적 예술을 위해서라도 도로명 주소는 철폐되어야 마땅하다. (2011)

# 풍경과 존재의 변증법

초판 1쇄 발행 2017년 9월 28일

지은이 이은봉
펴낸이 조기조
펴낸곳 도서출판 b

등록 2003년 2월 24일 제316-12-348호
주소 08772 서울시 관악구 난곡로 288 남진빌딩 401호
전화 02-6293-7070(대) 팩시밀리 02-6293-8080
홈페이지 b-book.co.kr 이메일 bbooks@naver.com

ISBN 979-11-87036-28-9  03810
값_20,000원

*잘못된 책은 교환해 드립니다.